Op weg naar huis

www.boekerij.nl

Eleanor Brown

Op weg naar huis

ISBN 978-90-225-6004-4
NUR 302

Oorspronkelijke titel: *The Weird Sisters* (Amy Einhorn Books)
Vertaling: Bob Snoijink
Omslagontwerp: Johannes Wiebel | punchdesign | München
Omslagbeeld: © plainpicture/Jim Erickson
Zetwerk: Mat-Zet bv, Soest

De citaten van Shakespeare zijn afkomstig uit *Verzameld Werk* (vertaling Willy Corteaux, Meulenhoff|Manteaux: 2007) en *Sonnetten* (vertaling Albert Verwey, Maarten Muntinga: 2010). Het citaat op pagina 7 is afkomstig uit Dylan Thomas, *Alle verhalen* (vertaling Bert Meelker, De Prom: 2000).

Voor Chris
Voor de lente, voor een rockconcert, voor eeuwig

Maar we belden alleen de brandweer, en al heel gauw kwam de brandweerauto en drie lange mannen met helmen rolden een slang het huis in, en meneer Prothero kon zich nog net uit de voeten maken voor ze hem aanzetten. Niemand zal een lawaaiiger kerst gehad hebben dan wij. En toen de brandweermannen de slang afsloten, en in de natte, rokerige kamer stonden, kwam Jims tante, juffrouw Prothero, naar beneden om even naar de mannen te kijken. Jim en ik wachtten, heel stil, om te horen wat ze tegen ze zeggen zou. Ze zei altijd precies het goeie. Ze keek naar de drie lange brandweermannen met hun glanzende helmen, zoals ze daar stonden, te midden van rook en as en smeltende sneeuwballen, en zei: 'Kan ik u iets te lezen aanbieden?'

– Dylan Thomas, 'Kerstmis van een kind in Wales'

'k Heb voor'ge nacht gedroomd van de drie heksen.

– William Shakespeare, *Macbeth*

WOORD VOORAF

We gingen naar huis omdat we mislukkelingen waren. Eerst wilden we dat natuurlijk niet toegeven, niet tegenover onszelf en zeker niet tegenover anderen. We zeiden dat we naar huis gingen omdat mama ziek was, omdat we vakantie nodig hadden, een adempauze voordat we aan de volgende Grote Zaak zouden beginnen. Maar in werkelijkheid waren we mislukt en in plaats van dat te bekennen, hulden we ons in een mantel van uitvluchten en alibi's om de kille waarheid op afstand te houden. Het eerste stadium: ontkenning.

Voor de jongste, Cordelia, begon het met de brieven. Die werden op één dag bezorgd, maar de inhoud liep zo uiteen dat ze de poststempels moest bekijken om te zien welke het eerst was geschreven. Ze leken zo eenvoudig, het papier in haar handen, gevoelig voor regen of onvoorzichtige behandeling, maar ze wilde ze niet vernietigen. Dit was het soort brieven dat je opgevouwen in een kistje met aandenkens bewaart om jaren later weer open te maken, het papier voelt zo oud dat het zo kan scheuren en je hart bonkt van het misselijkmakende verlangen om je door de herinnering te laten overweldigen.

We moeten je vertellen wat erin stond en dat zullen we ook, omdat de inhoud alles wat daarna gebeurde beïnvloedde, maar eerst moeten we uitleggen hoe de communicatie in onze familie verloopt en daarvoor moeten we onze familie uitleggen.

Allemachtig.

Misschien kunnen we beter iets over onze vader vertellen.

Als je colleges over Shakespeare zou volgen, zou de naam van onze vader misschien ergens in een schemerig hoekje van je geest opgeslagen liggen onder bergen nutteloze telefoonnummers, vergeten dromen en woorden die nooit verder komen dan het puntje van je tong als je ze nodig hebt. Onze vader is doctor James Andreas, hoogleraar Engelse literatuur op het Barnwell College met De Onsterfelijke Bard als enige specialisme.

De woorden die ons te binnen kunnen schieten om vaders werk te beschrijven zijn ontoereikend om over te dragen hoe het is om met iemand samen te leven die er zo'n unieke obsessie op na houdt. Enthousiast, deskundig, geobsedeerd: die woorden klinken allemaal hol in het aangezicht van de zandstorm Shakespeare waarin wij zijn grootgebracht. Sonnetten waren onze slaapliedjes. Gedrieën kregen we instructies in coupletten, we zouden een gehate speelkameraad eerder 'een raaskal met vette nieren' noemen dan een eikel. Tijdens het kerstdiner speelden we onder de tafel terwijl er gespreksflarden over 'deconstructivistische filosofie' en 'patriarchale misdadigheid' tezamen met de kerstliedjes door het zware tafelkleed drongen.

En dat is nog maar het begin.

Maar voor ons doel volstaat het.

De eerste brief was van Rose: nauwgezet handschrift op dik velijn. Uit *Romeo en Julia*; Cordy wist het direct. *Hoe, wanneer en waar we elkaar ontmoetten, zij mij won, ik haar, dat alles zal 'k u onderweg ontvouwen; één bede: dat u ons vandaag wilt trouwen.*

En nu begrijp je dat dit de manier was waarop onze oudste zus ons liet weten dat ze ging trouwen.

De tweede brief was van papa. Hij communiceert bijna uitsluitend via pagina's die hij uit *The Riverside Shakespeare* heeft gekopieerd. De bladzijden zijn voorzien van zo'n woud van aantekeningen van decennia gedachten en interpretaties, dat we de onderstreepte regels tekst amper kunnen onderscheiden. Maar dat doet er niet toe, we zijn gepokt en gemazeld door de toneelstukken en de kleinste verwijzing brengt de taal weer terug.

Kom, laat ons gaan nu, en de goden bidden voor onze moeder in haar barensweeën. En zo wist Cordy dat mama kanker had. Zo wist ze dat we naar huis moesten gaan.

1

Cordy had nog nooit eerder iets gestolen. Ze was er zelfs trots op dat ze in onze tienerjaren weigerde mee te doen toen onze vriendinnen hun vingervlugheid oefenden op de schappen van het warenhuis Barnwell. Ze wilde zelfs de goedkope oorbellen niet dragen, noch de klonterige lipstick opdoen, noch naar de gejatte muziek luisteren. Maar hier was ze dan in dit onbeduidende woestijnplaatsje en confronteerde ze de schap met zwangerschapstests omdat ze heel goed wist dat ze zich die niet kon veroorloven. Het leek wel een treffen in een cowboyfilm: Cordy bij *high noon* tegen de roze stokjes.

Ze wilde het ergens anoniem doen, in een winkel met brede gangpaden waar het gonsde van de zachte muziek, een winkel die bij een keten hoorde en niet van een individu, maar die winkels waren allang slim geworden en hadden bewaking aan de deur gezet die winkeldiefstal moest voorkomen. Dus bevond ze zich met het hart in de keel en een hoofd als vuur in een stoffige eenmansdrogisterij.

'*De trommels nu geroerd; roept "Moed!" en voort!*' fluisterde ze, en ze giechelde terwijl ze met één slanke hand het eerste het beste doosje van de plank griste. Ze zouden haar allemaal vertellen wat ze al wist maar niet wilde toegeven.

Ze stopte het doosje met één hand in haar wijd open schoudertas en tastte met de andere op de bodem naar het restant van haar loon van de vorige maand, wat kleingeld in een graf van muffe pepermuntjes, pluis en kapotte pennen. Op weg naar de kassa greep ze een reep karamel van de plank, gaf die aan de caissière en diepte nog een paar penny's op. Haar hand brandde toen hij langs het verborgen doosje in de rommelige diepte streek.

Buiten trof haar een golf van uitbundigheid. 'Te makkelijk,' zei ze hardop tegen de verlaten straat, haar rok sleepte over de stoep, nu al warm en slap door het aanzwellende voorjaar, en haar sandalen waren zo versleten dat ze de hardnekkige warmte op haar hielen voelde. De blijdschap over het verbodene duurde tot ze weer in de donkere bouwval was waar ze logeerde, waar nog een handjevol mensen op het kapotte meubilair de roes van de uitspatting van de voorgaande avond uitsliep. Ze trok het doosje open, gooide de bijsluiter in de richting van de prullenbak en pleegde de plas. Gehurkt boven de wc in de badkamer, met gebroken en vergruisde tegels onder haar voeten, staarde ze naar de roze streep, zo bleek als een verschoten krantentekst, en trad haar geweten in werking.

Dieper kun je niet zinken, Cordy, sukkel die je bent, hoorde ze Bean al opgewekt zeggen.

Hoe wil je voor een baby zorgen als je niet eens een zwangerschapstest kunt betalen? hoorde ze Rose al zeuren.

Cordy veegde onze ingebeelde stemmen van tafel en begroef het bewijs in de prullenbak. Het maakte niet echt uit, hield ze zich voor. Ze was toch al met grote omwegen op weg naar huis, zwervend in een cirkelvormige beweging, waar de wind of de volgende lift haar maar naartoe blies. Dit bevestigde alleen maar wat ze toch al wist: dat het na een zwerftocht van zeven jaar als van een paardenbloemzaadje tijd werd om zich te vestigen.

Zich vestigen. Ze huiverde.

Die woorden deden inwendig een belletje rinkelen. Dat was tenslotte de reden dat ze was weggegaan. Vlak voor de tentamens in de lente van haar eerste jaar op Barnwell College bevond ze zich in het studeervertrek van de faculteit psychologie, waar ze ruggelings op het tapijt lag met een studieboek in haar handen boven haar gezicht. Twee studentes, ouderejaars, zaten dichtbij te praten. De ene ging trouwen, de andere wilde afstuderen. Cordy liet het boek op haar borst zakken en het gewicht drukte zwaarder naarmate ze langer luisterde naar de litanie van Wat Hun Boven het Hoofd hing. Bruiloftsgunsten en studentenleningen. Hypotheken en een zorgverzekering. Loopbaan en belasting. Ze kreeg het benauwd, schoof het boek op de grond en ging ervandoor. Als dat de toekomst was, wilde ze er niets mee te maken hebben.

Waarschijnlijk was het onze schuld en lag het aan het feit dat we haar altijd als een baby hadden behandeld. Of misschien lag het aan papa; Cordelia was altijd zijn lieveling geweest. Hij heeft nooit nee tegen haar gezegd, niet tegen haar ademloze gejammer als baby, noch tegen de smeekbeden in haar kinderjaren om op ballet te mogen (wat ze nog voor de vierde positie weer opgaf, al bleef ze haar tutu nog verschrikkelijk lang dragen zodat die niet helemaal weggegooid geld was), noch tegen haar radeloze telefoontjes 's avonds laat om geld over te maken gedurende de jaren van haar zwerftocht door het land waarmee ze niets bijzonders bereikte. Zij was de Cordelia van zijn Lear, legendarisch om haar toewijding. *Hij heeft altijd het meest van onze zuster gehouden.* Maar aan wie het ook lag, Cordy had tot dan toe geweigerd volwassen te worden, en daar gingen wij in mee, zoals we haar hele leven aan al haar grillen hadden toegegeven. Tenslotte konden we het haar amper kwalijk nemen. We wisten vrij zeker dat meer mensen drop-outs zouden worden als iemand het scala van manieren waarop de volwassenheid op niets kon uitdraaien publiek zou maken.

Maar nu? Volwassen worden had opeens weinig meer van een keuze. Cordy scharrelde rond in een van de kamers tot ze een kalender had gevonden en de dagen terugtelde. Het was nu bijna juni, dat wist ze vrij zeker. En ze had Oregon, de laatste halte op die lange, vreemde reis, wanneer was het ook weer, in februari, achter zich gelaten. Ze wreef met haar knokkels over haar voorhoofd en dacht na. Het was al zo lang geleden dat dingen als data er nog toe deden.

Maar ze wist de weg terug te vinden, voordat ze zich 's morgens leeg en misselijk ging voelen, voordat haar borsten zo gevoelig werden dat zelfs de stof van haar T-shirt over haar huid leek te raspen, voordat ze op de gekste momenten door uitputting werd overvallen, voordat ze het wist. Washington, Californië, Arizona. In Arizona had ze nog gemenstrueerd; ze herinnerde zich vaag een worsteling met een tamponautomaat in een toilet op een pleisterplaats. En daarna was ze naar New Mexico gegaan, waar ze een veel oudere kunstschilder met strepen wit in zijn haar had ontmoet, wiens huid gerimpeld was door de zon en wiens handen breed en eeltig waren. Ze was een paar weken gebleven en had een paar diensten als serveerster gedraaid om het geld voor de terugreis te verdienen. Niet dat ze ermee rond was gekomen. Hij was in zijn eentje het restaurant binnengekomen om te eten, het was al zo laat en zijn ogen stonden zo eenzaam. Ze was een week bij hem gebleven; overdag lag ze opgekruld op de bank in zijn atelier te lezen en naar buiten over de arroyos te kijken terwijl hij zwijgend schilderde: merkwaardige, verwrongen wervelingen van kleur die van de doeken op de grond dropen. Maar hij was zachtaardig en gezegend stil geweest en na zo veel sturm-und-drang had ze het bijna verdrietig gevonden om weer op te stappen. De avond tevoren was er sprake van een gescheurd condoom, een gedempte woordenwisseling en duistere dromen geweest en de volgende morgen was ze vertrokken.

Cordy plofte op bed neer en liet de kalender vallen. Wat nu? Terug naar New Mexico om het de schilder te vertellen? Ze betwijfelde of het nieuws hem zou opwinden. Ze was zelf niet bepaald verrukt. Misschien zou ze wel een miskraam krijgen. Heldinnen in boeken kregen altijd op het juiste moment een miskraam die hen behoedden voor dubieuze beslissingen. En Cordy had altijd verbluffend geboft.

Tot nu toe.

Ze stapte over bergen vuile kleren op de grond en liep de gang op. De logés in de huiskamer lagen nog te snurken toen ze op haar tenen naar de keuken sloop, waar ze haar rugzak had gelaten. Ze had hier één winter doorgebracht, het leek wel jaren, maar zo lang kon het niet zijn geweest, omdat dit het adres was waar de brieven waren bezorgd. Was het al jaren geleden dat ze zo lang op één plek was geweest om het een adres te noemen?

Tandenknarsend propte Cordy haar spullen in de rugzak. Ze wist niet wat ze moest doen. Maar dat was niet erg. Iemand zou het voor haar uitvogelen. Iemand zou zich over haar ontfermen. Dat was altijd zo geweest.

Geen probleem.

Bean geloofde hoegenaamd in niets wat ook maar een beetje paranormaal leek. Maar de afgelopen paar weken had ze het hoogst merkwaardige gevoel gehad dat er slecht nieuws op komst was. Op een ochtend werd ze wakker met een knoop in haar maag, alsof ze iets kwaadaardigs had ingeslikt dat groeide, en het gewicht bleef de hele dag drukken, waardoor haar hakken venijniger op de trap van de metro klikten en haar lichaam al na een paar minuten op de loopband pijn deed, en cocktails met de kleur van edelstenen in haar maag brandden totdat ze ze onaangeroerd liet staan op de mahoniehouten bars van de meest trendy kroegen van de stad.

Geen enkel trucje kon dat gevoel verdrijven; niet de verleiding van een ongelukkige investeringsbankier in het kabaal van een nachtclub, niet een moordende sessie in de fitness die haar zo slap en moe maakte dat ze naderhand in het toilet moest overgeven, niet dat paar nieuwe schoenen dat evenveel kostte als een maand huur voor haar piepkleine kamertje in een gedeeld appartement in Manhattan. Trouwens, dat laatste veranderde de knoop in haar maag in staal.

Toen het ogenblik waartegen ze zo had opgezien eindelijk kwam, was ze bijna opgelucht. De baas van het advocatenkantoor waar ze werkte, kwam naar haar bureau om te vragen of hij haar even op zijn kantoor kon spreken. *Was het gedaan als het gedaan is, dan was 't goed, als 't vlug gedaan werd*, citeerde ze binnensmonds toen ze het bedaagd lopende hoofd naar zijn kantoor volgde.

'Neem plaats, Bianca,' zei hij.

In New York noemde iedereen haar Bianca. Mannen die in de een of andere terminaal hippe kroeg vroegen hoe ze heette, moesten vragen om het nog eens te zeggen en vervolgens glimlachten ze wanneer het tot hen doordrong. Iets aan die naam – en eerlijk gezegd beschikten er maar weinigen in dat stadium van de avond over de synapsen om ook maar enig literair verband te leggen, dus moest het iets anders zijn – maakte haar nog aantrekkelijker voor hen.

Maar voor ons zou ze altijd Bean blijven en zo sprak ze zichzelf ook nog steeds toe. 'Goed gedaan, Bean,' zei ze wanneer ze iets uit haar handen liet vallen en dan bekeken haar kamergenoten in de stad haar nieuwsgierig. Maar de rol van Bianca speelde ze goed en ze vroeg zich af of dat misselijke gevoel voor een deel kwam door het besef dat de voorstelling was afgelopen. Voorgoed.

Ze nam plaats op het puntje van een van de leren oorfauteuils in zijn zithoek. Hij nam de andere. 'We hebben de boeken eens doorgenomen, zie je,' viel hij met de deur in huis.

Bean staarde hem aan. De knoop in haar maag vatte vlam. Ze keek naar hem, naar zijn borstelige wenkbrauwen en zachte, gerimpelde handen en ze kon wel janken.

'We hebben een aantal... zeg maar onregelmatigheden gevonden in de loonadministratie. Ten gunste van jou. Ik mag graag denken dat het vergissingen waren.' Hij keek bijna hoopvol.

Ze zweeg.

'Kun je me vertellen wat er aan de hand is, Bianca?'

Bean keek naar de armband om haar pols. Die had ze maanden geleden bij Tiffany gekocht en ze kon zich nog de vreemde greep om haar maag herinneren toen ze haar creditcard overhandigde, een gevoel dat ze de laatste tijd wel vaker kreeg wanneer ze iets afrekende, van boodschappen tot een handtas. Het gevoel dat haar geluk niet eeuwig kon duren, dat dit zo niet kon doorgaan en misschien – het meest angstaanjagend van alles – wilde ze dat ook helemaal niet.

'Het zijn geen vergissingen,' zei Bean, maar haar stem struikelde over het laatste woord, dus herhaalde ze iets luider: 'Het zijn geen vergissingen.' Ze vouwde haar handen op schoot.

De baas keek verrast, maar ook teleurgesteld. Bean vroeg zich af waarom ze hem voor dit specifieke smerige klusje hadden uitgekozen. Hij was praktisch met pensioen en hield zijn werkkamer op de hoek alleen maar aan om te ontsnappen aan zijn vrouw en de tijd te doden voordat hijzelf de laatste adem zou uitblazen. Ze overwoog een poging te doen hem te verleiden, maar hij bekeek haar met zo'n grootvaderlijke bezorgdheid dat het idee al in de kiem was gesmoord voordat ze het zich goed en wel had voorgesteld. Ze moest bekennen dat ze iets van dankbaarheid voelde omdat hij het was en niet een van de andere partners, die dankzij hun wanhopige opmars naar de top een vlijmscherpe tong hadden ontwikkeld en wier woedeaanvallen van frustratie door de gangen golfden als een springtij wanneer de wereld het waagde niet naar hun pijpen te dansen.

'Gaat het wel goed met je?' informeerde hij en zijn vriendelijkheid voelde als een bankschroef om haar hart. Ze beet hard op haar tong en knipperde haar tranen weg. Ze ging niet huilen, althans niet bij hem.

Niet hier. 'Het gaat om een heleboel geld, Bianca. Was er soms een reden...' Hij wachtte hoopvol af.

Ze had kunnen liegen. Misschien had ze zich dit tafereel van meet af aan moeten voorstellen om zich erop voor te bereiden. Ze was goed in het theater van het leven, onze Bean, ze had alle rollen kunnen spelen die ze maar wilde. Maar liegen kwam haar radeloos slap voor en opeens voelde ze zich afgemat. Ze wilde niets liever dan gaan liggen en dagenlang slapen.

'Nee,' zei ze. Ze kon hem niet aankijken. 'Er was geen goede reden.'

Hij slaakte een diepe, lange zucht die de atmosfeer in het vertrek anders deed bewegen. 'We zouden de politie kunnen bellen, weet je.'

Bean sperde haar ogen open. Daar had ze nooit bij stilgestaan. Waarom had ze daar nooit aan gedacht? Ze wist dat stelen van haar werkgever verkeerd was, maar op de een of andere manier had ze zichzelf nooit toegestaan om te denken dat het misdadig was. Misdadig! Hoe was het in godsnaam zover gekomen? Mijn god, ze kon naar de gevangenis gaan. Ze zag zichzelf al in een oranje overal in een cel, ontdaan van haar armband en make-up en alle pantsers die het stadsleven van haar vergde. Ze was sprakeloos.

'Maar ik denk niet dat het echt nodig is. Je hebt hard voor ons gewerkt. En ik weet hoe het is om jong te zijn in deze stad. Bovendien is het heel onaangenaam om de politie erbij te betrekken. Ik stel me voor dat ontslag zal volstaan. En natuurlijk moet je je schuld terugbetalen.'

'Natuurlijk,' zei Bean. Ze zat nog steeds als verstijfd en vroeg zich af waarom ze zich zo ernstig had misrekend, en of ze er echt van af zou komen met een tik op de vingers, of dat ze halverwege de receptie toch zou worden opgepakt en handboeien om zou krijgen terwijl de eigendommen uit haar doos op de grond alle kanten op vlogen en iedereen toekeek.

'Misschien zal het je goed doen om een poosje vrij te nemen. Ga een tijdje naar huis. Je komt toch uit Kentucky?'

'Ohio,' zei Bean, het was amper meer dan gefluister.

'Juist. Ga maar terug naar de Buckeye State. Blijf er een poosje. Zet je prioriteiten weer op een rij.'

Bean vocht weer met de tranen die zich een weg naar buiten probeerden te persen. 'Dank u wel,' zei ze en ze keek hem aan. Wonderlijk genoeg zat hij te glimlachen.

'We hebben allemaal wel eens idiote dingen gedaan, lieverd. Naar mijn ervaring straffen goede mensen zichzelf veel harder dan welke externe kracht ook voor elkaar kan krijgen. En ik geloof dat je een goed mens bent. Misschien ben je niet zo'n klein beetje van het rechte pad gedwaald, maar volgens mij kun je het weer terugvinden. Daar komt het op aan. Terugvinden.'

'Dat is zo,' zei Bean met een dikke tong van schaamte. Misschien was het eenvoudiger geweest als hij boos was geworden, als hij haar naar behoren de mantel uitgeveegd had, de politie had gebeld, een juridische procedure was begonnen of iets had gedaan wat de afschuwelijke wijze waarop ze hun vertrouwen had geschonden recht deed, de manier waarop ze schijt had gehad aan alles wat goed en correct was, ten gunste van een heleboel dure kleren en taxiritjes in het holst van de nacht. Ze wilde dat hij haar zou uitfoeteren, maar zijn stem bleef kalm en gelijkmatig.

'Ik adviseer je je dienstverband hier niet te noemen wanneer je een andere baan zoekt.'

'Natuurlijk niet,' zei Bean. Hij wilde net doorgaan toen ze haar stoel naar achteren schoof en hem onderbrak. 'Het spijt me, het spijt me zo verschrikkelijk.'

Hij hield zijn handen voor zich met de vingertoppen omhoog en tegen elkaar aan. Hij keek haar aan en zag de doorgelopen make-up om haar ogen, ondanks haar indrukwekkende vermogen om haar tranen te bedwingen. 'Ik weet het. Je hebt een kwartier om het gebouw te verlaten.'

Bean vluchtte.

Ze nam niets mee van haar werk. Daar was toch niets waaraan ze gehecht was, ze had nooit de moeite genomen haar werkplek gezellig te maken. Ze ging naar huis om een vriend te bellen met een auto die hij aan de sloop wilde verkopen, hoewel zelfs die aanschaf bijna het laatste deel van haar onrechtmatig verkregen geld zou kosten en terwijl hij naar haar toe kwam, pakte ze haar kleren, verbaasd dat ze zo veel geld had uitgegeven en niets anders overhad dan kleren en toebehoren, plus een lange lijst mannen die ze nooit meer wilde zien, en die gedachte maakte haar zo misselijk dat ze naar de badkamer moest om net zo lang over te geven tot er niets anders meer kwam dan bloed en gele gal, en ze trok zo veel mogelijk geld uit de automaat en gooide al haar bezittingen in die gedeukte roestbak en vertrok direct, zonder ook maar afscheid te nemen van de stad die haar... Nou ja, die haar niets had gegeven.

Omdat Cordelia de laatste was die het hoorde, arriveerde ze ook het laatst, al begrijpen we dat het haar bedoeling noch haar schuld was. Cordy, de jongste, was een maand later dan verwacht geboren, ze werkte zich lui uit haar moeders baarmoeder en logenstrafte het idee dat barensweeën met elke volgende geboorte korter worden. Sindsdien is ze overal te laat voor geweest en mag ze graag zeggen dat ze op haar eigen begrafenis nog te laat zal komen, ha ha ha.

Die traagheid vergeven we haar, maar dat grapje niet.

Zouden we allemaal zijn teruggekomen als we hadden geweten dat we weer met zijn drieën zouden zijn en dat al die geheimen onder één dak geperst onmogelijk konden worden binnengehouden? Het antwoord doet niet ter zake; het was een gril van een zwartgallig soort noodlot. Door onze geboorte waren we voorbestemd zussen te zijn en kennelijk moesten we nu weer zussen zijn terwijl we in de waan hadden verkeerd dat we dat allemaal achter ons gelaten hadden.

Terwijl Bean en Cordy hun letterlijke en overdrachtelijke bagage dwars door het land zeulden, had Rose zich al veilig en wel in ons ouderlijk huis genesteld. In tegenstelling tot Bean en Cordy was zij nooit zo lang weggebleven. Ze was al jaren gewend een of twee keer per week bij onze ouders te eten en ze ging elke zondag bij hen langs. Iemand moest tenslotte een oogje in het zeil houden. Ze werden een jaartje ouder, had Rose aan de telefoon tegen Bean gezegd, met precies de juiste hoeveelheid zuchten om aan te geven dat ze het gevoel had dat ze Beans en Cordy's plicht ook op zich had genomen. En meestal voelden haar bezoekjes aan het ouderlijk huis op zondag en het eten als een plicht met gelijke delen frustratie en triomf, wanneer ze papa moest overhalen het gras te maaien voordat de buren gingen klagen, wanneer ze rondliep om bladwijzers in opengeslagen boeken te leggen, wanneer ze mijn moeder maande de post te openen in plaats van die alleen maar binnen te halen. Het was goed dat zij er was, hield Rose zich telkens voor wanneer ze weer wegging (niet zo'n beetje zelfgenoegzaam). Wie weet aan wat voor wanorde ze zonder haar ten prooi zouden vallen.

Maar weer naar huis gaan? Op de gevorderde leeftijd van drieëndertig? Voor permanent, zoals Cordy misschien zou zeggen?

Ze had met haar verloofde Jonathan in de stad moeten wonen omdat ze onlangs haar eerste aanstelling als hoogleraar had getekend, en met haar verlovingsring naar iedereen moeten zwaaien telkens wanneer ze haar gezicht weer op Barnwell liet zien, alleen om te tonen dat zij niet zomaar de slimste was, dat Bean niet de enige was die een man in de wacht kon slepen en papa niet het enige hooggeleerde genie van de familie. Zo had het moeten zijn. Maar het ging als volgt.

Eerste Acte

locatie: De luchthaven en Jonathans appartement, vlak na de kerstvakantie.
personages: Jonathan, Rose, reizigers.

Rose was al tig keer van houding veranderd toen de passagiers van Jonathans vlucht uit de gates van het vliegveld stroomden. Ze zocht naar de juiste houding zodat hij haar kon herkennen, het juiste evenwicht tussen zorgeloze onoplettendheid en achteloze schoonheid; geen van beide zou verraden hoezeer ze hem had gemist.

Maar toen hij uiteindelijk verscheen, en ze zijn hoofd boven de flauwe helling waarmee de gang van de gate omhoogliep uit zag komen en de elegante manier waarop hij zijn hoge, smalle schouders naar voren had gebogen alsof hij tegen de wind in liep, vergat ze haar maniertjes, liet ze haar boek vallen en streek ze haar kleren en haar glad tot hij voor haar stond, haar omhelsde en ze zijn mond warm op de hare voelde.

'Ik heb je gemist,' zei ze terwijl ze zijn wang streelde, vol verwondering over zijn aanwezigheid. Ze voelde lichte stoppeltjes op zijn kin toen hij zich als een poes tegen haar aan wreef. 'Je mag nooit meer weggaan.'

Hij lachte, wierp zijn hoofd een beetje naar achteren en kuste haar voorhoofd terwijl hij de riem van zijn tas over zijn schouder aantrok om te voorkomen dat hij weg zou glijden. 'Ik ben er weer,' zei hij.

'Ja, en je mag nooit meer weggaan,' zei Rose. Later zou ze dat moment nog eens voor de geest halen en zich afvragen of zijn gezicht veranderde, maar toen had ze niets in de gaten. Ze raapte haar boek op, pakte zijn hand en ze liepen naar de bagageband.

'Was het zo erg? Zijn je zussen niet naar huis gekomen toen ze de brief van je vader kregen?' Hij draaide zich naar haar om zodat hij achterstevoren op de roltrap stond met zijn handen op de leuning.

'Nee, ze zijn niet gekomen en dat is maar goed ook, want dan zou het nog erger zijn geweest. Het was alleen papa en mama en ik.'

'Eenzaam?' Hij draaide zich weer om, liep van de roltrap en stak zijn hand uit om haar te helpen bij het afstappen. Klaar voor een appelflauwte, zoals Cordy zou zeggen.

'Bah. Ander onderwerp. Hoe was je reis?'

Jonathan was twee weken weg geweest, bijna de hele vakantie, voor een presentatie in Duitsland en op de terugweg had hij vrienden in Engeland bezocht. Zorgvuldig had Rose elke dag in haar agenda afgekruist; ze voelde zich net een bespottelijke verliefde tiener, maar kon er niets aan doen. Ze wist dat het belachelijk was. Toen ze nog maar een paar maanden een stel waren, was zij de eerste die de magische woorden uitsprak. Ze lagen ademloos op zijn bed te lachen en hij kuste en kietelde haar om beurten genadeloos. Ze had al weken gedacht dat dit liefde was, maar kon het eerst niet zeggen, en toen glipten de woorden er in een duizelige golf zomaar uit. Ze verstijfde, ontzet over haar gebrek aan zelfbeheersing, maar daarna fluisterde hij dat hij ook van haar hield en voelde ze zich flauw van opgeluchte blijdschap. Zonder hem voelde ze zich op wrede wijze geamputeerd. Ze pakte zijn hand om zichzelf eraan te herinneren dat hij er eindelijk weer was.

Hij nam haar hand in de zijne en bracht hem naar zijn mond om een kus op haar vingertoppen te drukken. 'Je ziet er prachtig uit,' zei hij. 'Ik was vergeten hoe mooi je bent.'

Rose schudde blozend van niet en streek met haar vrije hand haar kleren glad. 'Ik zie er niet uit. Ik had geen tijd om me te verkleden en...'

Jonathan onderbrak haar met nog een kus, nu op haar handpalm. 'Ik zou willen dat je jezelf door mijn ogen kon zien,' zei hij zacht. 'Die zien beter.'

Ze bracht hem met de auto naar zijn appartement en ze zeulden zijn koffer naar binnen. Sinds zijn vertrek was ze er niet meer geweest – hij had planten noch huisdieren en als hij er niet was, hoefde zij er ook niet te zijn – en het was er benauwd en bedompt. Ze zette het raam open en de ventilator aan en ze gingen hand in hand op de bank zitten tot hij zijn keel schraapte en zei: 'Ik heb een nieuwtje.'

'Goed of slecht?' Rose luisterde niet echt. Ze stak haar hand uit en streek een verdwaalde lok achter zijn oor. Zijn haar was lang geworden; ze moest een afspraak bij de kapper voor hem maken.

'Uitstekend eigenlijk. In Oxford ben ik bij Paul en Shari...'

'Hoe is het eigenlijk met ze?' Paul was Jonathans kamergenoot geweest tijdens zijn doctoraalstudie. Veel van zijn beste verhalen handelden over hun rampzalige avonturen.

'Geweldig; slaapgebrek natuurlijk, maar tot over hun oren verliefd op de baby en ze lijken me gelukkig. Ik heb foto's bij me. Ze willen je heel graag leren kennen.'

Rose lachte. 'Lijkt me onwaarschijnlijk, tenzij ze een trans-Atlantische vlucht met de baby willen maken.'

Jonathan slikte ongemakkelijk. 'Nou, dat is het 'm nou juist, lieverd. Toen ik er was, hebben Paul en ik met de deken geluncht.' Hij dacht even na op zoek naar de juiste woorden, en Rose voelde haar hart koud worden, alsof er zich een dun laagje rijp op afzette, als ijsbloemen op het raam.

'Hij heeft veel belangstelling voor mijn onderzoek en wil dat ik daar op de faculteit kom werken; dan krijg ik mijn eigen lab en aio's. Ideaal. Een volmaakte kans.'

Rose pakte het glaasje water dat hij voor haar op de salontafel had gezet. Haar mond was op het pijnlijke af droog geworden en haar keel deed zeer. Weer alleen. Het was echt iets voor haar om eindelijk haar Orlando te hebben gevonden, haar volmaakte liefde, om hem vervolgens weer te zien vertrekken. Shakespeares Rosalinde had zulke problemen nooit; die had het te druk met mannenkleren aantrekken om met haar bediende in het bos te ravotten. Het ruige leven. Rose zette het glas weer op tafel en liet zijn hand los.

'Dus je gaat weg,' zei ze dof, toen haar droge lippen weer woorden konden vormen.

'Ik zou het graag willen,' zei hij zacht. Hij wilde haar hand weer pakken, maar ze wendde zich af zodat ze recht voor zich uit keek, weg van hem, met de enkels stijfjes over elkaar en de handen op schoot, alsof ze wachtte om te worden bediend op een bijzonder saaie theevisite.

'Maar we zouden gaan trouwen,' fluisterde ze.

'En dat gaan we ook, natuurlijk doen we dat. Dat bedoel ik helemaal niet. Maar ik zou wel gek zijn als ik dit liet lopen. Dat begrijp je toch wel?' Hij klonk smekend, maar ze wendde zich af.

'Wanneer ga je?'

'Ik heb nog niet gezegd dat ik het doe. Maar ik kan aan het begin van het derde semester beginnen, vlak na Pasen.'

'Je contract hier duurt toch tot het eind van het jaar? Ga je dat zomaar verbreken?'

'Rose, niet doen. Laat me alsjeblieft uitspreken. Ik wil dat je meegaat.'

Rose keek hem aan en stootte een bitter lachje uit. 'Naar Engeland? Wil je dat ik met je meega naar Engeland? Je maakt zeker een geintje, Jonathan. Ik heb een baan. Ik heb hier een leven. Ik ben niet zoals jij. Ik ga niet op de eerste de beste gril naar het buitenland.'

'Dat is een beetje hardvochtig, vind je niet?' zei hij geschrokken van haar vinnigheid. Onze Rose, *wier tong meer gif heeft dan de addertand*! Hij wreef zijn handen vlug over zijn knieën, stond op en haalde zijn vingers ongeduldig door zijn haar. 'Het kan goed voor ons zijn; voor allebei. Voor mij natuurlijk, maar ook voor jou. Volgend jaar heb je toch geen werk meer?'

'Moet ik me daardoor beter voelen?' Rose was het afgelopen

voorjaar in niet mis te verstane bewoordingen duidelijk gemaakt dat haar contract volgend jaar niet zou worden verlengd. Sans rancune, niets persoonlijks, maar er waren geen groeifuncties open en het was heel belangrijk om het faculteitspersoneel vers en het curriculum levensvatbaar te houden. Jawel, had Rose verbitterd gedacht, en zo hebben jullie ook de vrije keus uit al die kersverse doctors die je nooit een cent meer betaalt dan je ongestraft kunt doen. De gedachte een nieuwe baan te moeten zoeken verlamde haar, de gedachte aan een werkloos bestaan verlamde haar en ze kwam sterk in de verleiding haar vingers in haar oren te steken en te neuriën tot de hele toestand was overgewaaid.

'Beter? Ik weet het niet. Maar ik had gehoopt dat je minstens een beetje blij voor mij zou zijn.'

Ze keek hem aan; zijn ogen stonden verdrietig en gekwetst en haar afweer brokkelde iets af. 'Dat ben ik ook. Het spijt me. Maar het is ook zo groot... Het is zo'n enorme verschuiving vergeleken met wat we van plan waren.'

'We hebben altijd geweten dat we het vroeg of laat moesten overwegen, lieverd. Je weet best dat mijn functie hier maar tijdelijk is.'

'Maar ik dacht, misschien...' Rose wilde niet zeggen wat ze dacht. Ze was er gewoon van uitgegaan dat hij zijn chique academische jetsetleventje zou opgeven en een baantje in de buurt zou vinden zodat zij nergens naartoe hoefde. Waar ze helemaal niets hoefde te veranderen. 'Het spijt me,' herhaalde ze.

'O, Rose, mij ook. Laten we het er niet meer over hebben. Laten we er maar een beetje van genieten dat we weer bij elkaar zijn.'

Hij kwam naar haar toe en sloeg zijn armen om haar heen om haar te kussen, maar dat hielp maar een beetje tegen de pijn vanbinnen, tegen haar gekwetste hart. Dus dat was dat. Hij wilde niet blijven en zij wilde – en kon – niet gaan. De gedachte alleen al was bespottelijk.

Zijn handen woelden door haar haar en trokken de haarspelden er langzaam uit, zodat het los op haar rug viel op de manier die hij graag zag, hij streelde de lokken zoals zij dat graag voelde, omdat de lichte spanning op de haarwortels zo kalmerend werkte. Ze besteedde er geen aandacht aan. Bean en Cordy zaten op haar schouders en fluisterden in haar oor als een duivel en een engel in een stripverhaal. Of liever gezegd twee duivels. 'Je kunt best gaan als je wilt, Rosie,' zei onze jongste zus. 'Gewoon je boeltje pakken en weggaan. Zo moeilijk is dat niet. Ik doe niet anders.'

'Waar ben je bang voor?' spotte Bean. 'Wil je je luxeleventje niet achterlaten?'

Goed, dus het was een luxeleventje. Maar het was belangrijk. Zij was belangrijk. Wij hadden haar nodig. Niet dan?

Bean en Cordy gaven geen antwoord. Bean zette haar hoorntjes recht en Cordy joeg op haar eigen gevorkte staart. Jullie hebben mij nodig, dacht Rose fel. Ze draaiden zich om.

'Stil maar,' zei Jonathan alsof hij Roses druk malende gedachten kon horen en hij kuste haar. Wij vielen van haar schouders alsof we er fysiek van af waren geveegd.

Tweede Acte

---

locatie: De Golden Dragon, een Chinees restaurantje een paar plaatsen verderop, dat bekender was door zijn gunstige ligging dan zijn keuken. Voor Bean, destijds acht, was het ook de plaats van een fameus gênante gebeurtenis omdat ze een voorgerecht van koe-lo-jok helemaal in haar eentje naar binnen had gewerkt waarna ze de hele schotel weer uitkotste in de muil van een draak die achter een plant schuilging, in de waan dat het daar nooit zou worden ontdekt.

personages: Rose, Jonathan, papa en mama.

Gevieren zaten ze om de tafel en gezellig kletsend deelden ze elkaars gerechten. De damp sloeg van kleine kopjes thee en Rose stuntelde met haar eetstokjes. Ze benijdde Jonathan het sierlijke gemak waarmee hij die vreselijke dingen hanteerde.

Papa schraapte zijn keel. 'We moeten jullie iets vertellen,' zei hij.

Rose keek vlug op. Ze was wantrouwig. Dit was het soort aankondiging dat ook vooraf was gegaan aan de geboorte van zowel Bean als Cordy, waardoor het hele spel veranderde. Wat het nieuws ook mocht zijn, goed was het niet.

Papa schraapte zijn keel weer, maar mama nam het woord. Ze kwam direct ter zake. 'Ik heb borstkanker,' zei ze.

Het ijs in Roses keel werd massief. Ze pakte het kopje met nog gloeiend hete thee en liet de vloeistof de ijzige kou vanbinnen wegbranden. Ze hield er een blaar op haar tong aan over die ze nog een paar dagen zou voelen, telkens wanneer ze iets zei. Er viel een stilte. Het handjevol andere gasten in het restaurant at door alsof er niets aan de hand was.

'Weet je het zeker, mam?' vroeg Rose uiteindelijk.

Mama knikte. 'Het is in een vroeg stadium, begrijp je. Maar ik heb een knobbeltje gevonden. Was het een maand geleden?' Ze keek naar papa voor bevestiging met het gemak van de elkaar ondersteunende conversatie die ze in de loop der jaren hadden ontwikkeld. Hij knikte.

'Een maand geleden?' Roses stem brak. Ze zette het kopje met bevende hand neer. 'Waarom heb je me niet gebeld? Ik had...' De rest van haar woorden slikte ze in, want ze wist niet goed wat ze had kúnnen doen. Maar ze had wel iets kunnen doen. Zij had dit kunnen regelen. Zij regelde altijd alles. Hoe had ze dit kunnen missen? Een maand lang hadden ze artsen bezocht en rustige gesprekken met elkaar gevoerd, en zij had er niets van gemerkt?

'We zijn bij de oncoloog geweest en het is kwaadaardig. Het lijkt niet uitgezaaid, maar het is vrij groot. Dus voor de operatie krijg ik een cyclus chemotherapie, om het wat te laten slinken. En daarna...' Mama's stem haperde even, alsof de betekenis van de woorden nu pas tot haar doordrong. Ze slikte en haalde diep adem. 'En daarna doen ze een mastectomie. Om het hele probleem maar meteen de kop in te drukken.' Ze zei het alsof het iets was wat opeens bij haar was opgekomen als een betrekkelijk onschuldige activiteit, zoals besluiten op een cruise te gaan of te leren tennissen.

'Wat vind ik dat vreselijk,' zei Jonathan. Hij reikte over de tafel en kneep in mijn moeders hand. Hij was heel elegant in zijn medeleven. 'Kunnen wij iets doen?'

Rose keek verwilderd om zich heen, naar het verguldsel en het rood en de papieren placemats. Dit zou haar bijblijven, besefte ze. Niet de angst in haar moeders ogen, noch het bonken van haar eigen hart, maar hoe wanhopig ordinair dit restaurant was, hoe goedkoop alles eruitzag, hoe de eetstokjes niet goed gesplitst waren, maar in het midden waren versplinterd. Dat zou ze zich herinneren.

Maar toen de schok iets was gezakt, maakte hij plaats voor iets van opluchting, moest ze helaas bekennen. Goddank, een doel. Een excuus om nodig te zijn. Een reden om het feit dat Jonathan haar in de steek liet in iets belangrijks om te zetten. Dus zegde ze de volgende dag de huur op, pakte ze haar spullen en trok ze ongevraagd weer bij haar ouders in.

Pas toen ze weer een poosje thuis woonde en hier en daar in huis wat rommel had opgeruimd en mama door de eerste ronden van de chemotherapie had geholpen, drong het gênante van de situatie tot haar door. Wat vernederend om weer thuis te wonen. Als ze aan mensen vertelde dat ze weer bij haar ouders was gaan wonen om voor haar moeder te zorgen, knikten en zuchtten ze natuurlijk meelevend. Maar toch, wat bezielde haar om weer bij haar ouders in te trekken? Op haar leeftijd? Ze voelde zich net een zwemster die serieus strijd heeft geleverd met de golven, maar erachter komt dat ze nog net zo ver van de kust is als toen ze begon. Ze was eenzaam en moe.

Beschaamd door de gedachte dat ze een stuurloos leven leidde, stond ze met een rood gezicht op van de stoel voor het raam, waar ze geërgerd naar mama's wilde bloementuin had zitten kijken. Die was, zoals het een wilde tuin betaamt, gaan woekeren. Mama was er dol op, omdat hij vlinders en dikke bijen aantrok en omdat paars- en geeltinten op een duizelingwekkende manier met elkaar versmolten wanneer de stelen met elkaar verstrikt raakten, maar Rose had liever een gehoorzame tuin.

Ze draaide het raam de rug toe en keek naar de huiskamer; één zwak lichtje achter haar vaders lievelingsstoel, een verschoten oranje oorfauteuil, wierp schaduwen over de opengeslagen boeken die ondanks al haar pogingen het netjes te houden op alle oppervlakken lagen. De ondeugden van onze familie – wanorde en literatuur – gevangen in een avondopname. We zijn nooit ordelijke lezers geweest die een boek in een logische volgorde uitlezen. We zigzaggen door de tekst als toeristen op een busexcursie waarbij je naar believen kunt uit- en instappen. Als je op weg naar de wc een boek in de keuken neerlegde, kon het bij terugkomst zijn verdwenen of vervangen door een ander dat net zo interessant was. We zijn niet kieskeurig. Vader beperkt zijn leeshonger natuurlijk tot werk van of over onze Bill, maar mama bracht diversiteit aan in onze literatuurkeus. Geen van ons heeft het ooit echt een probleem gevonden om een kinderbiografie van Amelia Earhart te lezen, gevolgd door een zelfhulpboek over alcoholisme (waaraan geen van ons leed), gevolgd door de derde acte van *Eind goed, al goed* plus een verzameling sonnetten van Neruda. Cordy beweert dat dit de oorzaak is van haar onvermogen om zich langer dan een paar minuten op iets te concentreren, maar dat geloven wij niet. Zo zijn we gewoon.

Het was ook niet zo dat Rose er echt spijt van had weer thuis te wonen. Ons ouderlijk huis en Barnwell in het algemeen waren veel prettiger dan het anonieme appartement dat ze in Columbus had gehuurd – dun tapijt op de betonnen vloeren en buren die zo snel kwamen en weer vertrokken dat ze de moeite niet meer nam hun naam te onthouden – maar nadat ze de pillendoosjes van onze ouders had gevuld en de huiskamer had opgeruimd, nadat ze eindelijk een hoveniersbedrijf in de arm had genomen en de boekhouding had gedaan, nadat ze met papa en mama naar de chemobehandeling was geweest en in de wachtkamer had gezeten omdat ze haar niet echt nodig hadden – met zijn tweeën hadden ze het best gered – was haar leven bijna net zo leeg als daarvoor.

Het klokje op de schoorsteenmantel sloeg tien uur en Rose

zuchtte opgelucht. Tien uur was een volstrekt normale tijd om naar bed te gaan zonder je een volslagen nietsnut te voelen. Ze liep naar de trap en bleef even voor de gebutste en verbleekte spiegel staan die daar al sinds mensenheugenis hing. Rose keek naar haar spiegelbeeld en sprak zeven woorden die geen van ons ooit eerder had gezegd.

'Ik wou dat mijn zusjes er waren.'

De aap, de hommel en de mus, waren met drieën, oneven dus.

Papa schreef een keer een essay over de betekenis van het getal drie in Shakespeares werk. Een niemendalletje, vond hij, een kleinigheid, maar het was altijd onze favoriet. De Vader, de Zoon en de Heilige Geest. De Geit, de Wolf en de Kool, Drie Blinde Muizen, Drie Mannen in een Boot (om maar niet van de Hond te spreken). *Koning Lear*: Goneril, Regan, Cordelia. *De Koopman van Venetië*: Portia, Nerissa, Jessica.

En wij: Rosalind, Bianca, Cordelia.

The Weird Sisters. De Drie Heksen.

Wij zijn, gevangen in de auto met papa aan het stuur, onderworpen aan uitvoerige remixen van de geschiedenis van het woord weird, bizar, in *Macbeth*, met een speciale extra lijst Scandinavische en Schotse Bronnen die Shakespeare heeft Gebruikt bij het Scheppen van Dit Belangwekkende Werk. Die vernederingen zullen we je besparen.

Maar het is de moeite waard om aan te tekenen dat Shakespeare helemaal niet bedoelde dat de gezusters *weird* waren, vooral niet omdat het woord *weird* van zijn heerlijke oorspronkelijke betekenis van bovennatuurlijke merkwaardigheid is gedevalueerd tot iets deprimerend banaals zoals in: '"Vind je niet dat Rose zich *weird* kleedt?" vroeg Bean.'

Het woord dat hij oorspronkelijk gebruikte was veel dichter bij *wyrd* en dat betekent iets heel anders. *Wyrd* betekent lot. En we zouden kunnen aanvoeren dat we niet door het lot zijn voorbeschikt om iets te doen, dat alles in ons leven onze keus is, dat lotsbestemming niet bestaat. En dan zouden we liegen.

Rose altijd de eerste, Bean nooit de eerste, Cordy altijd het laatst. En als we dat niet aanvaarden, noch zoals Shakespeares *Weird Sisters* begrijpen dat je niet de strijd kunt aanbinden met je familie en je lot, wel, wie anders heeft daar schuld aan dan wijzelf? Ons lot ligt besloten in de manier waarop we zijn geboren, in de wijze waarop we zijn opgevoed, in het somtotaal van ons drieën.

De geschiedenis van die drie-eenheid is weerbarstig, ze is een constant verschuivende scheidslijn, immer ongelijk en nooit rechtvaardig. Twee tegen een of met zijn drieën tegenover elkaar, maar nooit een eenheid. Na Cordy's geboorte eigende Rose zich Bean toe: twee tegen een. En toen Bean in opstand kwam en zich niet meer voor Roses karretje liet spannen, vonden Rose en Cordy elkaar weer, en werd Cordy een willige volgeling. Twee tegen een.

Totdat Rose wegging en we drie aparte individuen werden.

En vervolgens vonden Bean en Cordy elkaar weer toen ze op een warme zomeravond uit hun slaapkamerraam in de zware takken van de eik waren geklommen en het weer twee tegen een was.

En hier zijn we nu, binnen handbereik maar onderling met een grote, koude afstand. Waarom? Om de anderen niet dichterbij te laten komen? Om onszelf te beschermen?

We lezen soms verhalen in tijdschriften of romans over diepe, liefdevolle relaties tussen zussen. Zussen horen hecht met elkaar verbonden te zijn, ze delen de familiegeschiedenis en overleveringen en lachen om tegenspoed. Maar zo zijn wij niet. We zijn het ook nooit geweest, want zelfs onze allianties kwamen eerder voort uit wrok dan uit liefde. Wie zíjn die zussen eigenlijk die zich zo gedragen en elkaar als beste vriendinnen behandelen? We hebben ze nooit ontmoet. We kennen zeker een heleboel zussen die goed met elkaar overweg kunnen, maar vanwaar die mythe?

We denken niet dat Cordy het veel kan schelen, omdat zij de neiging heeft de dingen te nemen zoals ze komen. Rose wel, zeker, omdat zij het prettig vindt als de dingen overeenstemmen met wat zij er zich van voorstelt. En Bean? Nou, dat wisselt bij haar, zoals alles bij haar wisselt. Om zo'n onnatuurlijke vriendschapsband te smeden zou gewoon zó veel moeite kosten.

Onze vervreemding is niet zwanger van dramatiek. We hebben elkaars vertrouwen niet geschonden, we hebben geen vriendjes van elkaar afgepikt of geruzied over geld of eigendommen, noch om dingen die families onherroepelijk uiteendrijven. Voor ons ligt het antwoord veel eenvoudiger.

We houden van elkaar, snap je. Toevallig liggen we elkaar niet zo.

2

De zomers zijn altijd eender in Barnwell: benauwde, lusteloos klamme dagen die zo nu en dan worden verduisterd door onweersbuien die de gazons en landerijen weelderig houden. We herinneren ons de warmte als een ongenode gast. Toen we klein waren, was het niet zo erg. We holden door de tuinsproeier, wisten onze ouders zover te krijgen dat ze met ons naar het buitenbad van de universiteit gingen en lieten ons haar op ons voorhoofd plakken terwijl we verkoeling zochten in zelfgemaakte ijslolly's. Maar toen we ouder werden, was de warmte de vijand. Dan zaten we op onze slaapkamer op een neuslengte voor de grootste ventilator die we konden vinden, waar de lucht in een razende maalstroom werd geklutst maar de hitte niet minder werd. Slapen kon je wel vergeten en we zwierven dikwijls door het huis in onze witte nachtjapon die in het donker oplichtte, als een trio Lady's Macbeth, gek geworden van het kwik.

Toen we allemaal het huis uit waren, lieten onze ouders een centrale airconditioning installeren. Het was te laat om de deuren voor kromtrekken te behoeden of een halt toe te roepen aan de alomtegenwoordige meeldauw die boeken teisterde die ergens langer dan drie weken lagen, maar de airco maakte het leven in huis in augustus op zijn minst draaglijk. In de winter werden we nog altijd onderworpen aan tikkende en sissende radiatoren, het royale gebruik van elektrische kachels en, in een rampzalig experiment van Cordy, het gebruik van een antieke koloniale verwarmingspan die kennelijk al zijn vermogen om de gloeiende kolen te isoleren kwijt was zodat het metaal zich een weg door de lakens brandde.

Bean arriveerde 's middags, gekleed in een designerpakje dat geheel ongeschikt was voor Barnwell, ze zweette als een otter en vloekte als een ketter. Rose hoorde een auto op de oprijlaan stoppen. Ze sloot het boek voorzichtig over een boekenlegger en keek naar buiten. Bean hees zichzelf achter het stuur van een goedkoop wit autootje vandaan en stapte uit met een pijnlijk schurend geluid. Ze boog zich naar de achterbank en Rose zag een ladder over de achterzijde van haar ontegenzeglijk chique panty. Beans haren waren ontsnapt aan het strakke knotje waaraan ze uren voor de spiegel had gewerkt. Ze zag eruit alsof ze met haar kleren aan had geslapen (wat ook zo was, toen ze te moe was om nog verder te rijden, was ze op een pleisterplaats gestopt, had ze haar benen over de pook gehangen en waren haar kleren door de warmte verfomfaaid). Rose stond op van de stoel bij het raam van haar slaapkamer en ging naar beneden.

'Je ziet er niet uit,' zei ze, nadat ze voor Bean had opengedaan. De warmte golfde naar binnen en perste zich tegen de koelte in huis, waardoor Rose moeite had met ademhalen.

Bean keek haar nijdig aan. 'Bedankt,' zei ze. 'Ik kikker al helemaal op.'

Rose had meteen berouw en pakte een van de koffers aan waarmee onze zus sjouwde. 'Wat is er?'

'Niets. Ik heb het gewoon warm en heb een eeuwigheid gereden. Kun je even opzij gaan?'

Rose gehoorzaamde en Bean liep de vestibule in terwijl ze om zich heen keek naar eventuele veranderingen in het landschap. Ze passeerde Rose, liet onder aan de trap een tas vallen en ging naar de keuken. Rose volgde haar mat en voelde zich slecht gekleed, zoals altijd naast Bean. Zelfs wanneer het leek alsof die was overvallen door een horde nijdige katten, zag ze er nog altijd elegant en chic uit. Rose leek op onze moeder, ze hielden allebei van soepele, linnen rokken, slobberbroeken en gebatikte tuniekjes. Doorgaans voelde Rose zich exotisch comfortabel, maar nu opeens voelde ze zich een slons. Ze hees de achterkant van haar broek op, voelde de zoom van haar saaie katoenen onderbroek en slikte iets van ergernis weg, ze wist niet of die Bean of haarzelf betrof.

Toen ze de keuken binnenkwam, stond Bean bij het aanrecht, met één hand op de kraan dronk ze gretig water uit een jampotje. Ze leegde het met een overdreven smakkend geluid en bukte zich om het nog eens te vullen. Rose zag, ietwat opgelucht door de scheur in Beans verfomfaaide perfectie, hoe zich een natte plek verspreidde op de stof van haar rode mantelpakje waar ze tegen het aanrecht gedrukt stond. 'Wat doe jij hier?' vroeg Rose. 'Papa en mama hebben niet gezegd dat jij zou komen.'

Bean was halverwege haar tweede glas water en trok haar wenkbrauwen op boven de rand. 'Ik heb ze ook niet verteld dat ik kwam.' En daarna zei ze, meer om van onderwerp te veranderen dan om extra informatie te geven: 'O, en ik heb het gehoord, van jullie. Gefeliciteerd.'

'Dank je,' zei Rose, en ze betastte haar ring. Niet dat we je dit al niet maanden geleden hebben verteld, Beany. Voor ons hoef je je niet te haasten. Het is niet zo dat mama stervende is of zo.

'Ach, de ring,' zei Bean, die Roses hand zag bewegen. *'Ik gaf mijn liefste een ring en deed hem zweren, hem nooit meer af te doen.* Laat eens zien.'

Onhandig deed Rose een stapje naar voren en stak stijfjes haar hand uit. Bean greep de dikke vingers van onze oudste zus in haar eigen gemanicuurde klauwen en tuurde naar de ring. Een fonkelende saffier gezet in antiek bewerkt wit goud. Rose was gevallen op het uniek romantische karakter van de ring toen zij en Jonathan hem uitkozen. Maar in Beans ogen zag hij er vast goedkoop uit.

'Mooi,' zei Bean. 'Anders. Dit is beter. Diamanten zijn zo saai.' Toen ze Roses hand losliet, ving die een glimp op van haar pink, waarvan de kunstnagel grillig was afgebroken. Roses hand bleef een ogenblik onzeker in de lucht hangen voordat ze hem terugtrok en op haar dij legde.

'Dank je,' zei Rose. 'Ik vind hem prachtig.'

'Hoe is het met mama?'

'Prima. Zo goed als je kunt verwachten, eigenlijk. Ze is bijna klaar met die chemokuur. Dit is een van haar kuurvrije weken. Volgende week gaan we weer voor de volgende behandeling. Ze is moe en eet weinig, maar het had erger gekund.' Ze had wel meer kunnen vertellen, dat mama na de eerste behandeling zo moe was dat ze bijna drie dagen had geslapen; dat de chemo kort daarna haar haar eruit had getrokken en dat Rose haar huilend op de grond van de badkamer had aangetroffen, bijna kaal, met plukken haar als zeewier om haar ledematen; dat zelfs toen het ergste achter de rug was het gevecht nooit leek te stoppen, maar Bean zou het gauw genoeg met eigen ogen zien. 'We redden het wel.'

'Hm,' zei Bean. Ze had wel door kunnen vragen naar mama's gezondheid, maar ze had meer belangstelling voor de manier waarop Rose het deed voorkomen alsof zij een onmisbaar onderdeel van de hele toestand was, terwijl onze ouders het heel lang goed als een unie hadden gered.

Rose rechtte haar schouders een beetje. 'Het gaat best hier. Je had niet hoeven komen.'

Bean snierde een beetje en duwde haar haar met weinig enthousiasme in vorm. 'Ja, ik had wel kunnen raden dat je niet blij zou zijn om me te zien.'

'Daar gaat het niet om,' zei Rose en ze keek zelf op van haar defensieve toon. 'Ik dacht pas nog dat ik wou dat we er allemaal waren.'

'Nou, dan is je wens vervuld,' zei Bean met de handpalmen omhoog alsof ze wilde zeggen, wat wil je nog meer. 'Cordy is er niet, hè?'

'Nee,' zei Rose. 'Ik weet niet waar ze precies uithangt. Papa heeft een brief naar het laatste adres in mama's boekje gestuurd, maar je weet hoe Cordy is.'

'Mooi. Ik kan haar nu toch niet velen.'

'Hoe lang blijf je eigenlijk?' polste Rose voorzichtig.

Bean haalde haar schouders op. 'Een tijdje. Kweenie. Ik heb mijn baan opgezegd.'

Nou, dat was nieuws. Bean had op personeelszaken van een klein advocatenkantoor in Manhattan gewerkt, in feite wás zij personeelszaken, maar aan de borrel zei ze gewoon dat ze in de advocatuur werkte en liet ze de beste conclusie aan jou over. Of anders de ergste. *Het eerste wat we moeten doen: alle advocaten ombrengen.*

'O ja?' zei Rose. 'Waarom?'

'Waarom zegt iemand zijn baan op? Ik wilde er niet meer werken.' Bean zette zich af tegen het aanrecht en liep naar de deur. 'Ik ga me boven verkleden. Waar zijn papa en mama?'

'Papa geeft les en mama is ergens heen. Ze komen straks terug.'

'Mooi, dan ga ik een douche nemen,' zei Bean en ze verdween de gang in. Nu de opwinding achter de rug was, volgde Rose haar zus de kale houten trap op, terug naar haar boek. Als we een ander soort zussen waren geweest, was Beans terughoudendheid misschien aanleiding voor nieuwsgierigheid geweest, maar nu was het gewoon het zoveelste geheim dat we voor elkaar hadden, een van de talloze die we nooit met elkaar zouden delen.

Onze ouders hadden, meer uit luiheid dan uit opzet, sinds ons officiële vertrek niets aan onze slaapkamers veranderd. Dat leidde dikwijls tot merkwaardige ontdekkingen van aandenkens die we niet hadden willen meenemen in ons nieuwe leven, maar toch zo waardevol waren dat we het niet konden verdragen ze weg te gooien.

Bean wierp haar bagage op het bed, het zware, met tule bekroonde hemelbed dat ze jaren geleden met Cordy had geruild. Die had nu het zware, witte bed van smeedijzer dat Bean niet chic genoeg vond. In haar vijftienjarige ogen waren de zware houten pilaren op de hoeken van het bed het toppunt van elegantie. Nu zag het er treurig uit, de tule was grijs van het stof, het hout dof en niet onderhouden, de sprei was verschoten op de plaats waar het zonlicht erop viel en de kleur eruit zoog. Ze schopte haar schoenen uit en liep naar het raam, terwijl ze rusteloos met haar vingers op haar buik trommelde. Dat strakke, bevende gevoel in haar buik wist van geen wijken, nog steeds niet, zelfs niet op achthonderd kilometer van de stad.

Bean trok de gordijnen van de dakkapel dicht, liep weer naar het bed en trok haar kleren uit. De gescheurde, plakkerige panty ging in de prullenbak en haar pakje legde ze op bed. Op het rokje zat een vetvlek van een hamburger die ze onderweg had gegeten. Ze moest maar eens kijken of Barney tijdens haar afwezigheid een stomerij rijker was geworden. Toen ze haar sieraden afdeed, een zilveren armbandhorloge en diamanten oorbelletjes, kwam het strakke gevoel in haar buik weer opzetten.

Ze trok haar ondergoed uit en sloeg een handdoek om haar bovenlichaam voordat ze de gang overstak naar de badkamer die wij drieën altijd hadden gedeeld. De zware kuip op klauwpoten stond er nog, maar er hing een nieuw douchegordijn omheen. De shampoo die ze hier had gelaten tijdens haar laatste bezoek – met Thanksgiving? Van de zomer? Langer geleden? – stond gelukkig nog op de vensterbank, omdat ze voor haar vertrek geen tijd had gehad (noch, laten we eerlijk zijn, het geld) om naar de haarstyliste te gaan. Ze draaide de kraan open en liet het ijskoude water de plakkerige hitte van de reis wegspoelen, stapte onder de keiharde straal alsof het een doopplechtigheid was, biddend dat de steen op haar maag weg zou spoelen, zou verdwijnen.

Bean had nog niet nagedacht over wat ze nu ging doen. Ze was geheel in beslag genomen geweest door haar vlucht uit de stad, ervan overtuigd dat een flinke afstand tussen dat leven daar en hier een soort aflaat zou betekenen. Irritant genoeg pakte dat niet zo uit. De auto stond vol met dozen kleren – waar had ze in hemelsnaam al die kleren voor nodig? – en elke doos herinnerde haar aan wat ze had uitgespookt. Dief, dacht ze terwijl ze haar gezicht boende. *Je bent een boef, een struikrover, een schoft.* Wat er van haar make-up over was, spoelde weg met het water en de zeep, maar ze bleef maar met het washandje over haar gezicht wrijven tot haar huid ruw en rood zag.

Geen plan. Geen verleden. Geen toekomst. Ze was weer thuis en natuurlijk moest Rose daar ook zijn. Zij die verkozen had kunnen worden tot Meest Waarschijnlijke Om Je Hardvochtig te Beoordelen. Zelfs Cordy, die niet helemaal spoorde, was misschien nog beter geweest. Maar Rose. Jemig.

Bean bukte zich en draaide de kraan dicht. Ze moest dit op de een of andere manier zien op te lossen. Een baan zoeken. Een baan die geen referenties vergde, natuurlijk.

Als ze dat voor elkaar kon krijgen, kon ze de firma terugbetalen en alles lozen wat ze met dat geld had gekocht, en kon ze misschien een nieuw begin maken. Ze kon de gedachte aan teruggaan naar New York nog niet verdragen, maar een andere stad? San Francisco? Daar was het in elk geval beter weer. Daar kon ze vergeten. Daar zou alles anders zijn.

Om zeven uur overwoog de zon eindelijk te gaan slapen, wat iets van respijt gaf na de benauwde hitte van overdag. In de keuken zat Bean op een van de werkbladen met haar rug tegen de gele muur en haar armen ingeklemd tussen keukenkastjes aan weerskanten. Ze maakte aardbeien schoon, er leken er net zo veel in haar mond als in de schaal te verdwijnen, haar vingers waren kleverig van het sap. De zware aardewerk schaal was nog van Nana geweest en dat maakte dat Bean haar miste.

Mama stond voor de gootsteen en haar vingers gleden handig over de komkommer die ze schilde met een mes, een kunst die geen van ons ooit onder de knie had gekregen zonder het risico op ernstig lichamelijk letsel. Ze is een geweldige kok, maar berucht onbetrouwbaar. Als het aan onze moeder lag, zou het avondeten nooit voor negen uur op tafel staan, en we kunnen ons nog keren herinneren toen we klein waren, dat we werden gewekt om te eten, knikkebollend aan tafel zaten en onze dunne beentjes in witte bedrukte pyjama's slaperig onder de stoel bungelden als een slinger. Mama is grillig, ze kan zomaar op een gewone woensdag zin krijgen een viergangendiner te bereiden, om vervolgens halverwege getroffen te worden door een even sterke aandrang om een rustgevend bad te nemen of een boek te pakken waarin ze al eerder had zitten lezen, om een tijdje in die wereld op te gaan tot de pasta droog kookt en het rookalarm haar (hopelijk) terugbrengt naar de werkelijkheid.

Maar de zomer is anders, omdat er te midden van al die boerderijen kraampjes langs de weg staan gevuld met de gulle gaven van het seizoen in Ohio: knapperige Silver Queen-maïskolven; rijpe tomaten ter grootte van een honkbal; komkommers met een exquise smaak en lekker waterig vlees; aardbeien, bramen, frambozen, perziken in een duizelingwekkend palet van kleuren en barstend van het sap. In de zomer is dat dikwijls alles wat we eten: tafels vol groenten en fruit en toen Rose die avond de keuken in kwam, zag ze dat dit vanavond ook het geval was. Gelukkig maar, want dat wilde ook zeggen dat het eten klaar zou zijn voordat de krekels goed en wel waren begonnen.

Bean stopte een aardbei in haar mond en reikte onder haar benen naar de volgende met het felgroene nestje op zijn kruin. Ze draaide vakkundig met het mesje en het kopje raakte los. Zeven keer achter elkaar. 'Wat is er met de boekwinkel gebeurd?' vroeg ze. Toen ze Barnwell binnenreed, had ze de lege etalages gezien met een bordje waarop in nijdige letters OPHEFFINGSUITVERKOOP stond.

Rose ging naast mama staan, pakte een van de geschilde, lichte komkommers en sneed hem in dunne plakjes die ze naast haar op een bord legde. Komkommer en tomaat eten we altijd hetzelfde, in ovale stapeltjes overgoten met pittige balsamico en versgemalen peper. Het water liep Rose al in de mond bij de gedachte.

'O, het is een ramp,' zei mama. 'Ze waren eigenlijk uit hun krachten gegroeid. Weet je nog hoe ze de studieboeken van Barnwell behandelden?' Dat wisten we nog. Barnwell, zowel de naam van de stad als van de universiteit waar papa doceerde en waar we alle drie met wisselende mate van succes hadden gestudeerd, had in jaren geen eigen boekwinkel gehad. De boekwinkel in de stad, ingeklemd tussen een cafetaria die bekendstond om zijn White Castle-achtige hamburgers en het postkantoor, nam de eer op zich en in het seizoen van in- en verkoop van studieboeken wemelde het er van de studenten die er hongerig en wanhopig uitzagen tussen de zelfgebreide doeken en de Rice Krispie-souvenirs in de vorm van de staat (die in Ohio niet erg afwijkt van een echte Rice Krispie).

'Inderdaad,' zei Bean terwijl ze een aardbei met een zacht plofje in de schaal wierp.

'Nou, ze hebben gezegd dat ze geen studieboeken meer wilden verkopen, ze beschuldigden de studenten in feite van winkeldiefstal.'

'Dat deden ze ook,' viel Bean haar in de rede. 'Hun studieboeken waren schandalig duur.' Ze moest denken aan een vriend van haar, een knappe jongen met uitbundige zwarte krullen, die haar vertelde dat de enige reden dat hij een winterjas had, was omdat de zakken groot genoeg waren voor een scheikundeboek.

'Studieboeken zijn overal duur,' zei Rose.

'Ik weet zeker dat niet alle studenten aan winkeldiefstal deden,' vervolgde mama. 'Hoe dan ook, ik begrijp niet wat ze bezielt. Al die ouders die op bezoek komen en een souvenir willen kopen, gaan nu naar de winkel op de campus voor hun sweaters en zo.'

'Zijn ze dan dicht?'

'Aanvankelijk niet. Eerst openden ze een eetcafé, wat een goed idee was, maar Maura had geen idee hoe ze zo'n bedrijfje moest runnen. Barnwell Beanery is nog open, weet je, en de concurrentie was te heftig.'

‘O, en weet je van wie de Beanery nu is?’ vroeg Rose. ‘Van Dan Miller. Is hij niet gelijk met jou afgestudeerd?’

‘Ja,’ zei Bean en ze knipperde een paar keer verrast met haar ogen voordat ze van het aanrecht sprong en het schaaltje aardbeiengroen naar de vuilnisbak bracht. Ze drukte met haar voet op het pedaal en het deksel ging gehoorzaam open. ‘Tjonge, woont hij hier nog? Dat is maf.’

‘Bean? Compost?’ zei mama en ze gebaarde met opgetrokken wenkbrauwen naar de bak links van de afvalbak. Te laat. Bean schudde er net het laatste aardbeiengroen in. Ze haalde haar schouders op alsof ze er geen zeggenschap over had en bracht het bakje terug naar het aanrecht.

‘Zo erg is het niet om hier te wonen,’ zei Rose, een tikje beledigd.

‘O, hou toch op. Ik heb het niet over jou. Wij zijn hier opgegroeid, dat is anders. Het is niet zo dat je hier hebt gestudeerd en vervolgens besloot te blijven omdat het zo pastoraal is.’

‘Het is hier ook pastoraal,’ zei mama.

‘Niet iedereen wil in een stad als New York wonen,’ zei Rose.

‘En dat is maar goed ook. Het is er al druk genoeg,’ zei Bean en ze gooide het bakje in de gootsteen, waar het enthousiast kletterde.

‘De stad is toch niets anders dan het volk?’ citeerde Rose.

‘Dus je gaat weer terug?’ vroeg mama.

Bean haalde haar schouders op. ‘Hier blijf ik in elk geval niet.’ Het mes in Roses hand schoot uit, zodat ze een sneetje in haar duim kreeg. Ze stak hem in haar mond en proefde zure, zoute en zoete tomaat.

‘Heb je echt je baan opgezegd?’ vroeg Rose, toen ze haar duim uit haar mond had gehaald en bekeek.

Bean keek haar aan. ‘Ja. Is dat zo ongelooflijk?’

‘Ik weet het niet. Ik zou denken dat je er wel iets over gezegd zou hebben. Dat je het van plan was.’

‘Zeker in onze wekelijkse kletspraatjes aan de telefoon?’ smaalde Bean. ‘Ik wist niet dat ik je op de hoogte moest houden van mijn vijfjarenplannen.’ Ze voelde de valsheid in haar opwellen, maar kon er niets tegen doen. Het was een boosheid die op haarzelf gericht moest zijn, maar kon Rose verdomme nooit iets laten rusten?

‘Vreet me niet op,’ zei Rose. ‘Ik vraag het maar.’

'Je vraagt nooit iets, Rose. Je wilt alleen maar kritiek uitoefenen.'
'Helemaal niet. Neem me niet kwalijk dat ik een beetje belangstelling toon.'
'Meisjes,' zei mama. We sloegen geen acht op haar.
'Ik heb mijn baan opgezegd. Ik wil er niet meer werken. Ik was New York beu. Wat wil je nog meer horen? *Neem waar u recht op hebt, neem uw pond vlees.*'
'Doe niet zo dramatisch. Als ik mijn baan zou opzeggen zou ik dat niet op een gril doen, zonder voorbereiding. Dat is het enige wat ik wil zeggen.'
'Natuurlijk zou jij dat niet doen. Maar we kunnen niet allemaal zo volmaakt zijn als jij, Rose.' Bean liep naar de koelkast, rukte de deur open en staarde zonder iets te zien naar de inhoud. De koude lucht verdrong de tranen in haar ogen. Ze deed de deur weer dicht en draaide zich om.
'Je kunt zo lang als je wilt blijven. Ik vind het leuk om jullie om me heen te hebben,' zei mama, alsof ze de ruzie niet hoorde. Ze spoelde haar handen af en schudde ze af. Het laatste restje zonlicht viel door het raam op de rimpels van haar gezicht en Bean keek ervan op, zoals altijd wanneer ze thuiskwam, hoezeer papa en mama waren verouderd. Net als veranderingen in het meubilair viel het Rose amper op. Voor haar ging het zo langzaam als erosie. Voor Bean was het een aardverschuiving. Sinds onze kinderjaren had mama haar haar in een grote, losse knoet op haar kruin gedragen, vastgezet met onzichtbare haarspelden. Maar de chemotherapie had haar haar gestolen, dat donkerbruine haar dat we allemaal met haar deelden, en haar ooit zo felblauwe ogen die de genetische slag met papa's chocoladebruine kijkers hadden verloren, stonden flets. Haar hoofddoek omlijstte een bleke huid, haar ogen zagen er enorm en verloren uit in dat gezicht. Onder haar kin was het begin van losse huid zichtbaar, maar haar handen leken broos en knokig en de huid zat strak over de scherpe botten.
Bean streek nerveus met haar eigen vingers onder haar kin, die goddank nog strak om haar kaak zat. Wanneer was dat gebeurd? Wanneer was mama zo oud geworden? Was het alleen omdat ze ziek was? Of overkwam dit ons allemaal zonder dat we er erg in hadden?

Ze werd overspoeld door een golf koortsig schuldgevoel, moest zich aan het aanrecht vasthouden en dwong zichzelf geen flauwte te krijgen. Het had geen zin erbij stil te staan, tenslotte werden we allemaal oud. En terwijl Bean het zicht op de tijd kwijt was, had ze haar jeugd verdronken in een zee van kleren en mannen zonder betekenis.

'Ik zal veranderen,' fluisterde ze tegen zichzelf, alsof de woorden de macht hadden het zware werk voor haar te doen. Naast haar babbelden mama en Rose met elkaar zonder acht op haar ontsteltenis te slaan. Het deed er niet toe. Bean had trouwens nog een lange weg te gaan voordat haar gelofte betekenis zou krijgen. Wij allemaal.

'Wil jij me even helpen, Bianca?' vroeg mama. Gebukt sleepte ze een mand nat wasgoed naar de achterdeur. Het huis had een uitstekende droger, maar mama stond erop lakens en handdoeken buiten te laten drogen als het weer het toeliet. Wij hadden al lang geleden verboden dat onze kleren aan de lijn zwaaiden zodat de buren ze konden zien, maar de waslijnoorlog hadden we niet gewonnen, dus moesten we ons neerleggen bij de ietwat stugge lakens en handdoeken.

Bean lag op de bank met haar voeten over de rugleuning met één hand een geschiedenis van de Tweede Wereldoorlog te lezen, terwijl ze met haar andere hand de bladzijden bevlekte door de pruim die ze at. Ze was al drie dagen thuis en had niets anders gedaan dan slapen, lezen en eten, en alleen het feit dat mama geen maïschips en chocola in huis had, voorkwam dat haar winterslaap een volledige berenvoorbereiding kreeg.

'O, wacht,' zei Bean. Ze duwde de rest van de pruim in haar mond, zoog het vruchtvlees van de pit terwijl ze opstond en veegde haar handen af aan haar short. 'Ik doe het wel,' zei ze met een volle mond. Ze was blootsvoets en had blote benen. Haar short onthulde de lichte schaduw van haar laatste zon-uit-een-flesje. Langs de halslijn van haar tanktopje liep een druppel sap.

Mama duwde de achterdeur open en Bean tilde de wasmand op, ze stapte naar buiten en spoog in dezelfde beweging de pruimenpit in een fraaie boog de tuin in.

'Heel mooi,' zei mama. 'Heel chic.'

'Hé, misschien krijg je wel een pruimenstruik. Of boom? Groeien pruimen aan een boom?'

'Ja, aan een boom. Chic en tuinbouwkundig slecht onderricht.'

Bean liet de mand onder de waslijn vallen; de witte was kwam omhoog en zakte weer. 'Dit kan ik wel doen, mam. Ga jij maar naar binnen om te rusten.'

'Iedereen wil maar dat ik rust neem,' zei mama. 'Ik heb het gevoel alsof ik een rustkuur in zo'n victoriaanse roman doe.' Ze bukte zich en sloeg met geoefend gemak een laken uit, de vochtige stof knalde in de warme lucht.

'Sorry,' zei Bean. 'Dat wist ik niet.' Ze wist dat ze veel had gemist van wat mama had doorgemaakt, en dat haar telefoontjes niet het hele verhaal hadden gedekt, al had Bean vaker gebeld.

'Wil jij even het andere uiteinde pakken?' vroeg mama. 'Het heeft niets met jou te maken, Beany, sorry. Ik word inderdaad vrij vaak moe, en het is frustrerend om niet meer alles te kunnen doen wat ik zou willen.'

'Rose en ik kunnen je wel helpen.' Bean en mama hingen samen een laken over de lijn en zetten het vast met een stel houten knijpers.

'Dat kan wel, maar dat is niet helemaal wat ik bedoel. Waar het om gaat is dat ik deze dingen graag zelf doe en ze niet uit handen geef. Het is even wennen om ziek te zijn.' Ze trok het laken recht met een ongeduldig rukje dat paste bij haar geërgerde toon.

Bean trok een zware handdoek uit de stapel wasgoed en bevrijdde het uit de wulpse verstrengeling met een kussensloop. 'Hoe voel je je nou echt?'

Mama schudde haar hoofd en haar trekken werden zachter. 'Momenteel is het niet zo erg. Het komt in golven na de behandelingen. Na de volgende zal het een paar dagen beroerd zijn, dag drie is het ergst en daarna wordt het weer beter. Maar volgens mij zal ik nog een hele poos moe blijven en ik ben het moe zijn al behoorlijk beu.'

'Maar de chemo duurt niet voor eeuwig. En daarna zul je weer opknappen.'

'Inderdaad, maar daarna krijg ik die operatie. En dan misschien weer chemo. En mogelijk bestraling. En als ik besluit mijn borst te laten herstellen nog een operatie. Het wordt een lange weg.'

Bean wierp nog een handdoek over de waslijn en zette er knijpers aan. Ze had hetzelfde beklemde gevoel als toen ze in de keuken naar mama keek. 'Ben je bang?'

'Natuurlijk,' zei mama. Ze klonk zeker, maar haar gezicht stond ongerust en afstandelijk. Mama pakte het laatste kussensloop uit de mand en hing hem met geoefende vingers op. De lakens en handdoeken hingen om hen heen als een koel, vochtig fort op het heetst van de dag. Er streek een lichte windvlaag doorheen en Bean sloeg de schaduwen van de bewegende stof gade op mama's gezicht. 'Ik ben er nog niet,' zei die, alsof ze heel ver weg was; ze was even stil en schudde het van zich af. 'Maar ik heb fantastische artsen, en ik heb jullie vader, en jullie natuurlijk. We redden het wel.'

'Ik wil alles doen om je te helpen,' zei Bean. 'Daarom ben ik hier.'

Mama zette de lege mand op haar heup en keek Bean scherp aan. 'Dat stel ik op prijs, Beany, maar ik geloof er geen zier van dat je alleen maar bent gekomen om mij te helpen.'

Bean verstijfde. 'Hoe bedoel je?'

'Hoeveel foto's van New York heb je uit tijdschriften geknipt en op je kamer gehangen? Hoe vaak heb je naar *Breakfast at Tiffany's* gekeken, waarvan je trouwens de hele betekenis is ontgaan? Hoeveel boeken over die stad heb je mevrouw Landrige van de bibliotheek gesmeekt te bestellen?'

'Alles bij elkaar duizenden,' zei Bean. Ze kon zich nog net herinneren dat de stad haar de perfecte toevlucht had geleken, fonkelend als een luchtspiegeling in de verte. Maar die belofte was verbleekt, net zo lang tot hij een herinnering van een herinnering leek, iets wat zo vaak was gekopieerd dat het verbleekt en wazig was geworden. Het enige wat ze zich nu herinnerde, was de bittere realiteit van de smerige straten en de drukke metro en bespottelijk hoge huur.

'Ik ken je langer dan vandaag, lieverd. Wat jou die droom heeft doen opgeven moet heel erg zijn geweest.' Bean wilde iets zeggen, maar mama stak haar hand op. 'Nee, je hoeft het me niet te vertellen. Ik weet eerlijk gezegd niet of ik het wel wil weten. Ik ben blij dat je er bent en je mag zo lang blijven als je wilt.'

'Bedankt,' zei Bean, en ze had een brok in de keel van de tranen, en mama was zo kies om zich tijdig om te draaien zodat ze die niet zag.

De achterdeur viel met een klap achter haar dicht en Bean draaide zich om voor een blik om de schutting aan de achterkant, waar de kamperfoelie in dikke strengen om de palen woekerde. Dit huis herbergde zo veel favoriete, zomerse herinneringen: 's avonds de jacht op de morsesignalen van de vuurvliegjes in de tuin, watermeloen eten op de brede, geverfde betonnen treden naar de voordeur, de ijzersmaak van het water uit de tuinslang en het heerlijke gevoel van vrijheid in het zonlicht van overdag. Zelfs de geur van de was aan de lijn kon je terugvoeren. Maar die bewuste middag kon geen van die mooie herinneringen Bean bereiken. Mama was stervende. Bean was een misdadigster. Rose was een loeder. Ondanks welke belofte ook, zou het leven niet gauw beter worden.

3

'Ik loop even naar de stad,' zei Rose tegen Bean, die in de huiskamer zat te lezen. De dag had nog niet het punt bereikt waarop de windstille benauwdheid de echte hitte zou brengen. Bean leunde tegen het raam, met de knieën tegen haar borst en de tenen opgekruld op die merkwaardige katachtige manier die haar al sinds haar vroegste jeugd eigen was. Ze keek op van de roman waarin ze staarde. Ze kon zich er geen woord van herinneren, al had ze sinds het ontbijt vijftig bladzijden omgeslagen. 'Heb je zin om mee te gaan?'

Roze zag hoe Beans aandacht zich langzaam losmaakte van het boek, of van waar ze ook in gedachten was geweest, en terugkeerde naar het hier en nu. Mama scharrelde buiten in de tuin. Over de sjaal om haar gevoelige hoofd zat een strohoed met een brede rand, verankerd met breed elastiek. Met forse rukken trok ze het onkruid uit de aarde en gooide het achteloos over haar schouder, waar ze in een berg op de bakstenen muur belandden, alsof ze daar opdracht toe hadden gekregen. 'Vind je dat een van ons moet aanbieden haar te helpen?'

'Dat heb ik al gedaan,' zei Rose effen. 'Ze zei dat ze het zelf wilde doen. Het is belachelijk, maar als ze zich daartoe in staat acht, denk ik niet dat het kwaad kan.'

'Wat aardig van je,' zei Bean.

'Wil je nou mee of niet?' snauwde Rose. 'Ik probeerde aardig te zijn.'

Bean legde het boek opengeslagen naast zich neer. 'Ja hoor. Dat is beter dan hier zitten. Godallemachtig, is hier nou helemaal niets te doen?' Ze stond op en liep naar de deur en stak haar voeten in een paar espadrilles die perfect bij haar frisse katoenen blouse en overslagrok pasten. Ze kon zo in een advertentie. Rose pakte met een zucht een boekenlegger van de plank naast het raam en stak die in het boek dat Bean net had achtergelaten.

'Het is niet zo dat er niets te doen is,' verbeterde Rose. 'Het gaat alleen wat trager. Je moet wennen aan het tempo. Als je van plan bent te blijven.'

Bean lachte spottend toen ze naar de deur liep en wierp een blik in de zware spiegel boven het tafeltje in de gang, waar we sleutels, post en andere dingen die een vaste plek nodig hadden, bewaarden. Ze gooide haar haar naar achteren en het viel in soepele golven over haar schouders. Rose deed de deur voor haar open.

'Wonen de Mannings hier nog?' vroeg Bean. Ze hadden zwijgend een blok gelopen, luisterend naar het verre gebrom van grasmaaimachines en de vreugdekreten van kinderen bij het meer. Rose keek naar het huis, zo'n standaardgeval met brede overnaadse planken, hoge, zware vensters en brede veranda's uit de Sears-catalogus.

'Volgens mij is zij op sabbatical. Een of ander uitwisselingsprogramma met een universiteit in Californië. Maar hij is er nog.' Bean keek naar het verlaten huis. Op de stoep hield een fiets de wacht en een verlaten gieter lag tussen de vertrapte viooltjes bij de trap naar de veranda.

'O,' zei Bean een tikje treurig. Professor Lila Manning – ze noemden haar 'mevrouw doctor Manning' ter onderscheiding van haar even academisch georiënteerde echtgenoot – was een van haar favoriete hoogleraren geweest: een kleine, enigszins elfachtige vrouw met een charmante barse houding. Op een goede dag was ze een soort mentor voor Bean geworden; avonden lang zat ze op hun veranda rode wijn te drinken en naar de zonsondergang in de achtertuin te kijken terwijl de gesprekken als wolkenflarden voorbijtrokken. Ze waren toen nog een jong stel, al leken ze destijds lichtjaren van haar verwijderd omdat ze getrouwd waren, twee kinderen hadden en een normaal, stabiel leven leidden dat ze evenzeer haatte als begeerde. De hand van de nostalgie kneep even om haar hart, maar ze waren uit elkaar gegroeid toen Bean zich in het leven in de stad stortte en de wereld van de hooggeleerde Mannings zich met andere studenten vulde, porseleinen replica's van hun voorgangers.

De vogels en insecten zorgden voor een lage achtergrondruis die onder het lopen in Beans oren pulseerde. Ze had zo lang in de stad gewoond dat deze geluiden haar vreemd waren geworden en ze voelde zich er in zekere zin door bevangen, zoals een toerist in New York zich zou voelen bij het gillen van sirenes en gieren van remmende taxi's. Door de gedachte aan de stad voelde ze de steen op haar maag weer en ze zei het eerste wat in haar opkwam, te hard, het volume veegde de stilte van de ochtend opzij. 'En hoe staat het met de voorbereidingen van de bruiloft?'

Het zweet parelde op Roses blote bovenarmen; Bean zag hoe de druppels zich rangschikten langs de poriën waaruit ze waren opgeweld, als gesynchroniseerde zwemmers die zich opmaakten voor een Busby Berkeley-act. Rose haalde haar schouders op. 'Het gaat wel, denk ik. Ik weet het niet, ik denk eigenlijk nooit aan bruiloften. Als je al die trouwtijdschriften moet geloven, heb je vanaf je jonge meisjesjaren van die dag gedroomd, maar dat is bij mij niet het geval. Dat heb ik nooit gedaan.'

'Ik ook niet. Is dat niet raar? Dromen kleine meisjes echt van hun bruiloft en verkleden ze zich als bruid?'

'Ik heb geen idee. Wij kennen in elk geval niemand die dat heeft gedaan. Maar aan de andere kant zijn wij amper representatief. En Jonathan noch ik wil het soort bruiloft waarvan kleine meisjes dromen. Al die prullerigheid,' voegde Rose er laatdunkend aan toe.

'Prullerigheid,' herhaalde Bean, ze proefde het woord en liet het onbewust over haar tong glijden. Rose wiep haar zijdelings een weifelende blik toe en ze moesten allebei lachen. 'Sorry, het is een gek woord.'

Het was even stil. Rose stak haar hand in haar zak om te voelen of haar portefeuille er nog zat.

'Waar gaat het gebeuren?' vroeg Bean.

'O, in de kapel op de campus, denk ik. En daarna een receptie in Harris. De universiteit verhuurt de zaal doorgaans niet in de kerstvakantie, maar papa heeft ervoor gezorgd dat ze een uitzondering maken.' Bean knikte. Ze herinnerde zich nog vaag een concert dat ze in de balzaal van Harris had bijgewoond, ze meende in haar tweede jaar. De band was een hippietoestand, waarschijnlijk een van de groepen die Cordy op een of ander modderig festival had zien optreden, en Bean had het grootste deel van de tijd tegen de achterwand gedrukt gestaan om zich dronken door een jongen te laten betasten. Even probeerde ze zich zijn naam te herinneren en wuifde het vervolgens mentaal weg. *Is alles dan vergeten? De schoolvriendschap en de onschuld van de jeugd?*

'Dus hoe doen jullie dat allemaal? Met Jonathan in Engeland en zo?'

Rose klemde haar tanden op elkaar en keek naar een van de huizen aan de overkant. 'Daar zijn we nog niet helemaal uit. De bruiloft staat nog steeds gepland voor oudejaarsavond. Ik wil de borg niet verliezen. Ik ga daarheen bij wijze van huwelijksreis, en wanneer zijn gastaanstelling erop zit, komt hij weer terug.'

Bean kon zich van geen kant voorstellen waarom iemand van Oxford terug zou willen naar Barnwell, maar dat hield ze voor zich. Ze neuriede alleen een paar strofen van *How 'Ya Keep 'Em Down on the Farm (After They've Seen Paree)*.

'Kijk je al naar een jurk uit?'

Rose lachte. Echt iets voor Bean om het meteen over kleren te hebben. 'Nee, daar ben ik eigenlijk bang voor.' Ze trok verlegen aan haar short, dat dreigde omhoog te schuiven langs de binnenkant van haar bleke dijen. 'Ik zie mezelf niet in zo'n monsterlijk groot wit ding.'

'Niemand zegt dat je een grote witte jurk moet dragen. Draag wat je wilt. Het wordt toch geen officiële toestand? Niets chics of zo?'

Rose schudde haar hoofd.

'Dan maakt het niet uit dat het niet traditioneel is.'

'Nee, misschien niet,' zei Rose, maar ze leek toch lichtelijk verward door het idee.

Ze waren aan het begin van Main Street beland en Bean bleef staan. 'Ik kijk wel met je mee. We gaan naar Columbus; hier vinden we toch niets.' Ze wendde zich even tot Rose en glimlachte. Het had iets bits en vreemds, maar was toch vriendelijk. 'Je bent heel mooi,' zei ze, en ze kneep even in de klamme hand van onze oudste zus.

Rose glimlachte ook, een oprechtere glimlach omdat ze aangenaam verrast was en voor het postkantoor bleef ze staan. 'Dank je.' Ze wilde nog meer zeggen maar het moment was voorbij en het lag niet in onze aard om sentiment te rekken. Even had ze het gevoel gehad dat ze Bean kon vertellen hoe verraden en verward ze zich voelde over Jonathans vertrek, hoe verscheurd over wat haar te doen stond, dat Bean het op de een of andere manier wel zou begrijpen en haar zou kunnen helpen. Maar daarna zette ze het van zich af. Met zoiets kon Bean haar niet helpen. Een jurk, dat ging nog. Een leven, dat niet. 'Ik moet hier naar binnen om dit op de post te doen.'

'Goed, ik loop vast door om wat rond te kijken. Zullen we zeggen over ongeveer een half uur in de Beanery?'

'Oké,' schokschouderde Rose en ze keek Bean na. Haar kapsel danste nog steeds heen en weer en de plooien in haar kleren waren nog onaangedaan door de warmte. Hoofdschuddend ging Rose naar binnen om een postzegel voor een brief naar Jonathan in Oxford te kopen.

De bibliotheek trok Bean de hoofdstraat door, zoals die ons allemaal in de loop der jaren had aangetrokken. Onze ouders hadden ons tot lezers opgeleid en de openbare bibliotheek was behalve de kerk de enige instelling die we elke week bezochten. Toen we klein waren, hadden we alle drie een rood karretje dat we elke zaterdagochtend in processie de stad in trokken, met mama als een trotse veldmaarschalk voorop. Rose mocht de rij graag sluiten om een oogje op de rest te houden en vooral op Cordy, die dat meestal heel hard nodig had. Cordy lebberde bijvoorbeeld aan een ijslolly, liet hem op haar arm druipen en dan bleef ze staan om het kleverige, zoete slakkenspoor van haar huid te likken. Of ze had haar boeken niet goed gestapeld zodat ze over de rand van haar karretje vielen en Rose ze als een omgekeerd bloemenmeisje moest oprapen. Of ze bleef staan en hurkte om naar een mierenhoop in een van de scheuren in het trottoir te kijken, gebiologeerd door het komen en gaan totdat Rose haar een por tegen haar achterwerk gaf, zodat ze weer door waggelde. Bean, die graag haantje-de-voorste was, liep achter mama aan en vuurde eindeloos vragen op haar af die deze beantwoordde zodra ze even tijd had tussen de babbeltjes met beken den onderweg door.

Het gebouw rook nog hetzelfde, stoffig en bedompt. Bean bleef even in de vestibule staan om de lucht op te snuiven. Door al het geld dat de universiteit naar de stad bracht, had ze gedacht dat de bibliotheek wel eens zou zijn aangepakt, maar er was nog niets veranderd. Het sleetse tapijt was smoezelig oranje. Rechts de romans voor volwassenen, achterin, voor de wand met ramen die uitzagen op een brede wilg en onverzorgde hagen, de jeugdafdeling. Een vrouw snuffelde bij de plank met nieuwe romans en twee kinderen, de hare waarschijnlijk, zaten tevreden aan een gele tafel achterin, ijverig in boeken te kijken die te groot waren voor hun handen. Een man zat in een van de haveloze houten studiehokjes met zijn hoofd naar voren, zodat Bean alleen zijn lichte, roodblonde krullen over zijn kraag zag vallen.

Bean zag mevrouw Landrige, de bibliothecaresse die hier al was in de tijd van de rode karretjes en toen reeds een gebogen en grijze vrouw was geweest, achter de balie geduldig bibliotheekkaarten afstempelen. Bean voelde een golf van nostalgie voor de vrouw die ons had laten kennismaken met E. Nesbit en Edward Eager en Laura Ingalls Wilder en ze voelde sterk de neiging opkomen de oude vrouw te knuffelen; niet dat mevrouw Landrige dat geduld zou hebben. Mevrouw Landrige duldde zelfs heel weinig.

Bean liep naar het bureau en boog zich naar voren. We waren goed getraind. 'Mevrouw Landrige.'

De oude dame richtte haar hoofd met een ruk op en haar waterige, blauwe ogen keken haar scherp aan. 'Bianca!' zei ze zonder aarzelen. Bean stond versteld van haar geheugen. Er waren zo veel hoogleraren met hun gezinnen gekomen en gegaan en ze vroeg zich af hoeveel klanten deze anderszins kleinsteedse bibliotheek gehad zou hebben, hoeveel kaarten mevrouw Landrige met een gezicht associeerde. 'Wat leuk om jou weer eens te zien!'

'Insgelijks,' zei Bean oprecht. 'Ik dacht dat u misschien wel met pensioen zou zijn.'

Mevrouw Landrige glimlachte. 'Ik ben te oud om níét te werken. Dat leidt me af van het onvermijdelijke.' Ze grinnikte amechtig en de rood-zwartgeblokte strik van haar jurk vibreerde op haar borst.

Bean wist niet goed wat ze moest zeggen, dus wierp ze glimlachend een blik om zich heen, keek naar het bureau met zijn stapels paperassen en de afgesleten rubber stempels die dronken tegen elkaar aan stonden. De kinderen achterin kibbelden even om een boek en de man in het studiehokje keek een ogenblik op zodat Bean in een flits zijn profiel zag: een krachtige kaaklijn die doorliep in een sikje en zijn haarlijn week gracieus van zijn voorhoofd. Bean vond dat hij wel knap had kunnen zijn. Jammer van die sik.

'Ben je op bezoek?' vroeg mevrouw Landrige. Ze had haar precieze arbeid hervat en zette een datum in de toekomst ietsje scheef in een cliëntenkolom. 'Of blijf je?'

'Ik blijf,' zei Bean en daarna nam ze haar woorden stamelend terug. 'Ik bedoel... ik weet niet voor hoe lang. Misschien ga ik terug naar de stad wanneer...' Ja, wanneer precies? Nadat onze moeder was overleden? Wanneer niemand je meer in het gevang wil gooien? Wanneer zal het weer veilig zijn, Bean? 'Na een tijdje,' maakte ze haar zin zwakjes af.

Mevrouw Landrige stopte halverwege een afstempeling en liet haar wapen op het bureau rusten. Ze tuurde even naar Bean, dacht een ogenblik na en knikte, alsof ze iets had vastgesteld. 'Dan zul je zeker een bibliotheekkaart nodig hebben, hè?' vroeg ze uiteindelijk, alsof dat alles oploste (wat, in ons gezin, bijna het geval was). Met een dooraderde hand trok ze een la open en haalde ze een stapeltje kaarten tevoorschijn. Op een daarvan schreef ze in haar precieze schoolschrift Beans naam en ze overhandigde het haar met een zwierig gebaar. 'Het is fijn om je weer terug te hebben, lieverd,' glimlachte ze, en opeens kon Bean wel janken.

Ze knipperde met haar ogen en keek een andere kant op, om te voorkomen dat de aandrang om te huilen, of erger nog, om haar te omhelzen, zou terugkeren. De man in het studiehokje pakte zijn spullen bij elkaar en kwam naar de balie. Hij droeg een spijkerbroek en een Superman T-shirt, afgetrapte schoenen waarvan de kleur hier en daar onbestemd was geworden. Geen trouwring, min of meer de juiste leeftijd. Ze kon op zijn minst haar haar even naar achteren werpen.

'Klaar, dominee?' vroeg de bibliothecaresse.

'Helemaal,' zei hij.

'Ken je dominee Aidan?' vroeg mevrouw Landrige aan Bean, die een beetje bloosde van haar gedachte om met een priester te flirten.

'Nee,' zei Bean en ze stak iets te snel haar hand uit. 'Ik ben Bianca Andreas. Mijn vader is hier hoogleraar. Op Barnwell,' voegde ze eraan toe, alsof het stadje een academisch Gotham was, waar het wemelde van de instituten voor hoger onderwijs.

Hij glimlachte. Hij had spierwitte tanden die iets scheef stonden alsof zijn mond op de een of andere manier uit het lood stond. 'Enchanté,' zei hij. 'Ik ben Aidan.'

'Dominee Aidan is de nieuwe priester van de St. Mark's-parochie,' lichtte mevrouw Landrige Bean in, terwijl ze het laatste boek netjes dichtdeed en de stapel naar hem toe schoof.

Nou, hij was tenminste geen katholiek. St. Mark's was onze kerk, de anglicaanse, helaas niet zo progressief dat die Bean zomaar naar bed zou laten gaan met de man tegenover haar (althans niet uit opportunisme), maar van de gedachte op zich zou ze niet naar de hel gaan. Anglicaanse priesters mochten uitgaan, verliefd worden en trouwen. Misschien mochten ze zelfs voor het huwelijk wel een stevig potje vozen. Bean had nog nooit aanleiding gehad om dat te overwegen.

'Geweldig!' antwoordde Bean iets te opgewekt. Ze voelde zich gedwarsboomd omdat ze haar flirtvermogens niet kon aanspreken, als Puck zonder zijn toverkruid. Het was in feite geweldig dat de kerk een nieuwe priester had; de laatste was al jaren geleden zijn uiterste houdbaarheidsdatum gepasseerd, maar hij was hardnekkig blijven hangen en had de bevolking verveeld met zijn knarsende kerstpreken tot lang nadat Bean al naar minder grazige weiden was vertrokken, maar dat hield ze voor zich. 'Mijn ouders zijn parochianen. Van St. Mark's.'

Aidan knikte. 'Jij bent de dochter van doctor Andreas, hè? Uw vader heeft een paar zondagen geleden de preek voor zijn rekening genomen. Hij is een uitstekende spreker.'

Dat is waar. Jaren van college geven hebben een geweldige redenaar geschapen, zijn stem rijst en daalt als een achtbaan en spat op belangrijke momenten als vuurwerk uiteen om zich vervolgens weer terug te trekken terwijl hij zijn gehoor meesleept. Zijn borstelige Marx-wenkbrauwen bewegen mee en hij spreidt zijn handen wijd uit op het podium alsof het hem moeite kost de papieren op de aarde te houden, zodat zijn hooggestemde gedachten die niet wegvoeren.

'Dank u,' zei Bean, al is niets daarvan op haar of ons conto te schrijven.

'Hoe is het met je moeder? Die krijgt over een paar dagen toch weer een chemobehandeling?'

Verrast door de vraag deed Bean een stapje naar achteren. Ze was vergeten hoezeer haar ouders bij de kerk betrokken waren, hoe ze ons ook als trouwe kerkgangers hadden opgevoed; niet dat er veel van was blijven hangen. Ze dacht niet vaak over God na. Geen van ons. Hij was er gewoon als we Hem nodig hadden. Als een reservetube tandpasta onder het aanrecht.

'Het gaat wel. Ze zegt dat ze moe is, maar dat lijkt me normaal. En nu ben ik er om een handje te helpen.' Bean vond het prettig om dat beeld van zichzelf, als een eigentijdse (zij het beter geklede) Florence Nightingale, tegenover een geestelijke te presenteren.

'Zie ik je dan weer bij de dienst?' vroeg Aidan terwijl hij zich bukte om de boeken onder zijn arm te nemen. Zijn brede, met gouden haartjes bezaaide hand sloot zich makkelijk om de kaften en Bean keek ernaar terwijl ze een antwoord formuleerde. Ze was in geen jaren naar de kerk geweest, behalve wanneer ze met Kerstmis naar huis kwam, wat niet dikwijls was geweest. Papa en mama hadden graag gewild dat we gelovig waren geworden, maar ze hadden ons ook geleerd om, buiten de wereld van het geloof, bijna overal vraagtekens bij te zetten. Ik heb nooit begrepen waarom onze vader, iemand die zijn dagen slijt met het analyseren van de meest begrensde lettergrepen in een boek zo eenvoudig de nog minder plausibele leerstellingen van een ander boek accepteert. En dat is een deel van de reden waarom het mysterie van het geloof ons drieën ontgaat en waarom Bean – net als wij – nooit de schijn had gewekt om de kerk een regelmatig onderdeel van ons volwassen leven te maken.

Maar ze had toch geen dringende afspraken, of wel?

'Wat kan het ook schelen?' zei ze. 'Ik bedoel, ja.' Aidan keek haar even bevreemd aan, zodat ze weer moest blozen – voor de tweede keer in een paar minuten, dat was een record – en daarna nam hij afscheid en verdween hij naar buiten, het zonlicht in.

'Wil je vandaag al iets meenemen?' vroeg mevrouw Landrige. Ze was weer inleverdata op kaarten aan het stempelen.

'Nee, dank u,' zei Bean. 'Ik heb een afspraak met mijn zus.'

We vormden op zijn minst een goed excuus voor elkaar.

De volgende avond zat Rose op haar bed naar de dansende stofdeeltjes in de lucht te kijken terwijl ze Jonathans nummer belde. 'Precies op tijd,' zei die nadat hij aan de andere kant van de oceaan had opgenomen.

Rose en Jonathan hadden afgesproken elkaar eens in de week te bellen. Ook niet romantisch, zou Cordy misschien zeggen.

Praktisch, zou Rose dan antwoorden.

'Ik mis je,' zuchtte ze bij het horen van zijn stem. Ze liep naar de deur van haar slaapkamer en trok hem dicht. Deze gesprekken leken telkens iets te veel en te weinig te hebben. Hoe wist ze dat hij niet iets anders deed onder het praten? Hoe wist ze dat hij het echt leuk vond om haar te spreken? Door de telefoonverbinding werd de afstand zowel versterkt als vergroot.

'Ik jou ook, lieverd. Hoe is het?'

'Goed. Bean is er ook.'

'De verloren dochter is terug? Dat zul je wel prettig vinden.'

Rose zuchtte geërgerd. Jonathan begreep ons niet. Hij kwam uit een grote, uitbundige en liefhebbende familie, zes broers en zussen, inmiddels exponentieel vermenigvuldigd door huwelijken en nakomelingen. Als je met Kerstmis op bezoek ging in zijn ouderlijk huis, waande je je omringd door een nest overenthousiaste pups. 'Niet echt. Ze voert weinig uit. Ze ligt alleen maar te lezen. Mama heeft er weinig aan.'

'Hoe lang blijft ze?'

'Dat is juist het gekke. Ze heeft haar baan opgezegd en al haar spullen meegenomen. Alsof ze van plan is voorgoed te blijven.'

'Dat is vreemd.' Jonathan en Bean hadden elkaar met Thanksgiving leren kennen en het gek genoeg goed met elkaar kunnen vinden. Rose had zich een beetje beroerd gevoeld bij het vooruitzicht die femme fatale van een zus aan hem voor te stellen, maar Bean had zich voorbeeldig gedragen en hem aangenaam beziggehouden met een perfect New Yorks accent, een amusante collectie lokale verwensingen en gekeuvel tijdens de kaartspelletjes tot in de kleine uurtjes. 'Ik ben er altijd van uitgegaan dat ze nooit anders dan een stadsmeisje zou zijn.'

'Ik ook,' zei Rose. 'Volgens mij is er iets mis, maar tegenover mij wil ze er niets over zeggen. Ik wilde het ter sprake brengen, maar ze sprong uit haar vel.'

'Gun haar de tijd. Als er echt iets mis is, als het erg genoeg is om haar voorgoed haar biezen te laten pakken, dan is het waarschijnlijk vrij ernstig.'

'Maar ik zou haar kunnen helpen,' zei Rose klaaglijk.

Jonathan lachte. 'Zo mag ik het horen, mijn kleine troubleshooter. Je bent nog nooit een probleem tegengekomen dat je niet de baas kon.'

'Niet plagen. Ik wil graag helpen als ze dat zou toelaten. Ze heeft aangeboden mee te gaan om een bruidsjurk uit te zoeken.'

'Doen. Je hebt een hekel aan winkelen. Perfect.'

Rose keek naar buiten. Papa en Bean zaten naast elkaar op de stoelen op de veranda te lezen. 'Heb ik die nog nodig?'

'Een trouwjurk? Natuurlijk. Tenzij je me iets moet zeggen.'

'Nee, het ligt niet aan mij. Ik weet het niet... ik heb geen goed gevoel over deze hele toestand. Stel dat je daar iemand leert kennen? Stel dat je erachter komt dat je mij helemaal niet mist? Dat je niet terug wilt komen?' Rose ging op bed liggen en begroef haar gezicht in het kussen. Ze geneerde zich omdat ze haar angst zo had blootgegeven en ze was te bang om het niet te vragen.

'Rose.' Jonathans stem klonk zacht maar beslist. 'Jij bent degene van wie ik hou. Jij. Ik wacht al mijn hele leven op je en dat ga ik nu niet verspelen. Ik mis je heel erg en ik wil niets liever dan met jou trouwen. En dat gaat niet veranderen. Begrepen?'

'Maar misschien besluit je wel om daar te blijven...'

'Waar ik ook heen ga, ik ga met jou. Dat is de afspraak. En ik neem geen eenzijdige beslissingen meer. We hebben samen besloten dat ik hierheen zou gaan en waar we hierna ook naartoe gaan, we nemen dat besluit samen, goed?'

Die conclusie was niet helemaal eerlijk. Ze hadden dat besluit niet samen genomen. Rose had met tegenzin besloten zijn verlangen naar het buitenland te gaan niet aan te vechten. Ondanks haar bezwaren wist ze dat het belangrijk voor zijn loopbaan was, en hoewel de gedachte hem zo lang te moeten missen haar telkens weer pijn deed, besefte ze dat het niet de moeite waard was hem daardoor te verliezen. Maar ze was er bepaald geen voorstander van geweest. 'Goed,' zei ze.

'Koop die jurk maar. Bestel luciferboekjes op naam en huur het Symfonieorkest van Cleveland maar in om te spelen. Doe alles wat je wilt. Maar ik ben op oudejaarsavond honderd procent zeker van de partij en dat kun jij maar beter ook zijn.'

'Ja,' glimlachte ze. Ze stelde zich zijn hand in de hare voor en verdrong de onvermijdelijke vraag wat – als ze eenmaal hadden besloten waar ze zouden gaan wonen – er met hen zou gebeuren wanneer de bruiloft eenmaal achter de rug was en ze er echt een huwelijk van moesten smeden.

Rose zou liegen als ze zei dat ze van haar werk hield. Omdat ze had geweigerd een baan in een andere staat te nemen, had ze een betrekking op Columbus University genomen, waar ze een radertje in de machine was. Het gebouw van de faculteit wiskunde was van kil beton; de gangen liepen aan de buitenkant langs de ramen, de collegezalen lagen aan de binnenkant en waren verstoken van daglicht. Haar studenten keken haar aan en hun van bier en slaapgebrek gezwollen gezichten zagen er ziekelijk uit in het felle licht van de tl-buizen die boven haar hoofd sputterden en haar college met nijdig gezoem onderstreepten.

Ze deelde een kantoortje met twee andere hoogleraren, van wie de ene zijn gezicht nooit liet zien en de andere de irritante gewoonte had zijn beker koffie op haar bureau te laten staan zodat er kringen achterbleven op documenten die ze per ongeluk open en bloot had laten slingeren. Zijn eigen bureau was zo volgebouwd met het afval van jaren wanordelijkheid dat ze aan de ene kant met hem te doen had om zijn hachelijke situatie, maar aan de andere kant, nou ja. Je kent Rose. Onder die omstandigheden beoordeelde ze werkstukken, had ze gesprekken met studenten die bijna in tranen uitbarstten bij het zien van een coördinatenstelsel, staarde ze wezenloos naar de muur wanneer ze eigenlijk zou moeten schrijven en droedelde ze meetkundige vormpjes om de koffiekringen op haar paperassen. De wanden waren van gasbetonblokken en door het licht leek de witte verf geel.

Rose had het gevoel alsof ze op kafkaëske wijze wegens een niet nader omschreven misdrijf gevangenzat.

Op zo'n grote universiteit was er weinig interactie tussen het personeel; de mensen waren als schepen in de nacht, ze voelde zich niet verankerd en spoelde van de collegezaal naar het kantoor naar de parkeerplaats. Er waren dagen bij dat ze alleen haar studenten sprak en dat kon je amper interactie noemen (of op een bijzonder kwade dag zou Rose misschien zeggen dat je die amper mensen kon noemen). Af en toe leerde ze een man kennen, een oud-student op een academische bijeenkomst, een vertegenwoordiger van studieboeken, of een hoogleraar van een andere universiteit die een gastcollege kwam geven. Ze had iets wat hen aantrok, hen uitdaagde om een glimlach op haar gezicht te brengen en haar gezicht bij kaarslicht te zien oplichten. Maar die uitjes waren maar afleiding, en nog armzalig ook, en daarna dwaalde ze door de zalen als Banquo's geest, gezien en ook weer niet gezien, gevreesd en onbegrepen.

Tot Jonathan in haar leven verscheen.

Een jaar geleden kwam ze op een grauwe dag in januari haar kantoor binnen en daar zat hij, aan het bureau van de geheimzinnige professor, met zijn voeten achteloos op tafel en zijn onderlip naar voren terwijl hij in een boek op schoot staarde. Jonathan had onweerstaanbaar knap kunnen zijn als hij had gewild. Maar zijn haar was slordig geborsteld en op zijn achterhoofd stond een kuifje rechtop alsof het wilde gaan muiten. Het montuur van zijn bril was bijna net zo zwart als zijn haar en zijn brillenglazen moesten hoognodig gepoetst worden. Hij droeg een overhemd met korte mouwen en een das, een ensemble dat ons altijd aan papa doet denken, maar Jonathans hemd met bijpassende das was wijnrood, wat iets fatterigs had. Aan de andere kant was zijn pantalon zwart met daaronder bruine schoenen, een blijk van hetzelfde academische modegevoel als papa had.

Rose was in gedachten mijlenver en zijn aanwezigheid was zo onverwacht dat ze een gilletje slaakte en de keurige stapel papieren in haar hand in een slordig boeket veranderde. Hij keek op, minder geschrokken dan zij en tot haar schrik moest hij lachen. Later zou hij verklaren dat hij moest lachen om het onwaarschijnlijke geluid dat ze uitstootte, als een astmapatiënt op lachgas, maar op dat moment dacht Rose dat hij haar uitlachte, dus werd ze vuurrood en sloeg de ogen neer naar haar papieren.

'Ik heb je denk ik laten schrikken,' zei hij. Met een wipje bracht hij zijn voeten naar de grond. Hij was lang en slank. 'Ik heb een tijdelijke aanstelling voor het hele volgende jaar.'

Rose bleef naar haar papieren kijken en zei: 'U moet de geheimzinnige professor zijn.' Daarna kleurde ze nog meer omdat ze besefte wat ze had gezegd. Ze ordende haar papieren en liep naar haar bureau. Ze moest zich een kwartslag draaien om tussen de bureaus te komen, die als legoblokken tegen elkaar aan waren geschoven om in een ruimte te passen die van oorsprong maar voor één bureau bedoeld was. Om de een of andere reden geneerde ze zich door de beweging die ze moest maken, zo met de volle breedte van haar bekken naar hem toe.

Jonathan stootte een blaffend lachje van puur plezier uit. 'Noemen ze me zo?' Hij stond op, overbrugde het afstandje tussen hun bureaus en stak zijn hand uit. 'Ik ben Jonathan Campbell. Ik doceer scheikunde, maar daar is geen kantoorruimte, dus hebben ze me hierheen verbannen. Daarom heb je me nog nooit gezien. Ik ben er al sinds september.'

'Aangenaam. Waar kom je vandaan?' zei ze. Ze hief haar gezicht op om hem aan te kijken. Zijn ogen waren bruin op het zwarte af, de schaduw van de stoppels op zijn gezicht leken op de schaduw van de bladeren in Shakespeares woud Arden.

'Ik ben een beetje een nomade. Ik ben geboren in Michigan, maar ik heb overal gewoond.'

'Dus het chique Columbus, Ohio, is maar een halte op een reis om de wereld?' informeerde Rose terwijl het bloed haar naar de wangen steeg. Flirtte ze?

Hij grinnikte. 'Dat kun je wel zeggen. Vorig jaar zat ik in Parijs.'

'Dan moet hier komen wel een afgang zijn.' Haar hart ging tekeer en ze kon die stomme grijns niet van haar gezicht krijgen, ze leek wel een tiener. Ze vroeg zich af wat Bean zou doen. Het haar naar achteren werpen waarschijnlijk. Slecht op haar gemak betastte Rose het conservatieve knotje in haar nek.

'Helemaal niet. Parijs wordt overschat. Te veel Fransen. Ik heb je naam niet gehoord,' moedigde hij haar aan.

'Rose Andreas,' zei ze.

'Doceer je wiskunde?' vroeg hij. Rose keek hem aan met een mond vol tanden.

'Ja,' zei ze uiteindelijk. 'Dit is mijn kantoor.'

Jonathan knikte en keek Rose peinzend aan. O, die Rose toch. Ze had een kapsel als een meisje van Gibson-girl, ze had een aantrekkelijke roze blos, haar gezicht was make-uploos en ze droeg een wijde jurk die haar welvingen verhulde, *schoonheid en deugd zijn zo in haar vermengd*... maar zou hij dat zien? Zou hij achter dat verlegen masker het vermogen zien om die vlek van zijn das te wassen, louter met wat sodawater en de rand van haar overhemd, om spinnen te vangen waarvoor wij veel te bang waren, om alle krachten te bundelen en de auto zo vol te laden voor een reis dat alles erin paste en niets werd vergeten, om de volmaakt verse bloemen te plukken zodat de ontbijttafel eruitzag als een feestdis, om ons na een nachtmerrie vast te houden en zichzelf weg te cijferen omdat ze ons gelukkig wilde zien? Zou hij zien waarom we zo veel van haar hielden?

'Vind je het leuk om samen te gaan lunchen?' vroeg hij.

Hij zag het.

Misschien heb je je naam nooit leuk gevonden. Misschien greep je elke gelegenheid aan om hem te veranderen: op een nieuwe school bijvoorbeeld, waar je je leven wilde beproeven met een bleke echo van je echte naam, van Elizabeth tot Bitsy, zou dat geen leuke naam zijn? Een geheel nieuwe jij. Je hebt je tweede naam al geprobeerd, vooropgesteld dat die geschikt en niet gênant is, zoals tweede namen dikwijls zijn. Of misschien was je zo'n arme drommel aan wie de ouders met de beste bedoelingen, ter ere van een reeds lang overleden voorouder, een naam hebben gegeven die je iemand nu niet meer zou moeten aandoen. Zoals Evelyn of Leslie of Laurie voor een jongen. Of Florence, Mildred of Doris voor een meisje. Je begreep dat het geen slechte namen waren, alleen maar rampzalig gedateerd en een garantie voor jarenlange pesterijen op het schoolplein, of voor het gevoel dat je lang voor je tijd was voorbestemd tot een schommelstoel en een verzorgingstehuis.

Maar gesteld dat het niet zozeer een kwestie was van een naam met een betreurenswaardig voorbestemde geslachtsidentificatie, of een naam die volgens jou gewoon niet bij je paste? Stel dat de naam die je hebt gekregen al bewoond is, en zelfs zo goed dat alleen al het noemen ervan zijn oorspronkelijke drager voor de geest roept en je bestaan tot weinig meer dan een postscriptum reduceert?

Tijdens een van Cordy's talrijke tijdelijke baantjes zat ze op kantoor met een gekwelde secretaresse die Elizabeth Taylor heette. Weggedoken in haar werkhokje deed Cordy wanhopig alsof ze de vijfentwintig dollar per uur die het uitzendbureau voor haar ontving waard was (natuurlijk zonder veel uit te voeren) en ondertussen keek en hoorde ze hoe Elizabeth Taylor de telefoon aannam. Cordy streek met haar vingers heen en weer over de kantoorspullen die ze als decor van haar onewomanshow van nijverheid hamsterde en bedacht dat Elizabeth Taylor minstens een miljoen keer per dag 'Ja, echt' zei. En telkens zei ze het met een glimlach. Volgens Cordy was het minstens voor een deel te danken aan het feit dat Elizabeth Taylor die naam dankzij haar huwelijk had gekregen, dus maar een jaar of vijftien had gedragen. We wisten zeker dat ze mettertijd de flauwe grappen en commentaren op haar enthousiasme voor het huwelijk beu zou worden en dat Elizabeth Taylor op een goede dag zou breken en tekeer zou gaan tegen haar man, wensend dat ze nooit met hem was getrouwd.

Met een vader en namen als de onze hadden we dat stadium al jaren geleden bereikt.

Eerst kwam Rosalind, een eerlijke keus; waarschijnlijk was het aan mama te danken dat haar iets heftigers bespaard bleef. Maar de volgende kwamen geheel voor papa's rekening, dat staat vast. Want daarna kwam de tweede dochter, en hoe kun je nummer twee nu anders noemen dan Bianca? En vervolgens kwam nummer drie, en als die een andere naam dan Cordelia had gekregen, had de hemel misschien gesidderd. Bean en Rose waren weliswaar dankbaar dat de vergelijking met *Koning Lear* niet opging tot het trio compleet was, anders waren ze misschien vernoemd naar de oudste zussen van het stuk, en ze beseften dat ze een naam als Goneril en Regan nooit zouden overleven. Niet in het huidige tijdsgewricht.

We dragen onze namen als een last. En al hebben we geprobeerd te ontsnappen aan hun invloed, ze zijn met ons vergroeid en we merken dat we hun patronen keer op keer volgen.

Het is onwaarschijnlijk dat papa en mama ooit in zo'n namenboek voor baby's hebben gekeken. *The Riverside Shakespeare* was blijkbaar hun favoriete bron. Ooit had Rose op zomerkamp een mentor die, om het ijs te breken, de betekenis van alle kindernamen had opgezocht en tot haar afgrijzen hoorde Rosalind dat haar naam, jawel, 'beeldschone roos' betekende, maar ook 'duf serpent'. Duf serpent? Als dat een meisje niet opzadelde met een getroebleerd lichamelijk zelfbeeld, weten we het niet meer.

Maar de scherpste doorn in Roses vlees – die was weer van de woordspelige Cordy – was liefde. Want in feite komt de transformatie van *As You Like It* door de liefde tussen Rosalind en Orlando. Hoe kun je daaraan tippen? Hoe kon je in hemelsnaam in het Amerika van de twintigste eeuw een man vinden die een heel bos aan papier zou vullen met liefdespoëzie voor jou?

Nou, dat lukt niet, zal Rose je vertellen.

En als hij wel bestond, zou hij waarschijnlijk ook een beetje een griezel zijn.

Maar dat kan ze je pas vertellen na zestien jaar – zestien jaar! – speuren door het woud en het wieden van ongeschikte partners die op een soort romantische strooptocht waren: emotioneel onbereikbaar? Aangevinkt! Oedipuscomplex? Aangevinkt! Stalker? Aangevinkt! Bindingsangst? Aangevinkt! Niet in staat zich NIET te verbinden? Aangevinkt! Pas een eind weegs op haar mannenjacht, toen een bijzonder roekeloze vrijer haar een keer meenam naar een uitvoering van het aanstootgevende stuk, besefte Rose de valkuil van haar naam. Want dat zij Rosalind was, betekende dat ze altijd op zoek zou zijn naar de ware liefde, maar het zou zo buitengewoon veel inspanning kosten om het bewijs daarvan te leveren, dat ze hem nooit zou vinden, althans niet buiten de wereld van de fictie om.

Dus loosde ze haar vriend en zwoer ze de hele zoektocht op te geven, want tenslotte had ze geen onbevredigend leven, zo hield ze zich voor en dat was natuurlijk precies het moment waarop ze Jonathan leerde kennen, die niet het type was om gedichten te schrijven en die vervolgens op de hele campus op te hangen, maar wel het type dat het zou doen als zij dat graag wilde, en ze vond dat niet te karig.

4

Zelfs als het geen zomer was geweest, maar herfst of winter, als het op de campus had gekrioeld van de studenten en meer dan het hoognodige personeel dat het plaatsje gedurende de lange trage periode tussen de diploma-uitreiking en de open dagen aan de beademing hield, dan nog zou er 's avonds niets te doen zijn. Misschien dat je met een concert van een bezoekende artiest, of een verdwaald experimenteel stuk in het alternatieve theater een negental duffe uren kon zoet brengen, maar dan? Bean was altijd een nachtdier geweest, meer dan eens was ze toen we klein waren door Rose betrapt terwijl ze met een zaklantaarn onder de lakens lag te lezen en ze had het ethos van een stad die nooit sliep met beide armen omhelsd.

En nu zat ze weer in Barnwell. Papa en mama waren in stadia naar de slaapkamer verdwenen, als een serie schilderijen: op het ene deden ze de afwas, op het volgende zaten ze te lezen op de bank, vervolgens klonken hun gedempte stemmen boven en nu was het stil. Rose had een lange wandeling gemaakt en toen ze terug was, was Bean bijna voldoende ten einde raad om een spelletje pesten voor te stellen, een kaartspel dat we deden toen we klein waren en dat vreselijk was met maar twee spelers, maar dat tenminste de tijd zou doden zodat ze vanzelf in slaap zou vallen. Maar Rose was chagrijnig en zwijgzaam geweest, dus had Bean zich bedacht en zich met een boek op de bank opgekruld tot Rose de trap op gestommeld was en haar norse stemming als Pooh's zwarte regenwolkje had meegenomen.

'In New York zou dit nooit gebeuren,' zei Bean tegen haar boek, een sentimentele draak die ze half gelezen in de voorraadkamer had ontdekt.

Het boek zweeg, wat niet verbazingwekkend was.

De hele reis naar Barnwell had ze zich haar verblijf daar voorgesteld als een ascetisch nonnenbestaan bij wijze van spirituele boetedoening voor wat ze had uitgespookt. Ze zou saaie kleuren dragen en droog brood eten en haar huid zou de filmische bleke tint van een beeldschone zieke aannemen, terwijl ze bescheiden de geneugten des levens afwees. Maar de werkelijkheid van die ongemakkelijke rol begon nu al te schrijnen. Het was verdomme vrijdagavond. Op dit uur in de stad zou ze zich nog pas aan het voorbereiden zijn om uit te gaan en nu zat ze in alle ernst te overwegen om naar bed te gaan.

'Bespottelijk,' zei ze tegen het boek en ze klapte het dicht. Er zat benzine in de tank en ze had nog een paar biljetten van tien in haar portefeuille, al was ze niet van plan haar drankjes zelf te betalen. De een of andere eenzame boerenkinkel zou die met alle liefde voor zijn rekening nemen. Ze glipte naar boven naar haar slaapkamer en zocht net zo lang tussen haar kleren tot ze iets aanvaardbaars had gevonden; lang niet goed genoeg voor New York, maar te goed voor de cafés in deze regio. Haar make-up en haar kostten amper tijd – dat was het voordeel van een plaats met zulke lage maatstaven – en toen was ze buiten in het donker en stak ze een sigaret op terwijl ze de auto in zijn vrij van de oprit liet rollen, zonder licht tot ze goed en wel op de weg was, net als vroeger. Ze was weer Bianca, of zo goed als, al was het maar voor één avond.

Bean vond Bianca Minola net zo'n last als Rose de naam Rosalind. Rose kon aanvoeren dat die van Bianca amper een last kon zijn, ze was de eeuwig mooiste van het bal, betwist door talrijke vrijers, bemind door haar vader en op een keer na een bijeenkomst beschreven als: *Ik zag haar lipjes van koraal bewegen, de lucht maakte ze geurig met haar adem. 't Was alles zoet en lieflijk wat ik zag.* Hoe zwaar kon dat zijn?

In werkelijkheid lijken wij drieën sprekend op elkaar (we zijn ooit zelfs licht argwanend geweest tegenover broers en zussen die niet op elkaar leken; het had iets van vals spelen), maar Bean is altijd de mooiste geweest. Akkoord, ze heeft veel meer tijd in de sportschool doorgebracht om het merkwaardige postuur dat we van onze ouders hadden geërfd – vooral van mama – te bedwingen: de Scarlet O'Hara-taille en de kleine, hoge borsten die overgingen in gespierde armen en brede schouders, de volle heupen en dijen. Bovendien heeft Bean een fortuin uitgegeven in kapsalons en is ze met ons dikke, maar berucht weerbarstige en onmiskenbaar saaie bruine haar naar de beste hairstylers gegaan. Ze is als een ouder die een weerspannig kind naar houterige in tweed geklede psychiaters sleept, wanhopig op zoek naar een deskundige die het zal begrijpen.

Zelfs wanneer je ons bij elkaar ziet en opmerkt dat we identieke ogen hebben, groot en reebruin en iets te dicht bij elkaar, dat onze neuzen dezelfde strakke lijnen en brede brug hebben, dat we dezelfde dunne lippen maar brede mond hebben, dan nog kun je zeggen dat Bianca de mooiste is. We zijn allemaal dochters van onze vader – *Zo trouw zie ik hem afgebeeld in u* – maar Bianca maakt dat gezicht tot iets moois.

Ze zette de auto op de parkeerplaats van een café een paar dorpen verderop en spoot een sampleflesje parfum in haar haar om de rook te verdrijven. Toen ze het portier opendeed, protesteerde het kreunend en voorovergebogen op haar hoge hakken liep ze over het grind naar de stoep. Ze voelde zich al een stuk beter. Wat mannelijke aandacht, een paar glaasjes en ze zou weer als nieuw zijn. Moeder Teresa kon ze morgen wel zijn. Als de kater tenminste meeviel.

Er waren wel cafés dichterbij, maar het ene maakte reclame met een karaokeavond (nou nee) en de parkeerterreinen van de andere waren treurig verlaten. Buiten kon ze de muziek al horen, klassieke jukeboxrock en de geur van bier sijpelde over de drempel. Bean haalde diep adem en ging naar binnen. Ze nam de ruimte vlug in zich op en liep naar een kruk aan de zijkant van de bar vanwaar ze haar potentiële prooi nauwkeurig kon opnemen. De barkeeper kwam langzaam op haar af, nam de handdoek van zijn schouder en veegde plichtmatig over het plakkerige hout voor Bean. 'Wat zal het worden?' vroeg hij. Bean bekeek de schamele collectie met knipperende ogen.

'Een dubbele Jack Daniel's en een flesje van om het even welk light bier,' zei Bean. Ze sloeg haar spinnenpoten van mascara naar hem op, maar hij had al rechtsomkeert gemaakt naar de koelkast. Hij zou trouwens ongeschikt zijn, zelfs als ze omhoog zou zitten, bedacht ze terwijl ze naar zijn rug keek. Tikje oud, slappe buik en bloeddoorlopen ogen van de alcohol. Ze kon wel iets beters krijgen.

'Vijf vijftig,' zei hij, en hij schoof het flesje en het glas naar haar toe.

Ze maakte aanstalten het geld uit haar tas te pakken, maar bedacht zich en haalde in plaats daarvan haar sigaretten tevoorschijn. 'Schrijf het maar op,' zei ze. Hij haalde zijn schouders op en liep weg.

Terwijl Bean het glas whiskey achteroversloeg, jengelde de jukebox een blikkerige gitaarsolo; ze liet de alcohol in haar slokdarm branden tot het haar te veel werd en ze een grote slok waterig bier moest nemen om het vuur te blussen. De ruimte werd aangenaam wazig; glimlachend draaide ze een beetje op haar kruk en ze zette een blote elleboog op de kleverige bar.

Een groepje vrouwen zat dicht bij elkaar in een kubusje achterin. Bean zag nog net hun kruin op en neer gaan omdat ze gilden van het lachen. Happy hour na het werk. Ze kende dat gevoel, dat duizelige gevoel voor de rest van de avond en nacht verlost te zijn van het werk, de golf van adolescente opwinding als het gesprek op seks kwam, de kameraadschap die was gesmeed in de loopgraven en met drank werd gevierd, het gevoel dat je als groep alleen al door een werkdag te overleven iets reusachtigs had gepresteerd.

Tussen een aantal tafeltjes bij de jukebox hadden een paar stellen een geïmproviseerde dansvloer gemaakt. Bean bekeek ze even en wendde vervolgens haar blik af.

De pooltafel zag er veelbelovend uit. Een groepje mannen van begin dertig speelde (zo te zien niet al te best) een spelletje pool om rondjes bier. Een van hen droeg een pak; hij had zijn das losgemaakt en zijn mouwen opgerold, maar de anderen waren in T-shirt en spijkerbroek. Stevige oud-atleten die ooit een knap gezicht hadden gehad, maar die nu gezwollen en treurig waren van de drank en de teleurstellingen. Gevangen in deze uithoek met anderhalve man en een paardenkop lagen hun beste jaren achter hen, zoals zij had gezworen nooit te worden. Zoals zij nu was.

Bean was altijd handig met mannen geweest. Er waren vrouwen die aantrekkelijker, slimmer en slanker en geestiger waren, maar Bean had iets speciaals. Op haar twaalfde of dertiende ging ze naar uitvoeringen op Barney, waar ze blikken van studenten trok die misschien – hopelijk – zouden schrikken als ze hoorden hoe oud ze was. En toen ontdekte ze hoe ze op vrijdag- en zaterdagavond uit huis kon sluipen op jacht naar de klanken van hysterie en bier, leerde ze hoe ze moest flirten in een waas van rook en lawaai, hoe ze moest zoenen zonder iets te beloven en hoe ze een man van de andere kant van het café met maar één blik naar zich toe kon lokken.

Ze bracht het biertje met twee vingers aan de hals van het flesje naar haar mond en wierp het haar naar achteren. Die in het pak. Die ging wel. Ze wenkte de barkeeper om nog een whiskey en sloeg het glas achterover voordat ze haar bier en sigaretten pakte en naar het hoge tafeltje in de buurt van de poolspelers verhuisde.

'Mooi schot,' merkte ze op toen een van de mannen in T-shirt de bal over de rand had gestoten, zodat hij onder haar stoel rolde.

'Sorry,' zei hij terwijl hij knielde om hem te pakken.

'Geeft niet. Ik hou wel van een man op zijn knieën.' Zijn hoofd ging met een ruk omhoog en hij keek haar geschrokken aan. Daarna glimlachte hij.

'Dat kan wel geregeld worden.'

Bean gaf geen antwoord; ze nam alleen glimlachend een slokje bier waarbij ze haar lippen veelzeggend om de hals stulpte.

'Spelen maar,' zei ze met een knikje. De andere mannen bekeken haar inmiddels van top tot teen. Ze sloeg haar benen over elkaar en schopte haar hoge hak half los zodat hij aan haar tenen hing en stak met een zucht een sigaret op. Alsof je op vis schoot in een regenton. *Dat is zo'n gave die ik heb – simpel, simpel.*

Een ronde later liep de man naar de bar en kwam terug met een whiskey voor haar. 'Wil je meedoen?' vroeg hij.

'Best,' zei ze. 'Als je tegen je verlies kunt.' Hij lachte toen ze met een geoefende zwaai met haar kapsel van de kruk sprong en de keu van hem overnam.

Bean was voldoende aangeschoten om haar rol verrukkelijk eenvoudig en zonder nadenken te spelen, om langs de man in het pak te strijken, om zich precies goed over het groene laken te buigen en om een van hen zover te krijgen dat hij die irritante rekening betaalde en haar van drank bleef voorzien.

Maar toen kwam er een golf warmte de poolzaal in en daarmee een groepje snaterende meisjes. Misschien dat ze ouder dan eenentwintig waren, maar het waren beslist meisjes, met te koperkleurig geverfd, te hoog opgebold haar, shorts te kort, make-up te dik. Maar in tegenstelling tot Bean waren zij aan de juiste kant van de dertig. En zij konden zich, in tegenstelling tot Bean, van de domme houden en hulpeloos giechelend van de bar naar de pooltafel lopen, wiegend met borsten en billen. De lucht in de ruimte leek wel ijler geworden en de lichten meer gedimd terwijl Bean lijdzaam toezag hoe de hoofden van de mannen zich een voor een van haar afwendden, wat haar duidelijk maakte dat ze haar slechts hadden gebruikt om de tijd te doden tot er iets beters langskwam. Precies wat ze met hen had gedaan. Ze kreeg een brok in de keel en moest hard slikken. Moest ze hierom gaan vechten? Ze had nog nooit om aandacht hoeven te vechten en moest ze dat nu gaan doen voor mannen die om te beginnen amper de moeite waard waren?

'Dames,' zei de man die Bean het eerst had benaderd en zijn diepe stem kreeg iets spinnends. 'Een potje poolen?' De mannen om de tafel lieten hun mond een beetje openhangen, hun bierflesje losjes in de hand, en hadden iets aapachtigs. Ze hadden hun keu tegen de muur en tafeltjes gezet om de uitstalling van vers jong vlees voor hen te bewonderen. Bean had het gevoel alsof ze inwendig ineenklapte als een kraanvogel van origami.

De meisjes keken elkaar vragend aan, zoals meisjes van die leeftijd doen, alsof ze constant een telepathische overeenkomst sluiten voordat ze ook maar de geringste beslissing nemen. 'We kunnen niet eens spelen!' piepte een van hen en de rest barstte weer in gegiechel uit.

'Krijg nou wat,' zei Bean. Ze liep naar de muur om haar keu te krijten en ging met krachtige, geoefende handbewegingen over het hout en vervolgens blies ze met veelzeggend getuite lippen. De mannen sloegen geen acht op haar. Een van de meisjes wierp haar een meelevende blik toe. Beans adem stokte toen ze die blik herkende, want ze was arrogant genoeg om die zelf een keer of wat geworpen te hebben. En in plaats van zich superieur te voelen, kreeg Bean het gevoel alsof zij het verkeerd had gespeeld, alsof zij te hard haar best had gedaan, dat ze overdreven gekleed was, te oud en nou ja, gewoon passé. Mocht er nog wat vechtlust in haar hebben gesudderd, dan was die nu verdampt als waterdruppels op het vuur.

'We leren het jullie wel,' zei een van de mannen en Bean zag hoe ze hun borst als een pauw opzetten bij de gedachte dat ze die hulpeloze vrouwtjes voor de gevaren van de gemene pooltafel konden behoeden.

Er was wat verwarde bedrijvigheid terwijl de meisjes rondzweefden en deden alsof ze niet wisten welk eind van de keu ze moesten gebruiken en de mannen hun posities naast hen innamen en van partner ruilden alsof ze allemaal deelnamen aan een ingewikkelde quadrille zonder leider tot de rust weerkeerde. Een van de meisjes botste tegen Bean aan, waardoor ze tegen de rand van de tafel werd gedrukt. 'Zullen we gewoon opnieuw beginnen?' vroeg een van de mannen.

Bean, die het laatste rondje met haar partner had gewonnen, weerstond de neiging hem met de keu een oplawaai op zijn hoofd te geven. Ze keek naar haar partner in de waan dat die haar zou steunen, maar die leek op het punt om voorover te duiken in het weelderige decolleté van een van de giechels. Bean draaide met haar lichaam en zette een hand op haar slanke heup. Ze wierp haar haar naar achteren. Niemand zag het. Een van de mannen bukte zich en fluisterde iets in het oor van zijn partner. Ze gilde het uit van de lach en hij richtte zich weer op, leegde zijn flesje en keek trots uit zijn ogen. 'Best,' zei Bean en ze liep weer naar het tafeltje. Een van de mannen deed een stap naar voren en legde de ballen op hun plaats.

Ze trok zich terug in de schaduw en tastte met één hand onhandig naar haar glas terwijl ze toekeek hoe de voorstelling zich voor haar ogen ontrolde. Ze dronk het glas in één teug leeg; ze proefde het bittere vocht niet eens, maar het geroezemoes van het café werd zwakker en het was alsof ze in een tunnel zat. In het donker bij de muur kreeg ze het gevoel dat ze zo van het podium tussen het publiek was gestapt. Er was namelijk geen twijfel mogelijk dat dit echt gebeurde. Ze stond niet in de coulissen haar beurt om op te komen af te wachten. Ze was vervangen door een groepje volslagen inferieure beunhazen, vrouwen die luidruchtiger en dommer en ordinairder waren, maar onmiskenbaar jonger.

De alcohol voelde zuur op de maag en ze besefte dat ze op de een of andere manier naar huis moest zien te komen, omdat het nu wel duidelijk was dat ze zelfs het lelijkste mormel uit dat nestje mannen niet zou krijgen. Niet vanavond. En hoewel Bean een uitdaging meestal niet uit de weg ging, zag ze wel hoe dit zou aflopen en het vooruitzicht dat zij met die onnozele meiden om die sukkels zou vechten zag ze niet zitten. Er restte nog maar zo weinig waardigheid in haar leven, die wilde ze niet aan hen verkwanselen.

Omdat de mannen de rekening hadden betaald, vroeg ze de barkeeper een taxi voor haar te bestellen, waarna ze op het parkeerterrein op de motorkap van haar auto ging zitten wachten en de ene sigaret na de andere rookte. Ze keek naar de mensen die langzamerhand het café verlieten en de hoop sijpelde langzaam uit haar weg.

Wat betekende dit voor haar? Wat doe je als je niet meer het middelpunt van de belangstelling bent? Als er minder mooie vrouwen zijn, minder intelligent, minder doorkneed in de regels van het spel, die je niettemin domweg verslaan omdat ze later geboren zijn?

De taxi stopte en Bean schoot haar peuk in het grind. Ze drukte haar gezicht tegen de ruit, koel van de airconditioning tegen de warmte van de avond. Wat moest ze nu? Wie kon ze in hemelsnaam zijn als ze Bianca niet meer was? Wie wilde Bean nog? Ze voelde zich onbarmhartig nuchter, waarschijnlijk had ze zelf wel naar huis kunnen rijden en ze had er spijt van dat ze haar laatste geld aan die rit moest uitgeven en dat ze morgen iemand moest vragen haar terug te brengen naar de plek van deze vernedering om haar auto op te halen. Haar hele avond, haar hele leven was verpest.

'Opstaan,' commandeerde Rose. Voor de zekerheid gaf ze een schop tegen de poot van het bed. *'Foei, langslaapster!'*

'Jezus, Rose,' kreunde Bean. 'Het is nog niet eens zeven uur. Hou verdomme je waffel.'

'Mama heeft om acht uur een afspraak in Columbus. We gaan over een kwartier weg.'

'Mooi zo. Donder op.'

Roses neusvleugels trilden, ze zette haar vuisten op haar heupen en staarde naar de dekens waaronder Bean zich had begraven. Zij had natuurlijk de airconditioning zo laag gezet, begraven als ze was onder haar donsdekbed. In juni. Uit pure valsheid rukte Rose het dekbed van Bean weg, die met een kreet protesteerde en het weer terugtrok. Er bleef een lok aan haar droge lippen plakken; ze veegde hem weg voordat ze zich omdraaide en haar hoofd weer in het kussen begroef.

'Je moeder is ziek, egoïstisch kreng. Ik heb je gisteravond gezegd dat we naar de volgende chemobehandeling gingen en je zei dat je mee zou gaan.'

'O ja?' vroeg Bean en ze tuurde nieuwsgierig naar Roses boze silhouet tegen het licht van de zon in. Het was niets voor haar om zoiets te beloven. En eerlijk gezegd herinnerde ze het zich evenmin. Sinds de avond in het café had ze zichzelf in slaap gedronken en gisteravond was ze een beetje wazig geworden nadat ze een fles wijn die ze in de koelkast had gevonden soldaat had gemaakt. Misschien had ze een blijde dronk over zich gehad. Of, wat waarschijnlijker was, ze had ingestemd met alles wat Rose voorstelde om haar sneller haar mond te laten houden.

'En of je dat hebt gezegd. Als uwe hoogheid thans zo vriendelijk wil zijn zich aan te kleden, kunnen we gaan. Is het niet erg genoeg dat ik hen moet voorbereiden, moet ik me nu ook met jou gaan bemoeien?'

'Ik ben al op,' zei Bean. Ze wierp het dekbed van zich af en ging rechtop zitten. 'Ik ben al op.' Het 'kreng' aan het eind van haar zin was toch wel overgekomen.

Papa en mama luisterden de hele rit naar de radio, terwijl Rose briesend achterin zat en Bean werd gemarineerd in de alcoholdampen die uit haar poriën sloegen terwijl ze haar best moest doen niet over te geven. De tandpasta had haar adem draaglijk gemaakt, maar haar hoofdpijn op de morning after door de uitdroging van de witte wijn en de pepermuntsmaak op haar dikke tong gaven haar het gevoel dat haar keel dichtzat.

In het ziekenhuis voerde Rose de stoet aan. Bean boog af naar een koffiekarretje, maar Rose trok haar weer terug in de rij. Bean keek papa en mama na die samen wegliepen met de tred van oude partners. Papa is een paar centimeter kleiner dan mama, zijn haar telt vele grijze plukken en zijn keurig bijgehouden baard is eerbiedwaardig peper-en-zoutkleurig geworden. Ze lopen altijd met haar arm in de zijne en zijn vrije hand schiet ontelbare malen per uur omhoog om zijn bril recht te zetten, hun stappen zijn volmaakt synchroon want ze kennen elkaars tred. Maar bij de deur van de dagbehandeling bleef Rose staan en liet ze papa en mama alleen verder lopen. Toen de deuren openschoven draaide papa iets naar mama toe en kuste haar licht op haar voorhoofd onder de rand van haar sjaal. Ze aanvaardde het tedere gebaar als een zegening.

'Gaan wij niet naar binnen?' vroeg Bean. Ze had nog het eindje van een rol pepermunt in haar tasje gevonden en stak er een die maar een beetje afgebrokkeld was in haar mond. Ze beet hem met een ferm gekraak doormidden en grijnsde omdat Rose fronste.

'Er mag maar één bezoeker mee. Er is niet genoeg ruimte. Wij wachten hier.'

'Mogen we niet mee naar binnen? Waarom zijn we dan meegegaan, verdomme?'

'Voor morele steun.' Rose hees haar tas over haar schouder en maakte rechtsomkeert naar de wachtruimte.

'Dan had ik thuis ook morele steun kunnen geven,' mopperde Bean binnensmonds, maar ze liep achter haar aan en tapte onderweg koffie. 'Hoe lang gaat het duren?' vroeg ze toen ze naast Rose ging zitten.

Die keek op haar horloge. 'Ik zou zeggen dat we hier rond het middaguur weer weg zijn. Ze moeten eerst haar bloed controleren, daarna moet de apotheek de dosis samenstellen, en vervolgens duurt de chemo zelf een paar uur.' Ze haalde een boek uit haar tas en sloeg het veelbetekenend open.

'En wat doen zij?'

'Hij leest haar meestal voor. Je hebt toch wel een boek bij je?'

Bean haalde een dikke pocket uit haar tas waarvan het omslag nog maar met één draadje vastzat. Rose knikte en wendde zich tot haar eigen boek. Daarbinnen zat mama in zo'n comfortabele zij het kunstleren ziekenhuisfauteuil aan een slangetje waardoor goedaardig gif in haar aderen druppelde en zette papa zijn leesbril op om haar voor te lezen.

Hoe kunnen we uitleggen wat boeken en lezen voor ons gezin betekenden, en het godsgeschenk van de bibliotheken, van de bladzijden? Zelfs op Coop, het kleine coöperatieve schooltje dat we bezochten en dat werd gedreven door een hoogleraar, een toevlucht voor overdreven intellectuele families, waren wij anders. 'Hoezo kijken jullie geen tv?' had een meisje eens aan Bean gevraagd. Ze was een nieuweling, haar ouders waren gastdocenten die in één kalenderjaar kwamen en weer vertrokken na zo'n kort verblijf dat Bean de naam van het meisje niet eens meer wist. Ze herinnerde zich alleen nog die bevreemde rimpel op haar voorhoofd die duidde op het totale en volledige onbegrip over een leven zonder.

Maar voor ons was het geen leven zonder. Het was een leven met. Voor Rose was het een leven waarin ze na ons wekelijkse uitstapje naar de bibliotheek de bovenkant van haar ladekast ontruimde om er de boeken van de komende week rechtop en met uitwaaierende pagina's op uit te stallen die kleine wolkjes tekst deden opwaaien. Een van haar vriendinnetjes, een meisje met diepliggende blauwe ogen en een droge huid, stalde zo ook haar namaaksieraden uit en toen al was Rose zich bewust geworden van de metafoor, staande in de witte rotan slaapkamer van haar vriendin en starend naar de fonkelende nepdiamanten, saai vergeleken met haar ladekast. Voor Bean was een leven met de glamour en individualiteit die ze zocht maar een vriendelijk omgeslagen pagina verwijderd. Voor Cordy, immer gereserveerd, hoeveel mensen haar ook omringden en om haar aandacht bedelden, was het een leven waarin ze zich kon terugtrekken om alleen te zijn en zichzelf toch kon ontstijgen.

Toen het op de universiteit duidelijk werd dat de mensen misschien vonden dat er interessantere dingen waren dan lezen, bij wie duidelijk was dat de enige boeken die hun kamer sierden lijvige studieboeken waren, niet meer waard dan hun tweedehandsprijs aan het einde van het jaar, werden we met een keuze geconfronteerd. Rose, die zich nooit iets aantrok van de vereisten van cool gedrag, bleef gewoon lezen, haar enige concessie was dat ze in haar tweede jaar een eenpersoonskamer koos, al had dat waarschijnlijk meer te maken met haar voorkeur voor netheid dan de angst om als lezer te worden ontmaskerd. Bean bracht hele middagen door in de bibliotheek toen ze eenmaal de klassiekenzaal had ontdekt die vol stond met kolossale leren leunstoelen en poefs, met wanden vol boeken waarin ze kon vluchten. Cordy, die even weinig oog had voor conventies als Rose, maar die het stigma ervan nooit zo droeg als zij, las overal: onderweg naar de collegezaal, tijdens het college, op het binnenplein waar de frisbees haar om de oren vlogen, 's avonds in bed terwijl haar kamergenoten op de grond zaten te kaarten en een keertje bij het raam van een kelder tijdens een bierfeest, waar net genoeg licht van de straatlantaarns naar binnen viel om de bladzijden te kunnen lezen. In dat opzicht was het verschil tussen Rose en Cordy dat de eerste, wanneer ze werd gestoord, je trakteerde op een dreigende blik, haar boek opengeslagen hield en kortaf antwoordde tot ze in een pauze in het gesprek kon terugkeren naar de wereld waarin ze zich had gekoesterd. Cordy zou het boek dichtslaan of ondersteboven open laten liggen om deel te nemen aan het plezier.

In New York verkoos Bean de metro om te kunnen lezen, verlost van vragen maar niet van afleiding, van de tegen je aan schurkers, de mensen die over haar schouder meelazen, de leurders, de nieuwsgierigen met een overmaat aan meningen, al leerde Bean zich gauw van zo iemand te ontdoen zonder haar ogen van de bladzijde te halen. Ze herinnerde zich dat een van haar vriendjes een keer had gevraagd hoeveel boeken ze in een jaar las. 'Een paar honderd,' zei ze.

'Waar haal je de tíjd vandaan?' vroeg hij verbijsterd.

Ze kneep haar ogen samen en overwoog een keur van potentiële antwoorden die haar ter beschikking stonden. Omdat ik geen uren doorbreng met zappen langs de kabel en met klagen dat er niets leuks is? Omdat mijn hele zondag niet wordt verslonden met voorbeschouwingen op de wedstrijd, beschouwingen ván de wedstrijd en nabeschouwend geleuter? Omdat ik niet elke avond te duur bier hijs noch meedoe aan de wedstrijd wie-heeft-de-grootste met de collega's uit de wereld van de financiën? Omdat je me, wachtend in de rij bij de sportschool, of op de trein, of onder de lunch nooit over die wachttijd hoort klagen terwijl ik voor me uit zit te staren of mezelf zit te bewonderen in alle spiegelende oppervlakten? Ik léés!

'Ik weet het niet,' schokschouderde ze.

Het zal je niet verbazen dat dit gesprek de aanzet was van de breuk in de relatie, omdat het haar deed beseffen dat ze weliswaar had gedacht dat ze niet zo weg van hem was, maar dat ze hem in feite helemaal niet mocht. Ondanks al zijn geld en zijn knappe gezicht en de geloofsbrieven die hij bezat, was hij geen lezer en nou ja, laten we maar zeggen dat we ons die onzin geen van allen laten welgevallen.

Tot dag drie na de chemobehandeling was het niet goed tot Bean doorgedrongen wat mama's ziekte inhield. Ze had het koud, maar de dekens voelden hard en zwaar op haar huid. Het geringste lichtstraaltje dat door de gordijnen naar binnen viel, maakte dat ze het hoofd afwendde omdat het met de precisie van een scalpel door de broze huid van haar oogleden drong. Ze verveelde zich, maar wanneer we haar voorlazen, kreeg ze zo'n hoofdpijn dat ze ons smeekte te stoppen. Ze werd eenzaam en riep om gezelschap, waarna ze vroeg of we weer wilden weggaan omdat ze het benauwd kreeg van onze aanwezigheid. Ze braakte en daarna wilde ze eten en vervolgens moest ze weer overgeven. Bean zwierf onzeker op de gang bij de slaapkamer van papa en mama; ze ging naar binnen en naar buiten op elk nieuw verzoek.

'Gaat het altijd zo?' vroeg ze aan Rose, die de vaat deed aan het aanrecht en het servies aan Bean gaf die het zonder veel resultaat met een vochtige theedoek afdroogde en de spullen wegzette waar ze ongeveer thuishoorden.

Rose schudde haar hoofd en trok een zuinig mondje. Er verscheen een zeepbel op de gootsteen, ze prikte erin met haar vinger en zag hem in het zonlicht uiteenspatten. 'Nu is het slecht. Ik heb gelezen dat het erger wordt naarmate de kuur vordert, maar dit had ik niet voorzien.'

'Het is vreselijk om niets voor haar te kunnen doen. Hoe lang duurt het?'

'Meestal maar een paar dagen, deze keer misschien wat langer omdat het zo heftig is. Ik moet de dokter bellen om het te vragen. En daarna zal ze nog een paar dagen langer moe blijven. Ze heeft een afspraak om de grootte van de tumor te laten nameten en daarna stellen ze de datum van de operatie vast.'

Beklemd zwijgend deden we de rest van de afwas. Buiten gingen de geluiden van de zomer gewoon hun gang, het zoemen van de bijen, kreten van kinderen die vrij waren van school, de sissende cirkels van een gazonsproeier. Het leek misplaatst en wreed dat er op dat moment zo veel geluk in de wereld was.

'Gaat ze dood?' vroeg Bean onzeker. Haar stem trilde een beetje, ze keek strak naar het bord in haar hand en zag de condensstrepen in de lucht verdwijnen.

Rose draaide de kraan met een ruk dicht. 'Niet zeggen. Dat moet je niet zeggen. Het komt helemaal goed.'

'Maar...'

'Nee.' Rose stak haar hand op; haar vingers waren rimpelig en wit van het water. Ze wilde Bean niet aankijken. 'Daar mogen we niet eens aan dénken. Het is gewoon stomme pech.'

Bean zei niets. Ze was klaar met afdrogen, ruimde de vaat op en verdween naar de huiskamer.

Rose ging naar boven, wierp een blik in de slaapkamer van onze ouders en zag mama's vage gestalte op bed liggen. Ze sliep; Rose hoorde haar regelmatige, fluisterende ademhaling. Toen we klein waren, glipten we als we akelig gedroomd hadden naar de slaapkamer van papa en mama en smeekten we of we bij hen mochten kruipen. Mama vond dat zelden goed, bracht ons weer terug naar ons eigen bed en gaf ons een kus als bescherming tegen de duisternis. Ze verschoof een beetje en haar mond zakte open toen ze doorsliep. Rose weerstond de neiging bij haar in bed te kruipen en liep op haar tenen door de gang en naar beneden. Bean had haar plek op de bank weer ingenomen met een boek losjes tussen haar vingers. Op de grond naast haar lag een omgevallen waterglas.

Rose voelde een onmachtige woede in haar keel oprijzen. 'Bean, kijk nou wat je doet.'

Bean neeg het hoofd een beetje zodat ze over de rand van de bank kon kijken. Ze zette het glas recht en richtte zich weer op haar boek.

Rose stevende naar de keuken en kwam terug met een handdoek. Op haar hurken depte ze het water van de grond en daarna, met minder succes, de beekjes die al door de rand van het kleed waren opgezogen.

'Het is maar water, Rose, rustig maar.' Bean beet met haar voortanden op een nagel. Nu de kunstnagels weg waren, was de broosheid van de echte eronder aan het licht gekomen, zodat de nagelriemen constant openlagen en zeer deden.

'Water berokkent schade, Bean.' Rose was klaar met dweilen en hees zich overeind. Ze bedwong de neiging de natte handdoek in Beans perfect opgemaakte gezicht te gooien om haar gelijk te bewijzen.

Bean keek op en maakte een wegwuivend gebaar. 'Wegwezen,' zei ze. Ze sloeg een been over het andere op de bank en las verder.

'Je bent onuitstaanbaar. Heb je enig idee hoe het leven hier zou zijn als ik er niet was?'

'Het zou een verdomd stuk rustiger zijn, dat is een ding dat zeker is,' zei Bean. Ze beet op een andere nagel, scheurde het witte randje af en spoog het in de lucht.

'Ik doe alles hier. Alles.'

Bean legde het boek met een zucht op haar borst. 'Dat is exact wat je wilt. Goed, wil je praten over wat je nou echt dwarszit, of hou je liever je kop en laat je me lezen?'

'Wat mij echt dwarszit, is zoals je gewoon maar terugkomt en alles voor vanzelfsprekend houdt, alsof wij hier zijn om jou te bedienen. Jij bent de hele avond de hort op en niemand zegt er wat van. Ik ben het beu om als Assepoester heen en weer te hollen om jouw troep op te ruimen.'

'Niemand weerhoudt jou van uitgaan, Rose. Je kunt doen wat je wilt. Je bent een vrij en volwassen meisje.'

'Juist. Dus ik kan zo naar Engeland om bij Jonathan te gaan wonen, wat vind je daarvan?'

'Mij best,' schokschouderde Bean. Ze tilde haar kapsel op zodat dat over de leuning van de bank uitwaaierde, zoals Ophelia die in de beek verdronken is.

Rose ging zitten, ze had de natte handdoek nog vast. 'Doe niet zo gek. Ik moet hier zijn om voor mama te zorgen.'

'Daar hebben ze mensen voor, weet je. Ik noem ze graag dokter.'

'Dat bedoel ik niet.'

'Goed dan. Wat dacht je hiervan.' Bean ging rechtop zitten en legde haar boek naast zich neer. Roses tenen trokken krom bij het zien van de gescheurde rug, de bladzijden uitgespreid als de vleugels van een vogel. 'Als jij nu eens hier blijft tot mama's kuur achter de rug is, en dan ga je naar Engeland en waar Jonathan ook maar heen wil met je?'

'Ik heb een baan. Die kan ik niet zomaar opzeggen.'

'Krijgt Jonathan betaald?'

'Natuurlijk.'

'Hebben ze hem ondergebracht?'

'Wel in Oxford, maar daarna, wie zal het zeggen?'

'Dan hoef jij niet te werken.'

'Dit zal misschien een schok voor je zijn, Bean, maar niet iedereen werkt uitsluitend voor het inkomen.'

'Natuurlijk wel. Daarom heet het ook werk. Als we betaald kregen om alleen maar mooi te zitten wezen, zou het heel anders heten.'

'Ik wil niet het type zijn dat niet werkt. Ik wil geen huisvrouw zijn. Ik wil niet zijn zoals...' Rose slikte de rest in, maar de woorden hingen in de lucht en Bean sprong erbovenop.

'Wil je niet zijn zoals mama? Het zal misschien een schok voor jou zijn, Rose, maar ik weet vrij zeker dat mama een baan had kunnen hebben als ze die gewild had. Het is niet zo dat papa haar in de een of andere kerker van voor het vrouwenkiesrecht hield. Bovendien zeg ik niet dat je nooit meer moet werken. Alleen dat je je nú niet druk hoeft te maken om een baan. Een heleboel mensen zouden zich graag in zo'n positie bevinden. Ik bijvoorbeeld.'

'Ik zie jou je niet bepaald haasten om werk te vinden.'

'Ik bereid me erop voor.'

Rose snoof en keek naar buiten. Er pakten zich donkere wolken samen aan de middaghemel. Er dreigde onweer. Ze drukte haar handen tegen elkaar en trok vervolgens aan elke vinger, terwijl haar geest de toekomst afspeelde. Van plan zijn te vertrekken wanneer mama hersteld was, zou de indruk wekken dat ze niet genoeg om haar gaf, alsof ze haar moeders vluchtige contact met de dood als een ongelegen uitstel van haar eigen plannen beschouwde. Wat voor dochter – wat voor iemand – hield er zulke gedachten op na? En stel dat ze van plan was te vertrekken en mama niet beter werd? Stel dat ze hier met een vliegticket in haar hand op mama's overlijden zou wachten?

'Stel dat ze het niet redt?'

'Volgens jou was dat het noodlot tarten.'

'Ik weet het. Maar nu moet ik er almaar aan denken.'

'Niet zo dramatisch doen, Rosie. Ik zeg maar wat. Het zal niet gebeuren.' Bean keek weer in haar boek.

Rose friemelde een tijdje nerveus met haar vingers, totdat Bean haar boek neerlegde en haar zus lang en recht aankeek. Het was niets voor Rose om zich slecht op haar gemak te voelen, en het maakte haar een beetje nerveus.

'Wat moet ik doen? Wat moet ik doen als ze sterft?' vroeg Rose en ze zei het zo zacht dat de woorden halverwege leken te verdampen in de lucht.

Bean zuchtte. 'Als je hersens had, zou je je baan opzeggen en naar Jonathan in Engeland verhuizen. Zie je het thema al?'

'Dat zou ik niet kunnen.'

'Dan heb je geen excuses meer. Wat er al dan niet met mama gebeurt, heeft niets met jouw toekomst te maken.'

'Wat bedoel je?'

'Ik bedoel, zusjelief, dat jij het enige bent dat jou hier houdt.'

5

Rose droomde dat ze achter in Jonathans auto zat terwijl die over de snelweg raasde en de bomen voorbijflitsten in een waas van groen. Er was een bestuurdersstoel noch een chauffeur en radeloos reikte ze graaiend met haar vingers naar voren in een poging om bij het stuur en de pedalen te komen. Toen ze door de voorruit naar buiten keek, was de weg voor hen donker en wazig. De auto ging steeds harder rijden en Rose reikte weer naar voren, maar haar handen tastten weer in het luchtledige, hoe ze zich ook wendde of keerde.

Eén donderslag die zo heftig was dat de ruiten ervan rammelden deed haar klaarwakker rechtop zitten met haar hand op haar bonkende hart. Rustig maar, Rose, bedaar, zei ze tegen zichzelf terwijl ze langzaam diep in- en uitademde, naar binnen via de neus, naar buiten via de mond, de diepe ademhaling van een yogi die haar brein tot rust bracht en haar hartslag deed dalen van zijn topsnelheid.

Rose had ruim een jaar een yogacursus gevolgd bij een vriendelijke dame van ongeveer de leeftijd van mama, met glanzend wit haar, die zowel een zacht en soepel lichaam had, alsook een hartelijke oma was met de musculatuur van een atleet. De lerares, Carol, leek zo goed in haar vel te zitten dat Rose weer omhoogzat met haar eigen lichaam, dat ze liet schuilgaan in enorme T-shirts die tot haar knieën hingen op een slobberige trainingsbroek, ondanks het feit dat die haar bewegingsvrijheid beperkten.

Mama's voorouders waren Russen, min of meer, uit het stukje Polen dat zo vaak was ingelijfd door zo veel verschillende overwinnaars, dat de bevolking maar helemaal had afgezien van haar nationaliteit en zich niet meer zo druk maakte om die titulatuur. Dus waren wij van stoere boerenkomaf, gebouwd voor de boerderij, voor kinderen baren en werken. Rose benijdde Carol om haar smalle heupen en slanke elegantie, terwijl de lerares de ene na de andere houding aannam, maar mettertijd merkte ze dat de benen waaraan ze zo lang een hekel had gehad haar vrijwel hetzelfde lieten doen. Die periode was samengevallen met de meest hartstochtelijke seks die ze ooit had beleefd, die met Jonathan incluis en ze vroeg zich wel eens af of ze deels ja tegen hem had gezegd vanwege de yoga.

Maar vervolgens had Carol een paar maanden geleden aangekondigd dat zij en haar man met pensioen gingen, in Florida nota bene, en de nieuwe lerares, een zekere Heidi met geblondeerd haar en *kitten heels* onder haar yogabroek, joeg Rose de stuipen op het lijf. Heidi had voor de eerste les de temperatuur tien graden hoger gedraaid, dus voelde Rose zich roodaangelopen, zweterig en onhandig op een plek waar ze zich doorgaans zo heerlijk voelde. Terwijl Heidi rondliep en herhaaldelijk Roses houdingen corrigeerde, was haar hart gaan bonken en ze hapte naar lucht. Uiteindelijk pakte ze haar matje en schoof ze haar voeten die gezwollen waren van de hitte in haar teenslippers.

'Ga je weg, lieverd?' had Heidi gevraagd toen ze bij Rose kwam staan. Haar handen voelden ijzig op Roses koortsige huid. Ze keek Rose medelijdend aan, alsof ze wel had zien aankomen dat Rose het niet zou redden.

Rose knikte en knipperde haar tranen weg en vluchtte.

Ze was niet meer teruggegaan. Ze voelde het verschil lijfelijk, de stijfheid in haar spieren die ooit soepel waren geweest, de onregelmatigheden in haar hartslag werden frequenter, maar het kwam niet bij Rose op om terug te gaan naar zo'n pijnlijke mislukking.

Maar de ademhalingsoefeningen werkten nog steeds, merkte ze. Ze controleerde haar hartslag nog een keer met haar handpalm voordat ze de lakens wegduwde, haar benen over de rand van het bed zwaaide en even bleef zitten voordat ze zich opdrukte van het protesterende matras. Haar knieën knakten, een geluid dat haar herinnerde aan het onvermijdelijke afglijden naar de veertig, en ze bewoog zich voorzichtig tot haar spieren waren opgewarmd. Ze liep door de gang naar de trap. Papa en mama sliepen door elk geluid heen, dat wist ze vrij zeker, maar ze wilde Bean die in de volgende kamer sliep niet wakker maken.

Ze was bijna bij de keuken, geloodst door het lichtje dat mama altijd boven de gootsteen liet branden, toen ze het geluid hoorde van een hordeur die werd opengetrokken en vervolgens gerammel aan de deurknop. Rose sprong, opnieuw met een bonkend hart van de adrenaline, de keuken in en tuurde naar buiten om de indringer te zien. Buiten hoorde ze een auto gas geven en in de nacht verdwijnen, maar het geluid ging bijna verloren in een nieuwe donderslag.

Het licht van de lampen aan de voet van de trap naar de voordeur belichtte Cordy van achteren en transformeerde haar tot een donkere gestalte die naar regen en nat gras rook.

'Hé, Rose,' zei Cordy terwijl ze binnenstapte alsof het de gewoonste zaak van de wereld was om rond twee uur 's nachts thuis te komen, en net zo natuurlijk voor Rose om bij de deur te staan en haar te begroeten. De laatste keer dat we Cordy hadden gezien, had ze zwart haar en droeg ze de plooirok van haar schooluniform, met steeds weer een ander T-shirt van een band. Vanavond had ze net als wij weer donkerbruin haar. Ze droeg een witte boerenblouse met korte pofmouwen, bespat met dikke regendruppels en een wijde rok van patchwork. In de ene hand had ze een gehavende plunjezak, in de andere een gitaarkoffer bedekt met stickers, een neohippie van een castingbureau.

Daar waren we dus. Iedereen was weer thuis, precies zoals Rose had gewenst. En al zou ze dikwijls spijt hebben van die wens, het huis was niet meer zo stil om haar heen.

Rose zuchtte.

'Hallo, Cordy,' zei ze. Die schopte de deur achter zich dicht zonder acht te slaan op het kabaal. Ze deed haar sandalen uit en liep naar Rose om haar te omhelzen. Rose trok onze jongste zus tegen zich aan. Cordy's schouderbladen voelden als vleugels onder het dunne, vochtige katoen van haar blouse. De geur van haar zweet bleef op Roses nachtjapon hangen, toen die een stap naar achteren deed. 'Ik wilde net iets gaan eten. Heb je trek?'

'Ik ben uitgehongerd,' knikte Cordy en ze liep naar de keuken. Over de rug van de dichtstbijzijnde stoel hing een van mama's eeuwige vesten. Cordy pakte het en sloeg het om voor de warmte. 'Die regen is vreselijk. Op de 301 zagen we bijna niets.'

'Wie heeft je gebracht?' vroeg Rose.

'Een vriend van me, Max. Hij is onderweg naar de Rock and Roll Hall of Fame.' Zoals zij het zei, was het niet duidelijk of ze bedoelde dat Max op weg was naar het piramidevormige gebouw in Cleveland, of dat hij verwachtte er een van de coryfeeën te worden. Cordy trok de koelkast open en haar ingevallen gezicht lichtte blauw op in het schijnsel. 'Dus ik zei, weet je, mijn zus gaat trouwen, wil je me brengen?'

'De bruiloft is pas in december,' zei Rose, die een glas uit een van de kastjes pakte en langs Cordy haar hand uitstak om het pak melk uit de koelkast te halen. 'Je bent een half jaar te vroeg.'

Cordy pelde het folie van een wit bord en ontdekte een paar maïskolven. Ze haalde er een af en knabbelde eraan. 'Moet ik dat niet even voor je opwarmen?' vroeg Rose.

'Nee,' zei Cordy. Er zaten maïsvelletjes tussen haar tanden en een stukje op haar lip en Rose moest zich bedwingen om het niet af te vegen. 'Ik was het reizen min of meer beu, weet je, en toen kwam mama en zo. Ik dacht, misschien kan ik wel iets doen.' Ze haalde haar schouders op. 'Bovendien, wat moet ik in hemelsnaam anders doen?' lachte ze. Het viel Rose op hoe bitter het klonk.

'Leuk om je weer thuis te hebben,' zei Rose na een korte stilte. 'Bean is er ook.'

'Hm. Hoe is het met haar?' vroeg Cordy met een mondvol maïs. Ze knaagde de kolf in rondjes af; dat had ze altijd zo gedaan, al at de rest van de familie in een rechte lijn.

'Ik weet het niet, eigenlijk. We hebben weinig gepraat. Ze ziet er goed uit, zoals gewoonlijk.'

'Raar, hè?' Cordy was klaar met haar kolf en hield hem elegant tussen duim en wijsvinger vast toen ze ermee naar de compostbak liep en hem erin wierp. 'Hoe komt het dat we allemaal nu thuis zijn?' Ze kwam naar de tafel en ging zitten met één voet op de rand van haar stoel en sloeg haar armen om haar been als om een geruststellende teddybeer. In een van de lapjes van haar rok zat een scheur.

'Raar,' beaamde Rose.

'Ik hoor dat Jonathan in Engeland zit? Dat is raar.' Cordy peuterde maïs tussen haar tanden vandaan en bestudeerde elk stukje op haar vingertop voordat ze het opzoog. Rose hield haar hand tegen. Cordy ging met haar tong langs haar tanden en grijnsde. 'Alles is toch al weg.' Rose zag dat ze rouwranden om haar nagels had en dat er een vettige glans op haar haar lag. 'Hoe is het trouwens met mama?'

Rose bedwong de neiging met haar ogen te draaien. Trouwens. Alsof het haar net te binnen was geschoten. Wat prettig om Cordy te zijn, om aan te nemen dat alles altijd op zijn pootjes terechtkwam, en het aan de rest over te laten om de gevaren in het oog te houden.

'Het gaat. Ze geven haar een chemokuur om te proberen de tumor te laten slinken voordat ze hem weghalen. Ze heeft een paar dagen geleden een behandeling gehad, dus daar moet ze nog van bijkomen. Ze zal behoorlijk moe zijn, dus geen dramatiek, goed?'

Cordy dacht even na. 'Cool,' zei ze uiteindelijk. 'Nou, ik wil wel eens naar bed. En jij?'

Rose schudde haar hoofd. Typisch Cordy. Het draaide allemaal om haar. Rose dronk haar glas melk leeg, liep geruisloos naar het aanrecht en spoelde haar glas om voordat ze het op het afdruiprek zette. 'Ik draag je tas wel,' zei ze.

Rose ging voor met Cordy's vochtige plunjezak op haar rug. Hij maakte een natte plek op de lichte stof van haar nachtjapon. Cordy volgde haar en de hals van haar gitaarkoffer botste tegen elk denkbaar object. 'Oeps,' bleef Cordy maar zeggen. 'Oeps.'

Rose maakte de deur van Cordy's slaapkamer open en ging naar binnen. Om de een of andere reden had Cordy naarmate we opgroeiden niets aan haar kamer gedaan zoals Bean en Rose. Het was nog altijd een kinderkamer in roze en wit, met linten en strikken. Haar eigen uiterlijk had ze wel duizend keer veranderd, maar haar kamer bleef altijd hetzelfde.

Cordy kwam binnen, stapte uit haar rok en wierp zich in haar ondergoed en T-shirt op het bed. Ze had harige benen en haar voetzolen waren bijna zwart van het vuil, zag Rose met een licht gevoel van weerzin. 'Welterusten,' zei ze. Ze deed haar ogen dicht en een seconde later was ze al half in slaap. Rose bleef even staan; ze wilde zeggen dat Cordy haar tanden moest poetsen of een lap over haar gezicht halen, of een andere moederlijke aanmaning voor het slapengaan. Maar ze hield zich in.

Voorlopig zou Rose haar laten slapen.

'Goenacht, mijn prins,' zei ze uiteindelijk tegen Cordy's holle trekken en ze deed de deur dicht.

Papa en Rose waren met mama naar het vervolgonderzoek om de tumor te meten, dus toen Bean wakker werd, kuierde ze naar buiten om de krant te halen zodat die haar aan het ontbijt gezelschap kon houden. Het vlaggetje op de brievenbus wees omlaag, onze post werd altijd verschrikkelijk vroeg bezorgd, dus die nam ze ook mee en toen ze weer naar binnen ging, nam ze de brieven door.

Er was een dikke, gewatteerde envelop uit New York die aan haar was geadresseerd. Ze herkende de passief-agressieve, nuffige hanenpoten van haar ex-kamergenoot Daisy.

Ze scheurde de envelop open, legde de krant en de rest van de post op het tafeltje en stak haar hand erin. Het was een stapel enveloppen, allemaal geadresseerd aan haar appartement in New York. Een paar uitnodigingen voor een bruiloft, twee ansichten met een uitnodiging voor de opening van een tentoonstelling in een galerie en daarna wat ze had gevreesd. Rekeningen. Minstens tien. Ze had het maximum van al haar creditcards opgebruikt en de rente was van woekerniveau.

En onder op de stapel lag een briefje van Daisy's verfoeilijke briefpapier van een zuidelijke schone. Een gedetailleerde opsomming van wat ze haar vroegere kamergenotes schuldig was voor de huur, de elektriciteit en het water. Van het bedrag onderaan moest ze even flink slikken.

Bean had met opzet geen doorstuuradres achtergelaten, maar het was blijkbaar niet Daisy's beperkte geestelijke vermogens te boven gegaan om haar op te sporen, wat betekende dat de creditcardmaatschappijen spoedig zouden volgen.

Te lang was ze gewend geweest om rekeningen niet open te maken, alsof het niet weten van het exacte verschuldigde bedrag het op de een of andere manier kleiner maakte, of helemaal zou doen verdwijnen als ze bofte.

Helaas was dat niet de beste strategie gebleken.

Bean moest denken aan de lelijkheid die deze enveloppen vertegenwoordigden. Ze moest denken aan de manier waarop de mannen in het café zich een paar avonden terug van haar hadden afgewend toen die meisjes waren binnengekomen. Ze dacht aan de lege dagen die ze tot nu toe thuis had doorgebracht en alle lege dagen die zich nog voor haar uitstrekten. Ze dacht aan de manier waarop mama asgrauw, buiten adem, met pijn in haar lijf en paarse vlekken om haar ogen terug in de kussens was gezakt, nadat ze het van de zoveelste aanval van misselijkheid had verloren. Ze dacht aan de nieuwe priester die haar had gevraagd of ze naar de dienst zou komen.

Ze ging aan tafel zitten en maakte de eerste envelop langzaam open.

Cordy sliep lang uit en werd pas wakker toen de geluiden van het huis en het zonlicht te hardnekkig werden om nog geloofwaardig in haar dromen te worden verwerkt. Bijna tien jaar rondzwerven hadden haar alert gemaakt na het openen van haar ogen; ze was gewend geraakt aan langzaam wakker worden om de ruimte te proeven en zichzelf het verhaal te vertellen hoe ze in dat specifieke bed was beland, in die kamer, op dat moment. Ze bleef een poosje op haar rug liggen staren naar het plafond van haar jeugd. Dezelfde barst liep nog in een boog over de deur, dezelfde geplooide lampenkap hing aan het gerimpelde oude pleisterwerk. In het ouderlijk huis had zij een hoekkamer onder de overkapping, en in plaats van de dakkapellen in de kamers van Rose en Bean was hier een steile, schuine dakrand die de kamer verduisterde en het idee van een baarmoeder gaf.

Gedurende de nacht was ze op een gegeven ogenblik onder de dekens gekropen en nu kwam ze tevoorschijn en scharrelde ze in haar tas naar iets wat enigszins schoon was. Ze had inmiddels maanden geleefd vanuit bestelbusjes van anderen en af en toe overnacht in de een of andere jeugdige commune en zich gemengd onder de rondzwervende mensen die wanhopig op zoek waren naar wat vergane Kerouac-glorie.

Het was knap vervelend.

Al haar kleren waren smerig en roken naar een welgemarineerde mengeling van zweet en wiet. Haar haar was lang en onverzorgd en ze was zo lang niet schoon geweest dat ze gedachteloos was gaan krabben aan het laagje op haar huid zodat haar armen nu doffe krassen vertoonden. Wanneer ze ’s morgens wakker werd en weer eens de een of andere naamloze halfwas met verwarde haren naast zich zag, was haar eerste gedachte meestal: ik ben te oud voor deze ongein. De mensen op haar pad waren best vriendelijk geweest, maar het was geen natuurlijke vriendelijkheid, eerder een soort goedgeluimdheid die het gevolg was van een cocktail van onwettige middelen en een stilzwijgend maar verwoed verlangen om áárdig gevonden te worden.

Ze wist vrij zeker dat geen van hen zichzelf zo zou typeren. Ze waren jong genoeg om zich zo'n rad voor ogen te laten draaien door hun grootse plannen, om zo op te gaan in de intense romantiek van levensstijl die ze opbouwden, één schamele hut per keer, dat het hun nooit opviel dat er niets romantisch was aan een geval van schurft. Maar tegelijkertijd kon ze er niets aan doen dat ze juist daarom van hen hield, op de neerbuigende manier waarop een ouder dol kan zijn op de malligheid van hun kind. Cordy was pas onlangs tot het inzicht gekomen dat ze een volwassene onder de kinderen was geworden en dat het de hoogste tijd was voor iets nieuws. Maar gezien het feit dat ze nergens heen kon, was ze gewoon teruggekomen.

Cordy moest aanvaarden dat haar tas helemaal geen schone kleren herbergde, trok de onderste la van een antieke ladekast in de nis in de hoek open en haalde een wijde spijkerbroek met uitlopende pijpen tevoorschijn, plus een T-shirt dat haar misschien nog zou passen. Een ander nadeel van het leven dat ze had geleid, was dat ze meestal honger had geleden. Als ze bijvoorbeeld een concert bijwoonde van een van de ontelbare onderling inwisselbare folkrockbands, was er altijd wel een smerig stel met dreadlocks dat broodjes verkocht die binnen haar budget bleven, maar dat waren droge, smakeloze dingen van zelfgemaakt twaalfgranenbrood met verantwoorde alfalfa en ongezouten boter. Ze trok een vies gezicht bij de herinnering, maar haar maag knorde verraderlijk. Ze legde een hand op haar buik om het geluid te smoren en in plaats daarvan voelde ze het begin van een harde knobbel die haar eraan herinnerde waarom ze eindelijk was thuisgekomen.

Te oordelen naar de stand van de zon was het bijna elf uur 's morgens, dus liep ze haar kamer uit en door de gang naar de badkamer en onderweg liet ze een enorme stapel wasgoed in de stortkoker vallen. Beans deur stond open en ze zag haar rug, strak en naar voren gekromd als een wenkende vinger. Ze hield een telefoon aan haar oor, haar vingers aan de hoorn waren rood en wit gevlekt, en ze huilde.

Cordy bleef staan en legde een hand tegen de deur alsof ze vanuit de gang troost kon bieden.

'Ik kom niet terug,' zei Bean, met de verstikte snik die het teken van een uitgeputte jankpartij is. Toen ze weer iets zei, fluisterde ze bijna. 'Nee, dat doe ik niet,' siste ze.

Er viel weer een stilte. Cordy verplaatste haar gewicht op haar voeten en op haar blote benen verscheen kippenvel. 'Dat ga ik doen,' zei Bean, en daarna: 'Ik weet het, ik weet het.'

Iets in de stem van haar zus maakte dat Cordy zich terugtrok van de deur. Hier was sprake van een geheim en Cordy wist niet zeker of ze het wel wilde horen, omdat ze zich de laatste keer dat ze Bean had horen huilen niet kon herinneren, althans niet waar iemand bij was. Het klonk zuur en pijnlijk. Ze draaide zich op haar vuile voeten om en liep luidruchtig door de gang om haar aanwezigheid kenbaar te maken.

Cordy zat ineengezakt aan een tafeltje in de Barnwell Beanery. Er was eigenlijk niets veranderd. Donkerbruin, slecht bij elkaar passend meubilair, stoelen met een holle rug, vermoeid van het constante gebruik; gehavende houten vloerdelen kriskras bezaaid met de donkere strepen van het voetverkeer. Op de tafels stonden Magic 8 Balls en Barrels of Monkeys en aan de muur hingen schilderijen van plaatselijke kunstenaars te bedelen. Cordy, die uitstekend in de Beanery paste – olijfkleurige ribcord broek, verschoten T-shirt en een tas van geweven hennep – liet haar hoofd op haar armen op een tafeltje rusten en haar sandaalvoeten zaten om de stoelpoten gekruld. Voor haar stond een glas met een theezakje over de rand dat dampsignalen de lucht in stuurde. Cordy staarde er chagrijnig naar.

'Hé, Cordy! Ik had al gehoord dat je er weer was!' Dan Miller ging tegenover haar zitten en wierp een smoezelige theedoek over zijn schouder. 'Hoe is het met jou?'

Cordy duwde zich slaperig overeind. Ze had haar haar in twee slordige vlechten gebonden, die ze over haar schouder wierp toen ze hem aankeek. 'Miller,' glimlachte ze. 'Slecht nieuws doet snel de ronde.'

Hij grinnikte en zijn lach toverde een gloed met kuiltjes op zijn gezicht. Zijn haar was donkerder dan ze het zich herinnerde, het was bijna zwart en zijn gezicht vertoonde de stoppels van een dag. 'Zo erg is het niet. Het slechte nieuws is dat Bean ook weer terug is.'

'O god. Wat heeft ze je misdaan?'

'Niets. Ze heeft een van mijn kamergenoten een keer flink afgezeken, maar ik denk dat we daar nu wel overheen zijn. Ik mag trouwens niet over je zus roddelen.'

Cordy maakte een grootmoedig gebaar, pakte haar glas en legde haar vingers eromheen om zich te warmen, ondanks de zomerzon die door de ramen naar binnen in brede banen op de vloer scheen. 'Roddel maar raak.'

'Dus hoe is het verdorie met je? Je ziet er bescheten uit.'

'Ik merk dat je legendarische charme nog niets heeft ingeboet,' zei Cordy, en ze keek hem over de rand van haar glas aan, voordat ze het weer neerzette en aan het theezakje friemelde. 'Ik heb een tijdje rondgezworven. Met de bands mee, weet je wel. Gezellig.'

'Wauw. Dat is te gek. Ik dacht dat de meesten van ons inmiddels te belegen waren voor zoiets.'

'Nou, ik ben twee jaar jonger dan jij. Kennelijk word je met dertig belegen.'

'Maar je bent weer terug,' merkte Dan op. Hij trok met een brede vinger aan de hals van zijn olijfkleurige T-shirt. Op de rug van zijn handen zat een vachtje zwart haar. 'Het is duidelijk dat de belegenheid bij jou vroeg is ingezet.'

'Oké, dus misschien ben ik ook voorbij mijn uiterste houdbaarheidsdatum. Je weet dat het slecht met je gesteld is als Barnwell er verhoudingsgewijs redelijk van afkomt.'

'Opgepast, hè?' waarschuwde hij met zijn wijsvinger bestraffend omhoog. 'Vergeet niet tegen wie je het hebt. Ik woon hier uit eigen vrije wil.'

'Ja, en hoe zit dat dan? Je komt toch uit Philadelphia of zo?'

'Ja, in een vorig leven. En ik vind het hier gewoon prettiger. Dat is toch niet zo erg?'

Cordy haalde haar schouders op en pakte haar glas om nog een slok te nemen voordat ze antwoordde. 'Het is gewoon onverwacht, denk ik. Ik bedoel, gisteren las ik zo'n oud-leerlingenblad en iedereen zit ofwel bij het Peace Corps of is de een of andere beroemde kankeronderzoeker geworden.'

‘En hier zitten we dan. Deprimerend, hè?’

‘Hé, ik ben nooit afgestudeerd. Ik heb een excuus.’

‘Ik ben een kleine zelfstandige,’ zei Dan terwijl hij zijn rug rechtte. ‘Plus een eerzaam lid van de gemeenschap. Ik heb geen excuus nodig.’

‘Is deze tent van jou?’ Cordy keek om zich heen. Omdat het zomer was, waren er maar een paar klanten, maar tijdens het studiejaar zou het hier razend druk zijn zoals overal op de campus.

‘Ja, helemaal,’ zei hij met een weids gebaar. ‘Ik ben de cateringmagnaat van Barnwell. Nu mag je voor me buigen.’

‘Nee, dank je,’ zei Cordy koeltjes, maar ze glimlachte hem even met lipsticklippen toe zodat haar mondhoeken opkrulden.

‘Hoe lang blijf je?’ vroeg hij.

‘Kweenie. Een tijdje, mijn moeder is ziek, weet je. En Rose gaat trouwen. En ik moet eens gaan nadenken over wat ik met mijn leven ga doen. Om wat te kunnen sparen.’

‘Shit, er gebeurt dus een heleboel tegelijk.’ Zijn wenkbrauwen kwamen iets naar elkaar toe in een V van bezorgdheid. ‘Heb je al werk?’

‘Nog niet.’

‘Nou, als je een baantje zoekt, zeg je het maar. Miller regelt het wel.’ Hij klopte op zijn borst, en wreef er toen over. Bij zijn keelholte krulde dik haar uit zijn overhemd. Ze herinnerde zich dat ze hem op het binnenplein van de campus met ontbloot bovenlijf had zien frisbeeën en hoe verbaasd ze was geweest over al dat haar. Het trok haar aan noch stootte haar af, maar ze was wetenschappelijk geboeid en nieuwsgierig naar de structuur.

‘Maar ik heb een hekel aan koffie. Althans als drank. De geur is heerlijk,’ zei Cordy.

‘Nou, dat is alvast een begin, toch? En het ruikt hier te gek, vind je niet?’ vroeg Dan. Hij wipte zo ver naar achteren dat hij zijn been om de tafelpoot moest slaan om niet te vallen, terwijl hij overdreven diep snoof.

Cordy giechelde.

‘Ik kan je niet veel betalen, maar je woont toch weer thuis? Dus maak je geen zorgen. Bel maar.’ Ze dacht even na. In de loop der jaren had ze tientallen baantjes gehad. Een baan betekende niet dat ze zich aan iets of iemand verplichtte. Een baantje in Barney nemen wilde niet zeggen dat ze haar ziel aan de duivel verkocht. Het hoefde niet te betekenen dat ze er eeuwig moest blijven. Ze hoefde niet eens een dienst af te maken als ze daar geen zin in had.

'Oké,' zei Cordy. Dan sprong uit zijn stoel, legde zijn hand op haar schouder en kneep er even in.

'Jezus,' zei hij met een por tegen haar sleutelbeen. 'Je moet wat aankomen, meid. Ik stuur wel een taartje of zo.'

'Dank je wel,' zei Cordy, en ze kneep ook even in zijn hand. Fluitend liep hij weg en ze keek hem na, naar de losse stof van zijn slobberige spijkerbroek. Hij leek zo gelukkig en het maakte haar een beetje treurig om te beseffen hoe ze van die emotie vervreemd was.

Cordy besefte dat het erger had kunnen zijn. Ze had ook Ophelia kunnen zijn met al haar onwettige seksualiteit, en gek geworden zelfmoord kunnen plegen. Ze had zelfs Bianca kunnen zijn, met al die schoonheid én volgzaamheid om waar te maken. Dus Cordelia zijn was nog niet zo erg, besefte ze.

Cordelia's moeilijkheid – dat wil zeggen die van de Cordelia van Shakespeare, maar wacht maar af waar we heen willen – was voor Cordy dat ze gewoon zo ongevórmd was. Haar grootste moment van rebellie was weigeren haar liefde voor haar vader te zweren, juist omdat ze zo veel van hem hield. (Al was Cordy eerlijk gezegd altijd wel trots op hoe dat – zij het indirect – een lange neus was naar haar oudere zussen.) En aan het einde was ze loyaal en volgzaam, tot ze doodgaat, weet je. Goed, er is wel een stuk waarin ze koningin van Frankrijk wordt en de Franse troepen aanvoert tegen Evil Edmund maar (a) ze verliest en (b) ze was er helemaal niet zo tuk op om die troepen aan te voeren. Als er één manier bestaat waarop je een hoge legeraanvoerder kunt zijn en daar volkomen passief onder kunt blijven, dan is daar Cordelia. Alles overkomt Cordelia; ze laat nooit iets gebeuren.

Om naar Cordelia vernoemd te zijn zou een zekere waardigheid met zich mee moeten brengen, maar die had Cordy nooit gevoeld. Het enige wat ze zonder meer van haar naam had geërfd was een zachtaardige woede over onrecht, en net als Cordelia droeg ze het hart niet op de tong, al kwam Cordelia's aarzeling meer voort uit een opgeblazen gevoel van goedheid en Cordy's van... ja, waarvan? Luiheid? Angst? Ze wist het niet zeker. In haar meest recente incarnatie had ze in vage, met rook gevulde ruimtes met doorgezakte vloeren zitten luisteren naar mensen die afgaven op Het Patriarchaat en De Gevestigde Orde en hoewel ze het daar wel mee eens was, ervoer ze de vreselijke dingen waarvan ze inmiddels wist dat ze in de wereld bestonden als een enorme, verdrietige last en ze voelde zich machteloos er iets aan te doen. Tenslotte was Cordelia ter dood gebracht omdat ze het Juiste had gedaan, en al achtte Cordy de kans dat dit haar zou overkomen klein, ze wilde niet graag de proef op de som nemen.

In de liefde was Cordy ook altijd meegaand geweest. Terwijl Rose op zoek was en Bean zich beschikbaar hield, was Cordy nooit echt op zoek gegaan. Haar lieve en geestige karakter had weliswaar mannen aangetrokken, maar meestal nam ze die in het voorbijgaan en ze leverde zich niet uit aan het drama dat verliefdheid met zich meebrengt. Ze aanvaardde die minnaars, maar ze konden haar niet echt veel schelen. Ze had zichzelf meer dan eens onder het lichaam van een zwetende en zwoegende man bevonden die lieve woordjes in haar oor fluisterde en heet op haar huid ademde en zich afgevraagd hóé ze daar was beland, en wat al dat gedoe eigenlijk te betekenen had. Seks had haar de afgelopen jaren vaker wel dan geen bed opgeleverd, maar hartstocht was er nooit bij geweest en Cordy had altijd het gevoel dat het meer voor de gezelligheid dan iets anders was.

Voor Cordy bestond het leven uit dingen die je domweg deed wanneer ze van je werden verlangd, zoals met iemand slapen in ruil voor een slaapplaats, of werken als kamermeisje om het geld te verdienen om naar de volgende stad te reizen, of trouwen met de koning van Frankrijk om zijn soldaten naar een wisse dood te voeren.

Rose zal je vertellen dat Cordy haar hele leven alles heeft kunnen maken omdat ze de jongste is en dat dit volslagen oneerlijk is.

Bean zal je vertellen dat Cordy, omdat ze de jongste is, altijd de lieveling is geweest en dat dit volslagen oneerlijk is.

Cordy zal je vertellen dat beide beweringen waar zijn.

Bijvoorbeeld. Het is oudejaarsavond en Cordy is vijftien. Rose is bij haar vriendje en zijn familie in Connecticut. Ze denkt dat ze misschien wel met hem gaat trouwen. (Ze vergist zich.) Bean is ergens heen. Ze heeft papa en mama verteld dat ze bij Lyssie (afkorting van Lysistrata;

telkens wanneer we ons beklagen over onze naam, herinneren we ons weer dat we ook dochters van een hoogleraar oude talen geweest hadden kunnen zijn) is en dat ze naar de film gaan, maar wij weten dat ze naar een feest is. Op dat feest weet niemand wie papa is en het kan ze ook niets schelen, en het is in een smerig huis met afbladderend behang en meubilair in scheefgezakte, vermoeide houdingen. Er is bier en wiet en op onwaarschijnlijke plekken liggen matrassen en lang voor middernacht zullen Bean en Lyssie al met hart en ziel uit hun dak zijn gegaan en in de zweterige, van bier doortrokken armen van een jongen liggen die ze de volgende dag al zijn vergeten. Dit avontuur is slechts mogelijk omdat Bean altijd uitstekend kan liegen en niet omdat papa en mama zo'n uitstapje ooit zouden goedkeuren.

Cordy en haar beste vriendin hebben besloten dat ze naar een nieuwjaarsfestival in Columbus willen, een feest met een band, vuurwerk en duizenden dronken feestvierders met dank aan een bierbrouwer die het evenement sponsort. Cordy is nooit echt een drinker geweest, dus geloofden we niet dat ze ontsnapte voor de alcohol, zoals bij Bean het geval was. Maar toch, een meisje van vijftien en haar amper puberende metgezel loslopend op straat op een avond die bekendstond om zijn ontucht?

Papa en mama zeiden ja.

Toen Rose dat hoorde, brieste ze zo dat de stoom uit haar oren kwam. Toen zij een prijs had gewonnen bij een geschiedenisprijsvraag uitgeschreven door de staat, wilden zij en haar vriendinnen naar Columbus voor de volgende ronde, en toen wilde mama met alle geweld mee als chaperonne. 'Voor een academisch evenement!' gilde Rose.

Papa en mama hadden Rose een keer een week huisarrest opgelegd nadat ze een zuurstok uit de boekwinkel had gestolen door hem in de mouw van haar winterjas te moffelen. Haar misdrijf werd ontdekt toen ze na thuiskomst ondanks het enthousiasme van onze verwarming haar jas weigerde uit te trekken.

Toen Cordy een van de kinderen van een hoogleraar Midden-Oostenstudies van zijn fietsje sloeg om zich daarvan meester te maken, een ingreep die hem een gebarsten lip en een levenslange fobie voor de meisjes Andreas opleverde, kreeg Cordy alleen maar een flinke reprimande.

'Zie je nou wel?' zegt Rose.

Maar wat Rose minder duidelijk ziet, is dat die toegeeflijkheid ook een teken van verwaarlozing is. Dat Cordy na de conceptie met alle geweld geboren wilde worden, overviel papa en mama, want die hadden besloten dat Bean het laatste lid van ons gezin zou zijn. Bovendien waren ze in veel opzichten uitgeput tegen de tijd dat Cordy arriveerde. Dus als Cordy naar plekken mocht en dingen mocht doen die voor Rose en Bean verboden waren, zou het terecht zijn om dat als teken van voorkeur te zien, maar wel voor de twee oudsten en niet voor de jongste.

Wij denken ook dat ze tegen de tijd dat Cordy verscheen, erachter waren dat het wel goed zou komen met haar, ongeacht wat zij deden. Ze werd meer geknuffeld en bemind, meer gefotografeerd, er werd meer met haar gelachen en gespeeld, maar in dat opzicht had ze iets van een nieuw speeltje; we negeerden haar even vaak als we haar aanbeden.

Al die aspecten bij elkaar maken begrijpelijk waarom Cordy haar wat ze noemt kermisapenstreken heeft ontwikkeld. Bij familie-etentjes, bij voorkeur die waaraan belangrijke universiteitsbestuurders of gastdocenten aanzitten, is zij degene die ons allemaal aanmoedigt een lepel aan onze neus te hangen, of te beproeven of de tafel wel waterpas staat door er erwten overheen te laten rollen, om een voordracht van belangrijke Spaanse zinnen uit een reisgids van Berlitz te ensceneren, zoals 'Ik zie je bij de discotheek', 'Hebt u ook kokosnoten?' of de meest levendige: 'Laat me alstublieft met rust.' En omdat Cordy nu eenmaal Cordy was, doet iedereen aan tafel mee, bezoekende hoogwaardigheidsbekleders incluis.

Het hoeft geen verbazing te wekken dat zij de toneelspeelster van ons drieën werd; ze regisseerde, produceerde en speelde de hoofdrol in elke mogelijke schoolvoorstelling. In de puberteit werd haar hart gebroken omdat de toneelafdeling haar steeds had opgeroepen om ook kinderrollen in elke productie van Barney te spelen, zowel jongens- als meisjesrollen. Ze kent nog steeds de lispelende liedjes van The Music Man. 'Als er iemand naar Broadway gaat,' zeiden mensen na de voorstelling, 'is zij het.'

Maar naar Broadway gaan vergde een volharding die Cordy gewoon niet had. We waren inderdaad te toegeeflijk voor haar en als ze haar huishoudelijke karweitjes vergat en naar het zwembad huppelde, of ons van ons eigen werk afhield om een fort in de huiskamer te bouwen, vergaven we haar die overtredingen en deden wij haar klusjes. We hielpen met haar huiswerk, we waren haar babysitter, we lieten haar urenlang lezen in de bibliotheek in Coop en het eind van het liedje was dat Cordy belabberd was voorbereid op het feit dat haar glimlach en haar gave om een kamer vol Shakespeare-geleerden de macarena te laten dansen (waar gebeurd) haar niet noodzakelijkerwijs duurzaam succes garandeerden.

Niettemin zou Rose je vertellen dat Cordy altijd de leukste kerstcadeaus kreeg.

Bean zou zeggen dat Cordy van haar leven nog geen bordspelletje heeft verloren, zelfs wanneer dat wel het geval was.

Cordy zal zeggen dat al die dingen waar zijn.

6

Papa kookt niet. Dat is altijd zo geweest. Zowel hij als mama zou gesputterd hebben tegen de idee dat de keuken het domein van de vrouw was, maar in de praktijk hadden ze daar kennelijk geen moeite mee. Dus nu mama was uitgeschakeld en amper kon eten, laat staan koken, was het aan ons. Bean sprokkelde een groentesoep bij elkaar van allerlei restanten in de koelkast, en Rose ontdooide wat brood uit de diepvries en maakte een kaasplateau. Cordy liep chagrijnig rond en liep in de weg.

'Wat doe je?' vroeg Rose aan papa. Ze had net de tafel gedekt en hij was bezig een van de leunstoelen uit de huiskamer door de deur naar de eetkamer te zeulen.

'Een stoel voor je moeder brengen. Ze kan niet lang genoeg op een houten stoel zitten om te eten.'

'We brengen haar wel een dienblad. Zet maar terug.'

'Je moeder wil samen met ons eten. *Wees vanavond op het souper.*'

En aldus geschiedde.

Ze kwam op eigen kracht naar beneden, vermoeid en broos als wit porselein, maar wel alert. 'Wat heerlijk dat iedereen weer thuis is,' straalde ze.

'*Zit neer en eet, welkom aan onze tafel,*' zei papa. Hij legde heimelijk zijn boek op de rand van de tafel, zodat hij onder het eten kon doen alsof hij niet las.

Cordy, die de gave had de eer op te strijken waar geen eer verschuldigd was, diende het eten met veel zwier op. Bean reikte naar de soep toen mama haar keel schraapte. 'Kunnen we samen dankzeggen?' Beans hand gleed schuldig terug naar haar schoot.

'Dank!' zei Cordy opgewekt. Papa glimlachte naar haar en daarna stak hij zijn hand uit boven tafel. Alle handen sloten zich ineen en we bogen het hoofd, een ritueel dat ons als zo ouderwets lief trof, dat Rose een beetje moest snotteren, papa zegde dank met een rustige bromstem en Bean werd getroffen door de manier waarop zijn avondgebed haar altijd aan de zonsondergang deed denken.

'Amen,' zei papa.

'A-men!' beaamde Cordy, om zich vervolgens van de helft van het brood en de kaas te bedienen.

'Hé, hebberd, laat eens wat over voor de rest,' zei Bean.

'Laat haar met rust,' zei mama. 'Ze moet aankomen.' Cordy verslikte zich in een stuk brood dat ze in haar mond had gepropt. O, ze wisten nog niet hoeveel ze zou aankomen. Ze greep haar glas melk en leegde het in één teug en probeerde haar roodaangelopen wangen te verbergen.

'Volgens mij heeft ze een lintworm,' zei Bean.

'Hou je kop,' zei Cordy en ze liep naar de keuken om nog een glas melk te halen. Wij keken haar na; haar broek hing laag op de heupen en haar ellebogen vormden scherpe uitroeptekens op haar huid. Rose overwoog zich zorgen te maken over haar, maar besloot het langs haar heen te laten gaan.

'Hoe is je afspraak vandaag verlopen?' informeerde Bean. Zelf was ze de hele middag met onbekende bestemming weg geweest en pas vlak voor het eten teruggekomen.

'Goed, goed,' zei mama. 'De tumor is een flink stuk geslonken, dus hebben we besloten tot een operatie over twee weken.'

Roses soeplepel bleef halverwege haar mond hangen. 'Dat is wel heel snel.'

'Hoezo, wil jij soms wachten tot de tumor weer is gegroeid?' vroeg Cordy, die net met een boordevol glas melk uit de keuken terugkwam. Ze zette het op tafel en de melk gutste over de rand. Rose legde haar lepel neer en depte het vocht op met haar servet, terwijl ze streng naar de tafel keek.

'Dat is niet grappig, Cordy. We moeten voorbereidingen treffen. We moeten er klaar voor zijn.'

'Je moeder is klaar, en dat is het belangrijkste. *Daartoe ben ik bereid en vastbesloten.*'

Was dat zo? Kun je er ooit echt klaar voor zijn om afscheid te nemen van een lichaamsdeel? Kun je er klaar voor zijn om te knielen voor het mes en de macht over te dragen in ruil voor niets anders dan je vingers maar gekruist houden?

Roses gedachten tuimelden over elkaar. Ze wist niet goed wat ze precies moesten voorbereiden, maar er was vast wel iets wat iemand moest doen. Misschien was er wel een handboek van Emily Post voor de omgang met vrouwen die net een borst kwijt zijn.

'Ik wil het graag ergens over hebben,' zei papa. Hij legde zijn lepel neer, depte met zijn servet zijn baard die grijzer was dan Bean zich kon herinneren. 'In het licht van mama's diagnose acht ik het nodig om jullie eigen gezondheid ter sprake te brengen.'

Cordy blies bellen in haar melk. Papa zette zijn bril af en wreef in zijn ogen, iets voor halverwege een college, maar in dit geval leek het hem ongebruikelijk veel moeite te kosten de woorden eruit te krijgen.

Hij kuchte.

'*Wel heer,*' zei hij uiteindelijk, '*het is een slechte kok die zijn eigen vingers niet graag likt; dus wie zijn vingers niet graag likt laat ik staan.*'

'Hè, wat?' vroeg Bean.

'Volgens mij bedoelt je vader dat het belangrijk is dat je jezelf onderzoekt, omdat borstkanker erfelijk kan zijn,' zei mama, terwijl ze een klopje op zijn hand gaf en hij ongemakkelijk knikte.

O, juist. Het ligt voor de hand dat Shakespeare dat wilde zeggen.

Cordy verslikte zich bijna in haar melk. 'Gênaaant,' zong ze, en ze veegde haar mond af aan haar mouw.

'Getver,' zei Bean.

'Het is niet getver, Bianca. Het is van levensbelang,' zei papa.

Rose knikte instemmend. Natuurlijk was ze het daarmee eens. Van elk salaris zette ze vijftien procent op een spaarrekening en ze liet om de vijfduizend kilometer de olie verversen. Maar wie leefde er eigenlijk zo? Nou ja, afgezien van Rose.

We hadden maar een beperkte geschiedenis van gênante gesprekken met papa. Traditiegetrouw was het mama's rol geweest om het verhaal van de bloemetjes en de bijtjes, menstruatie, bijkomende accessoires en alle andere zaken van de vrouwelijke arena uit te leggen. Borstonderzoek bij jezelf hoorde zonder meer bij die categorie en we hadden een beetje met papa te doen omdat hij het onderwerp ter sprake moest brengen.

We aten een poosje zonder iets te zeggen, en toen zei Cordy: 'Prima. Ik zweer plechtig dat ik me eens in de maand onder de douche zal betasten.'

'Cordy!' zei Rose.

''*k Volbreng het tot het einde toe*,' vervolgde Cordy. Bean, tegenover haar, lachte snorkend. 'Iedereen tevreden? Kunnen we het nu over iets minder vervelends hebben?'

'Het is niet grappig,' zei Rose, maar de rest leek gesust. Ze zuchtte in haar soep. Was zij de enige die besefte hoe ernstig dit was, dat we mama konden verliezen en misschien wel ooit elkaar?

In feite was ze niet de enige. Die avond lag Bean in bed en er viel een strook maanlicht over haar voeten. Ze hief haar arm en betastte voorzichtig haar huid. Gewoon voor de zekerheid.

Cordy, wier borsten om een heel andere reden gevoelig waren en die de gewoonte had aangenomen met haar handen eronder rond te lopen om de spanning op haar huid te verminderen, voelde even in het wilde weg en viel in een diepe slaap.

Rose sliep helemaal niet.

'Ik ga even lopen,' zei Bean. 'Wil er iemand mee?' Ze had al in geen jaren gejogd, maar zonder haar dagelijkse bezoek aan de sportschool begon haar lichaam naar activiteit te hunkeren. Of misschien kwam het omdat ze met ons in huis zat opgesloten. Hoe dan ook, na een korte winterslaap was ze blij dat ze weer zichzelf was. Toen wij weigerden – Rose schudde even met haar hoofd en Cordy huiverde van afschuw – liep ze het hek van de achtertuin uit, het pad op dat zich door de bossen slingerde en over zichzelf heen luste, tot ze er aan de andere kant aan de rand van de bebouwde kom achter de kerk weer uit kwam.

'Bianca,' riep iemand achter haar, haar adem stokte en ze struikelde bijna over een wortel. Ze had onder het lopen wat hoofdrekenwerk gedaan op het ritme van haar voetstappen op de grond om te kijken hoe ze al haar schulden ging terugbetalen met het soort werk dat ze waarschijnlijk in Barnwell zou vinden, en toen ze haar naam hoorde, wist ze met bespottelijke zekerheid dat het de een of andere crediteur was die haar op de hielen zat. Ze hervond haar evenwicht en toen ze zich omdraaide, zag ze dominee Aidan.

Hij zat gehurkt bij het hekje van de achtertuin van de pastorie, een woord dat de indruk wekte dat het een kleine cottage van bouwvallige natuursteen was, maar het was een volstrekt gewoon huis van overnaads hout en het enig opvallende eraan was dat het vlak naast de kerk stond (die evenmin van verweerd natuursteen was, zoals natuurlijk had gemoeten, maar van natuursteen dat nog allerminst verweerd was). Eerwaarde Cooke had de slingerplanten – kamperfoelie, braam, clematis – altijd over de houten omheining laten woekeren totdat die louter en alleen een wand van witte komma's te midden van weelderig groen was. Het zonlicht viel in bundels door Aidans haar dat goudkleurig en rood oplichtte.

'Hé, Bianca!' riep hij nog eens.

Langzaam liep ze als een argwanende poes op hem af. Ze trok haar paardenstaart aan en wiste het zweet van haar gezicht. Bean houdt niet van onverwachte ontmoetingen met mannen, geestelijken of niet.

'Hoe is het met jou?' vroeg hij toen ze bij het hek was. Hij legde zijn handen op zijn dijen en duwde zich overeind met die trage beweging die Rose zo goed kende: voorzichtigheid geboren uit nieuwe barstjes in de gewrichten.

'Goed, ja. Ik ben wat aan het joggen.' Nou bedankt, señorita Zonneklaar.

Hij trok zijn handschoenen uit en haalde een hand door zijn haar. Zijn haarlijn golfde langs zijn slapen omhoog. Bean had mannen die hun haar begonnen kwijt te raken altijd gemeden, maar ze betrapte zich erop dat ze hem bewonderde. Misschien was ze in de bibliotheek iets te haastig geweest. Hij zag er helemaal niet verkeerd uit. Ze schraapte haar keel en trok haar paardenstaart weer recht. 'Hoe is het met de tuin?'

'Ik zou wel eens willen dat ze op het seminarie tuinieren hadden onderricht. Ik ben hier niet echt voor in de wieg gelegd. Maar een veldmuis zijn is zo erg nog niet.'

Ze legde haar handen op de omheining en boog zich flirterig naar voren. Oude gewoonten zijn moeilijk kwijt te raken. 'Ik kijk er een beetje van op dat je het aanbod om naar Barnwell te komen überhaupt hebt geaccepteerd. Dit is niet bepaald een spannende missie.'

Aidan haalde zijn schouders op, sloeg licht met zijn handschoenen tegen zijn dij en leunde zelf tegen de omheining. 'De mens wikt, God beschikt,' zei hij. 'Ik ga waar ze me sturen.'

'Heel zen om het zo te bekijken.'

'En jij? Mis je de grote stad al een beetje?'

Bean onderdrukte een grimas. 'Niet echt. Het werd tijd om daar een poosje weg te zijn.'

'Dus je blijft nog even? Mooi. Ik vind het hier best prettig, maar we kunnen zeker jong bloed in St. Mark's gebruiken. Je bent toch niet vergeten dat je hebt beloofd naar de dienst te komen?'

Bean werd rood. 'Nee. Het is alleen... Nou ja, je weet wel.'

'Ik beloof je dat het veel prettiger is dan je denkt,' glimlachte hij. Tjonge, hij was echt leuk. Beans gedachten dwaalden even af. Zij kon toch wel mevrouw Moore zijn? De deugdzame vrouw van een deugdzame geestelijke? En in de pastorie wonen? Koekjes bakken of wat een domineesvrouw ook deed?

'Zondag ben ik van de partij,' zei ze. 'Met klokjes aan m'n hoed.'

'We hebben onze eigen klokken,' zei hij. 'Maar het zou heel leuk zijn om je te zien.'

Hij leek nog iets te willen zeggen, toen er een gejengel klonk bij de voorkant van het huis.

'Dominee!' klonk een scherpe vrouwenstem. 'Dominee Aidan!'

'De plicht roept,' zei Aidan, maar hij leek zich niet te storen aan de onderbreking, wat Bean een tikje teleurstelde.

'Doctor Crandall,' zei Bean. 'Die stem zou ik overal herkennen. Ze schreeuwde altijd tegen ons wanneer we haar tuin vertrapten bij het verstoppertje spelen.'

'Je mag echt niet andermans tuin vertrappen,' zei Aidan spottend ernstig. Hij had zijn lichte wenkbrauwen samengetrokken boven zijn doordringende ogen. 'Tien Weesgegroetjes.'

Bean draaide met haar ogen. 'Ik ben niet katholiek,' zei ze. 'En voor het geval het aan jouw aandacht is ontsnapt, jij evenmin.'

'Daar zeg je zo wat,' zei hij. 'Ik zal het opzoeken in mijn katholiek-anglicaans boeteconversieprogramma.'

'Dominee Aidan!' snerpte het weer.

'Ik ben achter!' riep Aidan en daarna wendde hij zich weer tot Bean. 'Dus tot ziens dan maar. Mijn excuses.'

'Dat is nergens voor nodig. Je mag je werk wel doen. Er zijn dames van middelbare leeftijd in Barnwell die behoefte hebben aan wat spirituele begeleiding.'

'Die hebben we allemaal nodig,' zei Aidan. 'Leuk om je te zien, Bianca.'

'Insgelijks, Aidan,' zei ze en zijn naam voelde chocoladewarm op haar tong. Ze draaide zich om en jogde langzaam terug langs het pad waarover ze was gekomen, hopend dat de periode waarin ze niet naar de sportschool was geweest haar met niet meer vetrolletjes had opgezadeld dan vrouwelijk was. Ze veroorloofde zich één snelle blik over haar schouder toen het pad werd opgeslokt door het bos, maar hij was weg. Ze keek weer voor zich en haar paardenstaart sloeg licht maar venijnig tegen haar gezicht.

Ze liep wat harder nu het er niet meer toe deed wie haar zag. In cafés kwamen mannen altijd steeds dichterbij, om haar zo vaak mogelijk aan te raken. Hoe beoordeel je een gesprek met een priester over het hek op een zonnige, doordeweekse middag? Dat is andere koek.

En trouwens, waarom moest ze zo nodig dit gesprek evalueren, alsof het een soort schietoefening was. Hij had toch niet echt met haar staan flirten? Alleen, waarom zou hij anders de tijd nemen een praatje met haar aan te knopen?

Misschien wist hij het wel. Misschien hadden geestelijken wel een soort zonderadar die ging piepen wanneer iemand stout was geweest en een pak voor de billen verdiende. Overdrachtelijk gesproken, natuurlijk.

Wilde dat zeggen dat hij door haar heen kon kijken? Met de tanden op elkaar zette ze er de sokken in, alsof de aarde die achter haar hakken opvloog alles aan het oog kon onttrekken wat ze wilde verbergen.

Toen Bean overdekt met zweet en uitgeput weer thuiskwam, zaten wij in de huiskamer te lezen. Cordy had haar iets minder groezelige voeten op haar vaders knie geplaatst en de rest van haar lichaam lag languit op de bank terwijl ze zich te goed deed aan een postmodern boek dat ze naast de koelkast had gevonden. Rose zat met opgetrokken benen in een leunstoel bij het raam, had een roman onhandig tegen het raam gedrukt en ze sloeg met één hand de bladzijden om terwijl de andere nerveus een haarlok vlocht.

'Stil,' zei Rose, ze keek op al had Bean amper geluid gemaakt. 'Mama slaapt.'

Bean bewoog zich overdreven op haar tenen voort en legde haar wijsvinger tegen haar lippen. Cordy giechelde. Rose snoof en las door.

'Hallo, Bianca,' galmde papa, zoals hij wel vaker doet, als een dominee van de kansel. 'Heb je lekker gelopen?'

Bean haalde haar schouders op, ging in een stokoude oorfauteuil zitten en strekte haar benen, breed en gespierd onder haar korte short. 'Het ging wel. Ik ben een beetje uit vorm. Lang geen fitness.'

'*Wie hard rent struikelt vast*,' zei papa terwijl hij over zijn bifocale bril tuurde. In zijn ene hand had hij een boek, de andere rustte op zijn buik en drukte aangenaam tegen de knopen van zijn overhemd. Cordy liet haar boek op haar neus zakken en nam het woord.

'Hoe zit het met de fitness op Barney, pap?' Haar woorden klonken gedempt door de bladzijden van het boek. 'Kan Bean daar niet heen?'

'*En heet u welkom in de vrije lucht*,' zei hij cryptisch en hij las verder.

Cordy gaf hem een por met haar voet. 'Pápa,' jengelde ze.

'Oké, Cordelia, ik zal eens kijken, goed?' Hij zette haar voet terug op zijn knie, keek in zijn boek en was in een oogwenk weer opgeslokt door de bladzijden. Zo was het even, een vluchtig moment en even later was de aandacht weer terug in het land der letteren, en wee degene die hem daaruit probeerde te halen. Je kon een half uur tegen hem roepen en hij zou het niet merken.

'Je trekt een grasspoor over de hele vloer,' zei Rose. Ze hield met haar duim haar boek open.

Bean tilde haar ene schoen op en daarna de andere en bewonderde de plukjes gras die haar schoenzolen sierden als groene kerstboomversiering. Daarna keek ze met enig vertoon naar de vloer, die weliswaar niet echt smerig was, maar ook niet schoon. 'Ik zie niet in wat voor verschil dat maakt,' zei ze met een opgetrokken, goedgeplukte wenkbrauw.

Cordy sloeg ons gade en haar ogen gingen van de een naar de ander, alsof ze een spelletje pingpong volgde. 'Waarom trek je je schoenen niet uit om haar een plezier te doen?' vroeg ze, als altijd de vredestichter. 'Wat is het probleem?'

Bean dacht even na, trok vervolgens haar loopschoenen uit en strekte haar tenen wijd in haar witte sokken. Ze maakte een overdreven zittende buiging. '*Ik schik mij naar uw bevel*,' zei ze.

'Dank je,' antwoordde Rose kortaf. Ze richtte haar aandacht weer op haar boek, maar we zagen wel dat haar hart er niet in zat. Soms wist ze niet waar het vandaan kwam; ze wilde niet echt zo nors zijn, ze wilde ons alleen een beetje sturen. Ze wilde zich verontschuldigen voor haar bitse toon, maar iets in haar verzette zich en hield de woorden tegen.

'Wat is er, Rosie-Posie?' informeerde Cordy. Ze hees zich overeind op de bank en nam dezelfde houding aan als zij: knieën gebogen, met de voeten tegen haar achterwerk. Het was echt iets voor haar onze oudste zus een naam te geven die ze van geen van de anderen geduld zou hebben. Cordy, de lieveling, de favoriet.

'Niets,' zuchtte Rose.

'*De dame lijkt me wat heftig in haar verklaringen*,' mompelde papa, terwijl hij een bladzijde omsloeg. Verbaasd dat hij er aandacht aan besteedde keek Rose hem aan.

'Oké, prima. Er is iets en ik wil er niet over praten,' snauwde Rose ietwat bot en ze keek weer in haar boek.

'Waar ben je wezen lopen?' gooide Cordy het soepel over een andere boeg.

'O, je weet wel. Bij de beek en terug via de stad.'

'Langs St. Mark's, hè?' vroeg Cordy retorisch. Ze wist precies waar het pad heen voerde. Toen we klein waren, was het op zondagochtend onze vluchtroute geweest. Dan rukten we onze broek en schoenen uit, lieten ze als inktvissen in de handen van mama bungelen en gingen ervandoor, als een studie in het contrast tussen onze mooie meisjesjurkjes en blote, vieze voeten. Wanneer we weer thuiskwamen, zaten onze jurken wel eens onder de braam- of grasvlekken, maar er zat nooit de kleinste winkelhaak in, ze hoefden nooit hersteld te worden. Zo dom waren we niet. En van jongs af aan werden we handig met vlekverwijderaars, omdat mama geen zin had ze schoon te maken.

'Ja,' schokschouderde Bean achteloos.

'Er is een nieuwe dominee, weet je,' zei papa, turend naar Bean over zijn bril. 'Jongeman. Knap. Maar meer Benedick dan Claudio, dus dat zit wel goed.'

'Zolang hij maar niet meer Don John dan Benedick is,' zei Cordy, terwijl ze haar vieze tenen opkrulde.

'Hij is aardig. Ik ben hem een paar dagen geleden in de bibliotheek tegengekomen en vandaag was hij in de tuin,' zei Bean.

'Ooo,' zei Cordy; ze liet het boek op haar borst rusten en was een en al oor. 'Vriendschap sluiten met de inheemsen. En vind je hem leuk?'

'Vertrouw je niet op mijn oordeel?' vroeg papa en hij sloeg weer een bladzijde van zijn boek om.

'Natuurlijk wel,' suste Cordy. 'Maar ik wil weten of Béán hem leuk vindt. Dat is iets heel anders.'

'Ja hoor,' zei Bean. 'Ik denk het wel. Maar hij is de dominee.'

'O, alsjeblieft zeg. Hij is niet dóód,' antwoordde Cordy en daarna veranderde ze als op vlindervleugels van gedachten, gaf ze papa een por met haar hiel en vroeg: 'Wat is er met dominee Cooke gebeurd?'

'Die is met emeritaat,' zei papa. '*Vermoeid van 't strijden trok hij naar Arizona.*'

'Wat treurig,' zei Cordy melancholiek.

'Daar is niets treurigs aan,' kwam Rose tussenbeide. 'De man is met pensioen en is aan het golfen in Arizona. Wat is daar treurig aan?'

'Niets, denk ik. Maar in zekere zin is het wel treurig dat hij geen congregatie of zo meer heeft, vind je niet? Zou hij dat niet moeilijk vinden?'

'Ik stel me zo voor dat het een opluchting is. Jaren achtereen dag in dag uit naar andermans problemen luisteren? Alle weekeinden moeten werken?' Rose glimlachte om haar eigen heiligschennis.

'En nooit ergens uitgenodigd worden behalve wanneer er een dominee nodig is. Alle leuke dames en geen druppel alcohol,' voegde Bean eraan toe. We deinsden allemaal terug voor de gedachte aan de stokoude dominee Cooke en de mogelijke romantische toeren die hij had uitgehaald. 'Of niet,' zei ze.

'Dominee Aidan schrijft uitstekende preken,' zei Rose om het tij van het gesprek weer te laten keren. 'Ik vind het niet geheel gepast om te bespreken of hij leuk is of niet.'

'Rustig maar, Rose. We gaan geen prostituee voor hem in de arm nemen. We praten maar wat.'

'Bovendien is de kerkgang veel leuker als de dominee leuk is,' zei Cordy.

'Hoe weet jij dat nou? Wij hebben altijd alleen maar dominee Cooke gehad,' zei Bean.

'Ik heb nog verbeelding,' zei Cordy verontwaardigd. 'Bovendien is St. Mark's niet de enige kerk waar ik ooit ben geweest.'

'En waren er een heleboel dominees in je uitgestrekte kerkelijke onderzoek?'

'Genoeg,' zei Cordy geheimzinnig en ze ging weer door met lezen.

Bean raapte haar schoenen op, ging naar boven om te douchen en trok een spoor van gras. Rose keek haar nadenkend na. Ze had nooit kunnen bepalen hoeveel van Beans jongensgekte echt was en hoeveel ervan een pose, zoals haar make-up en perfect bij elkaar passende uitdossingen. Want ze kon toch niet haar vizier op dominee Aidan hebben gericht?

Want Bean? Een oogje op onze dominee? Dat was het bespottelijkste wat Rose ooit had gehoord.

7

Voor Rose was het mooiste van haar relatie dat Jonathan de eerste was die ze zag wanneer ze wakker werd, en de laatste voordat ze in slaap viel. Die liefde had iets fraai symmetrisch en ze vond hem koesterend; het kalme ritme van de ochtendkarweitjes en de ontspanning van de avond met hem maakte een lichte cirkel voor haar rond, als een cocon tegen de buitenwereld.

Maar zijn vertrek had een eind gemaakt aan de veiligheid van hun verbondenheid. Je moet goed begrijpen dat onze ouders ons als goede feministes hadden opgevoed, we waren ons bewust van de hele man/vrouw/vis/fiets-vergelijking, maar Rose was anders. Rose had behoefte aan zekerheid, stabiliteit en was heel vlug aan Jonathan gewend geraakt als onderdeel daarvan. Op sommige dagen voelde ze zich inwendig verscheurd omdat hij er niet was, alsof de feitelijkheid van zijn afwezigheid en niet zijn afwezigheid zelf haar dwarszat. Voor ons, die zo lang de voordelen van Roses kracht hadden genoten en op haar geleund hadden voor alles, variërend van de vraag of onze sokken wel bij elkaar pasten tot geheimhouden hoe laat we precies het huis binnenslopen, en voor een lieve schouder om op uit te huilen wanneer alles vreselijk tegenzat, voor ons was het merkwaardig dat Rose zelf een rots in de branding nodig had. Maar daarom hield hij op een betere manier van haar dan wij, wij hielden zo veel van haar om haar kracht dat we haar nooit zwak wilden zien, en hij hield evenveel van beide kanten.

Op sommige avonden sloeg Rose hun afgesproken telefoontje over en zette ze haar wekker op de kleine uurtjes, waarna ze hem onder haar kussen stopte zodat niemand anders wakker zou worden. Toen het gepiep haar met een schok wekte uit de lichte slaap waartoe ze haar lichaam had weten te verleiden, stond ze op en liep ze als de geest van Hamlets vader in het holst van de nacht naar beneden om Jonathan te bellen, de uitgebreide internationale code in te toetsen en naar de merkwaardige dubbele zoemtoon van de trans-Atlantische verbinding te luisteren.

Hij ging meestal pas om een uur of negen naar het lab, dus als ze het juiste tijdstip koos, kon ze hem aan de koffie treffen. Ze waardeerde het dat hij die traditie handhaafde, ondanks al dat verduivelde theedrinken. Rose vond het tijdsverschil buitengewoon ongemakkelijk; als hij belde voordat hij naar bed ging of wanneer hij thuiskwam, was dat midden op haar dag en was haar geest in beslag genomen door de duizend-en-een dingen die ze bedacht om zichzelf gedurende de lange zomer mee bezig te houden. De duisternis van de vroege ochtend maakte het gesprek magisch, aan twee kanten verzegeld door de slaap. Haar stem klonk laag en gedempt, ze waren allebei nog in de wieg van thuis voordat de aanslag van de buitenwereld het kalme ritme van hun ziel binnendrong.

'Ello,' zei hij met dat belachelijke Cockney-accent dat hij (hopelijk) alleen gebruikte om de telefoon op te nemen als hij wist dat zij het was.

'Goeiemorgen,' fluisterde ze, glimlachend om de warmte die zich ongevraagd door haar lichaam verspreidde bij het horen van zijn stem.

'En hoe is het met mijn favoriete nachtelijke beller?' vroeg Jonathan. Hij had foto's van zijn minuscule studentenvertrekken opgestuurd, van de keuken met die grappige smalle koelkast, de eettafel tegen de muur, de slaapkamer niet meer dan een toevallige nis tussen de badkamer en de achterkant van een sleetse bank. Ze vond het leuk om zich hem daar voor te stellen, terwijl de fletse Engelse zon zich stroperig een weg over het tapijt baande en de vlekjes goud in zijn wimpers oplichtten. 'Kon je niet slapen?'

'Dat kan ik nooit,' zei Rose. 'Hoe is het weer?'

'Grauw met een kans op donkergrijs,' zei hij. 'Hoe is het daar? Vies klam?'

'Zoals gewoonlijk.'

'Heb je er al over nagedacht om hierheen te komen?'

'Voor een bezoek?'

Hij was even stil. 'Waarom niet? Om mee te beginnen.'

'Jonathan, ik kan niet naar Engeland verhuizen.'

Er viel een stilte. Ze verbeeldde zich dat hij in de brug van zijn neus kneep, een gefrustreerd gebaar dat ze altijd merkwaardig vertrouwd had gevonden totdat ze besefte dat papa die gewoonte ook had. Hallo, Freud. 'Goed, prima. Dus niet om te blijven, alleen voor een bezoek. Wanneer kun je komen?'

'O, dat weet ik niet. Ze gaan mama opereren.'

'Dat is geweldig nieuws.'

Rose fronste. 'Ik begrijp niet wat daar geweldig aan is.'

'Het is geweldig nieuws dat de tumor zo is geslonken dat ze haar kunnen opereren. Niet dat het allemaal moet gebeuren. Dus misschien kun je na de operatie een paar weken komen?'

'Weken?' piepte Rose. Haar hoofd vulde zich direct met mogelijke rampen door ons toedoen zonder haar straffe leiding. 'Weken, dat weet ik niet.'

'Waarom niet? Als Cordy en Bean er toch zijn en jij niet voor eind augustus terug hoeft te zijn…'

'Ik zal erover nadenken,' zei Rose weifelend. Als alles goed ging, kon mama over drie weken weer op de been zijn. Maar als het niet goed ging? En zelfs al ging het goed, wie moest er dan de boodschappen doen en de rekeningen betalen en de afspraken voor mama regelen en de tientallen andere dingen die we tijdens haar herstel voor haar moesten doen?

Dat zouden wij doen, fluisterden we. En we zouden het prima redden.

'Oké,' zei Jonathan berustend.

'Ik mis je,' fluisterde ze opeens hartstochtelijk.

Hij lachte, warm en diep, verrast door haar atypisch vrije expressie. 'Ik jou ook. Je bent een schat dat je me dit laat doen.'

Rose haalde haar schouders op en de hoorn streek langs haar hals. 'Wat kon ik anders? Zeggen dat je niet mocht gaan? Dat je hier moest blijven bij mij en mijn gekke zussen?'

'Zijn ze al tot gek gepromoveerd? Ik had gedacht dat de reünie nog wel een paar dagen langer zou duren.'

Dat bezorgde haar een onverwacht schuldgevoel. 'Het is gewoon... Ze zijn nog niets veranderd, weet je. Volgens mij probeert Bean dominee Aidan te versieren.'

Deze keer lachte Jonathan luid en verrukt. 'Wat een grap. Nou, dat zal al die oude besjes in de kerkenraad iets geven om over te praten behalve wie het collecterooster moet maken.'

'Vind je het dan niet... ongepast?'

'Dominee Aidan kan wel voor zichzelf zorgen. En het is Bean alleen maar om de aandacht te doen, dat weet je.'

'Natuurlijk weet ik dat. Dat maakte me juist zo dol. En Cordy? Mijn ouders zullen haar desnoods eeuwig onderhouden terwijl ze uitvogelt wat ze wil gaan doen. Ik snap niet waarom ze niet gewoon op één plek kan gaan wonen.'

'Ze is nog een kleuter,' zei Jonathan, alsof daarmee alles verklaard was.

Rose dacht aan Lear, aan de manier waarop hij Cordelia voor zichzelf en de dreigingen van de hoge ouderdom op afstand had gehouden door zijn broze verhouding met haar jeugd. 'Jij boft maar dat je zo goed met je broers en zussen kunt opschieten,' zuchtte ze. Ze wist al dat als zij en Jonathan ouders zouden worden, ze maar één kind wilde. Niets van dat wrede fopspelletje dat papa en mama met haar hadden uitgehaald, door haar aan te stellen als nummer Een en er vervolgens nog twee bij te krijgen.

'Ach, maar ik heb nooit iemand gehad om de baas over te spelen,' zei hij plagend. 'Wat zou er van jou zijn geworden zonder al die jaren als generaal?'

'Dan zou ik waarschijnlijk een minder heftige Rennie-verslaving hebben.'

'Laat het maar los,' zei Jonathan. 'Je bent niet meer verantwoordelijk voor ze. Laat ze maar voor zichzelf zorgen. Mensen kunnen veranderen.'

Toen ze had opgehangen, ging ze op de keukenvloer zitten. Het linoleum voelde koel op de huid van haar benen waar haar nachtjapon omhoog was geschoven en ze luisterde naar het zachte zoemen van een slapend huis, het gonzen van de koelkast, de airconditioning die aan- en uitging om de temperatuur gelijk te houden, af en toe het kraken van het hout. Was het waar wat hij had gezegd? Dat mensen konden veranderen? Of zouden we altijd en eeuwig zo blijven? Zou Bean altijd de ene na de andere man blijven versieren, zou Cordy altijd een of ander waanbeeld van zichzelf blijven najagen dat ze misschien nooit zou worden? En zou Rose zelf blijven jagen op een waanbeeld van Hoe de dingen Hoorden? Er waren inderdaad dagen dat Rose het gevoel had dat ze al eeuwig op deze aarde had vertoefd, minstens sinds de tijd van de dinosauriërs, maar ze wist dat ze jong was. Het leek nog zo vroeg om haar hele leven met een handtekening te annuleren, maar het leek zo afmattend om alles te veranderen.

Dit is het mooie van de oudste zijn: macht.

Dit is het nadeel van de oudste zijn: macht.

Toen Bean ter wereld kwam, viel iets in het driejarige brein van Rose op zijn plek: als haar begeerde rol van enige ster aan het Andreas-firmament haar was ontnomen, dan zou ze minstens de glorie van een regisseursrol proeven. De dingen gebeurden niet meer willekeurig, maar op haar aanwijzing. Het was nog steeds Roses wereld, Bean woonde daar alleen maar in.

Toen Cordy zes werd, achtte Rose haar oud genoeg om een tekstrol te vervullen in de talrijke toneelstukken die we voor onze ouders opvoerden. Cordy speelde de rol van trouwe (en stomme) bediende, de figurant met één zin tekst, de sperendraagster in al onze producties in de kelder waar we met lakens een podium hadden afgebakend, totdat Rose bepaalde dat ze eindelijk voldoende toneelervaring had voor de rol die ons compleet zou maken als de drie heksen in het Schotse stuk.

Hoewel we ons technisch gesproken niet in een schouwburg bevonden en het daardoor geen ongeluk betekende om de naam hardop te zeggen – Macbeth, Macbeth, Macbeth, zo we hebben het gezegd – stond Rose erop dat we het 'het Schotse stuk' bleven noemen. We hulden ons in afgedankte kleren die we in de verkleeddoos vonden, voornamelijk oude jurken van onze grootmoeders. We stuurden Bean naar de buren om heksenhoeden van vroegere Halloween-feesten te vinden, die ze bewonderenswaardig snel op de kop tikte, en we dwongen Mustardseed, onze lang lijdzame kat-en-Globe-figurant, in de rol van bekende (Bean stond erop; ze vond het ontbreken van een poes in het oorspronkelijke stuk Shakespeares probleem en niet het hare).

Muzikale begeleiding werd verzorgd door een plastic platenspeler die van ons allemaal was geweest en daarom, zoals alles uiteindelijk, onder Cordy's hoede kwam. We hadden een bekraste lp met geluidseffecten van Halloween die onder onze teksten op de achtergrond oversloeg en kreunde. We hadden gewone lakens opgehangen als toneelgordijnen en Rose had bij mama een kreeftenpan op de kop getikt die groot genoeg was om Cordy in te koken (en denk maar niet dat die gedachte niet meer dan eens bij ons opkwam).

Dus dan hadden we de première, waarbij papa en mama op een haveloze tweezitter zaten die een opklapbed verdoezelde dat luidruchtig piepte als je het uittrok. We hadden twee gelijke, oorspronkelijke programmaboekjes (gecreëerd, bien sûr, dankzij het voortreffelijke schrijverschap van Rose) met 'The Weird Sisters' – de heksen van Macbeth, in haar handschrift, en onderaan een kleine ketel, eigenlijk niet meer dan een zwarte bel, van Cordy's hand, die een kolossale driftaanval had gekregen tot ze van ons mocht meehelpen. Rose beet op haar lip terwijl ze naar Cordy's voorzichtige halen keek, ervan overtuigd dat ze de boekjes zou ruïneren, maar ze had geleerd te buigen voor talent als je tenminste een voorstelling wilde.

Het doek ging op, de namaak open haard achter ons knetterde kil en we begonnen met ons eigen zorgvuldig afgekeken scenario voor onze neus, terwijl we in de reuzenketel met lucht roerden.

'*Wees zo goed, deze passage te zeggen zoals ik ze u voorlas, vlot van de tong,*' riep papa voordat we iets konden zeggen, en hij en mama klapten enthousiast. Rose legde hun het zwijgen op en viel gefrustreerd uit haar rol voordat ze zich weer omdraaide naar de lange houten lepel die we uit de pot boven het fornuis hadden bevrijd.

Rose had alle irrelevante personages geschrapt, waardoor het een uitermate ingekorte versie was. Op een gegeven moment hadden we Cordy naar mama gestuurd om te vragen of we een broertje konden krijgen, omdat hij geweldig nuttig zou zijn geweest, maar mama zei dat het niet waarschijnlijk was en dat het hoe dan ook verschrikkelijk lang zou duren áls het gebeurde, dus legden we ons neer bij de ingekorte versie.

Rose hield de rol van de eerste heks voor zichzelf, want zij was degene met de monologen en de eerste die het woord voerde en bovendien gooide Bean in haar rol om de haverklap het haar naar achteren, wat ze tijdens een logeerpartijtje bij een vriendin een keer op de tv had gezien, en Cordy raakte herhaaldelijk de draad kwijt waarop Rose haar toe siste dat ze haar vinger bij de tekst moest houden. Cordy vond dat ze daar niets mee opschoot en het resulteerde er voornamelijk in dat ze de teksten die ze wel kende uitschreeuwde, dus klonk het min of meer zo: '*Noodlotszusters, hand aan hand, dwulend over zee en land, draaien, draaien, altijd rond. Drie keer 't uwe, drie keer 't mijn, nog eens drie, 't moet negen zijn. Stil! De toverkring is af.*' Cordy kon geweldig rijmen.

Toen we klaar waren, was Rose bijna in tranen, gefrustreerd door de wijze waarop haar grootse dramaturgische visie niet met de werkelijkheid strookte. 'Dat ging helemaal niet goed!' riep ze, maar voordat ze kon wijzen, waren mijn ouders tussenbeide gekomen om haar te troosten. Bean en Cordy kon het geen zier schelen, omdat de eerste nog steeds haar reverence voor het open doek oefende en Cordy Mustardseed achternajoeg in een poging zijn kostuum te vervolmaken met een heksenhoed, waar hij natuurlijk niets van moest hebben.

'*Uw stuk heeft geen excuses nodig,*' zei papa. 'Ik vond het prachtig. Het dekt alle belangrijke scènes zonder een van de hoofdrolspelers. Briljante bewerking.' Hij kuste Roses iets door de hoed platgedrukte haar.

'Vind ik ook,' zei mama. 'Ik heb de drie heksen toch altijd het beste onderdeel van het stuk gevonden.'

'Natuurlijk,' zei papa. 'Het was een goed idee van ons om jullie drieën te krijgen zodat we helemaal onze eigen Weird Sisters konden hebben.' Hij gaf mama een knipoog boven Roses hoofd.

'Maar Cordy deed het fout!' protesteerde Rose weer.

'Nee, ze heeft het gewoon anders gedaan,' suste mama. 'Maar dat geeft niets, want zijn de beste voorstellingen niet de stukken die anders zijn?'

Nou, nee. Niet altijd. We hebben een keer een voorstelling van *Veel drukte om niets* gezien die zich afspeelde tegen de achtergrond van het University Symphony Orchestra in de Eerste Wereldoorlog en die was heel goed. Maar vervolgens had je die beruchte naakte *Midzomernachtdroom* en de omgedraaide *Othello* en die waren allebei vreselijk.

Rose leerde een belangrijke les: mensen doen niet altijd wat jij hun voorschrijft. Al mogen we in het belang van de eerlijkheid de andere kant van de zaak niet onbelicht laten. Rose is de enige die ons op tijd de deur uit kan krijgen wanneer we kaartjes voor de schouwburg hebben of proberen op tijd in de kerk te komen. Toen mama pannen met wortelen liet droogkoken tot een verkoolde troep op het fornuis, smeerde Rose boterhammen met pindakaas en jam voor ons en sneed ze die keurig tot zeilbootjes voor Cordy. Toen Rose haar rijbewijs had, bracht ze Bean bijna elke vrijdagavond naar het dichtstbijzijnde winkelcentrum (dat in feite echt niet zo dichtbij is) en verklikte ze haar zelfs niet toen ze die jongens van de Trans Am ontmoette en thuiskwam met een wodkakegel en braaksel op de voorkant. En Cordy hielp ze met het naaien van haar afstudeerjurk, al vond ze die niet om aan te zien, en ze was de hoogleraar op de faculteit wiskunde over wie haar studenten hun college-evaluatie altijd begonnen met: Ik heb altijd gedacht dat wiskunde saai was, tot ik doctor Andreas leerde kennen… en hoezeer ze ons ook haat omdat we haar troon hebben ingepikt, ze heeft ons er nooit vanaf geduwd.

En als ze niet de eerstgeborene was geweest, zou ze geen van al die dingen zijn.

We hadden Bean op pad gestuurd om boodschappen te doen. Rose hielp papa met het verplaatsen van het slaapkamermeubilair en van Cordy kon je niet op aan. Zelfs met een lijstje zou ze doelloos door de gangpaden dwalen en met een geheimzinnig assortiment aankopen thuiskomen: een zakje tumtum, een appelboor zo groot als een holle hand, een onbeminde en gedeukte doos smakeloze crackers die vergeten in de voorraadkamer zou blijven staan tot ze verkruimeld en tot deeg geworden waren. De boodschappen waarvoor we haar op pad hadden gestuurd waren mysterieus afwezig.

Met het lijstje in haar hand liep Bean door de Barnwell Market. Van de hitte was de inkt zweterig en het papier slap geworden. We hadden een hekel aan het af en toe noodzakelijke kwaad van de supermarkt buiten de stad: het licht is er pijnlijk fel, de gangpaden zijn breed, de industriële vloer is koud, het non-stop getjilp van de kassa's vermengt zich met de muzak tot een onrustig landschap van geluid. We hadden veel liever het winkeltje een straat voorbij de Beanery met zijn stoffige schappen vol zelfgemaakte jam van de boerderijen langs Route 31, waar lokale groenten en fruit op gevaarlijke bergen op de stoep voor de winkel uitgestald lagen en meneer of mevrouw Williston geduldig achter de toonbank wachtte om onze boodschappen aan te slaan op een kassa die bij elke aanslag grappig trilde.

Bean vulde een sleetse mand, waarvan de bodem was uitgezakt door het veelvuldige gebruik, met de spullen op haar lijstje en liep naar de kassa, maar bleef staan toen ze haar naam hoorde.

'Bianca Andreas,' zei een mannenstem en verrast draaide ze zich om. Ze was zo doctor Manning voorbijgelopen, die achter haar stond in een wit T-shirt met lange mouwen en een blauw nylon sportshort. Hij leek ouder dan ze hem zich herinnerde, hoewel het nog geen tien jaar geleden was; in het vage licht begon zijn blonde haar grijs te worden, de rimpeltjes in zijn ooghoeken leken dieper, zijn blote benen waren akelig gespierd.

'Mister doctor!' zei ze. Ze hoefde niet over die oude naam na te denken.

Hij lachte, het diepe, warme geluid snorde langs Beans ruggengraat. 'Ach, kom nou toch. Zeg maar Edward, hoor. Je hebt het misterdoctorstadium achter je gelaten zodra je in je toga en baret over het binnenplein liep. Wat doe je hier weer tussen de maïsvelden? Ik dacht dat je ons had opgegeven voor je grotestadsdromen?'

'*Zijn wij als dromen*,' zuchtte Bean en ze schokschouderde koket zodat het lichte katoen van haar blouse een diepe V vormde. Ze werd beloond toen zijn blik de lijn van haar decolleté volgde en daarna weer omhoogschoot naar haar gezicht. Misschien was ze haar gave toch niet kwijt. Pak aan, barboys.

'*En ons kleine leven is door slaap omringd*,' beaamde hij. 'Je bent nog steeds de vorstin van de Shakespeare-riposte, merk ik.'

'Het zit me helaas in het bloed. Hoe is met je? Ik hoor dat Mrs. doctor in het zonnige Californië zit.'

'Met de kinderen. Ik ben weer terug bij het eenzame vrijgezellenbestaan,' zei hij en we zweren dat hij knipoogde.

Misschien als Bean sterker was geweest... misschien als het 's nachts niet zo koud was geweest wanneer ze alleen met haar berouw in bed lag… misschien als de enige smakelijke vrijgezel van de stad geen dominee was geweest, al was het er een van de niet-celibataire soort… misschien als al die dingen waar waren geweest, zou ze niet hebben gedaan wat ze vervolgens deed.

Maar ze deed het wel.

Bean deed een klein stapje naar voren en draaide haar voet naar buiten, klaar voor de rode loper, en neeg het hoofd zo dat haar haar een beetje voor haar gezicht viel. 'Wat jammer,' zei ze. 'En helemaal niets om je de hele zomer bezig te houden.'

'O, ik geef zomerworkshops, maar dat is nauwelijks hetzelfde. Een handjevol studenten, een paar uren en daarna de opwinding van een zomeravond in een verlaten huis in Barnwell.'

'Het is er bepaald niet opwindender op geworden sinds ik hier ben weggegaan,' zei Bean, haar ogen flitsten over zijn gestalte om hem te taxeren en met de mogelijkheid te spelen. Hij was altijd al knap geweest, en leek meer op een filmster dan een professor betaamde, maar eigenlijk had ze hem nooit als een man bekeken, alleen als de echtgenoot van doctor Manning, als de vader van de kinderen die speelden in het afnemende zonlicht van de avonden die ze bij hen had doorgebracht. En die kinderen waren inmiddels zo goed als volwassen, niet? En zij was zo ver weg, zowel in haar herinnering als in werkelijkheid. En hij was heel erg hier, hij werd een beetje zacht rond zijn middel, maar was nog steeds breedgeschouderd en sterk, met tanden die zo in een tandpastaspotje konden, en hij keek Bean zo strak aan dat de adem haar in de keel stokte.

'Ik vrees dat vooral Barnwell de vergelijking met New York slecht kan lijden. Je moet eens komen eten en me er alles over vertellen. Nou ja, eten,' zei hij met een knikje naar het blik soep in zijn hand.

'Doe niet zo raar. Je bent altijd een geweldige kok geweest. Voor mij kun je toch wel met iets beters op de proppen komen?' zei Bean.

'Ach, maar ik herinner me dat je een verschrikkelijk kieskeurige eter bent,' zei hij. Het was waar, zijn talent voor culinaire uitvindingen had haar zelden behaagd en ze had zijn offeranden – koude pompoensoep, lappen in wijn gemarineerde buffelbiefstuk – dikwijls vervangen door glazen wijn en borden salade. 'Maar voor jou zal ik mezelf met plezier uitdagen.'

'Dan kom ik een keer langs. Overmorgen, misschien?'

'Zeven uur,' knikte hij en het was geregeld zonder dat een van beiden het in de gaten had, of zelfs maar aandacht besteedde aan het feit dat hun lichamen elkaar bijna raakten, haar borst bij zijn arm, haar heup naast de zijne, een hoogst onbetamelijke houding die je zelden in de supermarkt ziet.

'Moet ik wijn meebrengen?'

'Alsjeblieft niet. Je hebt altijd een vreselijke smaak gehad.'

'Ik was pas negentien,' protesteerde Bean, die moest denken aan de avond dat ze bij Manning was gekomen met een fles wijn die ze van de plank van haar kamergenoot had bevrijd, een wrange, waterige troep die ze na één slok in de tuin hadden gegoten. Ze verdrong de gedachte aan zijn vrouw Lila, die haar voor al die etentjes had uitgenodigd, die Bean had voorzien van kennis en ervaring en hartelijkheid zonder er iets voor terug te vragen, behalve de onuitgesproken verwachting dat ze niet zou proberen haar man te verleiden.

'Leeftijd noch schoonheid is een excuus voor slechte wijn. Neem alleen jezelf maar mee,' zei hij. 'Meer hebben we niet nodig.' Bean draaide zich charmant af en trok een spoor van spanning tussen hen als een vibrerende draad.

Moge God hem hoeden voor 't geweld der elementen, want ik verloor hem op een woeste zee.

Ach, die arme Bean.

8

Ons gezin heeft zijn diepste gevoelens altijd uitgedrukt in de woorden van een man die al bijna vierhonderd jaar dood is. Maar op het gebied van kanker zwijgt hij, om met Cordy te spreken, als het graf. Het woord *cancer* duikt in alle werken van Shakespeare maar één keer op en daar is het geen verwijzing naar de ziekte, maar valt het in *Troilus en Cressida* in dezelfde stanza als de klassieke namen Ajax, Achilles en Jupiter. Daarom zaten we meestal met een mond vol tanden als we moesten beschrijven wat mama overkwam.

We weten niet hoe ze de knobbel heeft gevonden, wat volgens Bean een duidelijke aanwijzing is dat papa hem tijdens het vrijen heeft ontdekt, maar veel doet het er eigenlijk niet toe. Er was een knobbeltje en ze waren naar de dokter gegaan, eerst in Barnwell, daarna in Columbus en daar hadden ze een biopsie genomen. Vervolgens deed het woord kwaadaardig zijn intrede in de omgangstaal van de familie.

De ochtend van de operatie stonden we allemaal op zonder dat Rose ons hoefde te wekken. Hoe lang was het geleden dat we zo met zijn allen in de auto stapten? Lang genoeg om te beseffen dat we de achterbank al ongemakkelijk vonden toen we klein waren, maar dat het voor drie volwassen vrouwen nog veel erger was. Barnwell was zo klein dat we altijd liepen, ook 's winters, ongeacht het weer, en hoe dan ook waren we niet gewend om zo dicht bij elkaar te zitten.

Rose en Cordy stonden een ogenblik bij het portier en keken elkaar afwachtend aan, tot Cordy met haar ogen draaide en in het midden kroop. 'Op de bobbel', noemden we dat toen we klein waren, want wie daar zat moest de strijd aanbinden met de bobbel waar haar benen hadden moeten zitten.

'Ik ben al lang de kleinste niet meer,' klaagde Cordy toen we ons aan beide zijden tegen haar aan persten.

'Je bent nog steeds de jongste,' zei Bean en ze gaf Cordy met een vingertop een tikje tegen haar blote been. Rose zag dat Bean haar nagels had schoongemaakt, bijgewerkt en schelproze gelakt. Het effect was zowel treurig als een opluchting en Rose voelde de onbekende aandrang om haar te knuffelen, om haar te laten weten dat ze niet meer zo haar best hoefde te doen.

'Hield dat niet op iets te betekenen rond de tijd dat we wettelijk oud genoeg waren om alcohol te kopen?' vroeg Cordy.

'*We trekken af; 't zijn dolle schobbejakken*,' zei papa die het zich makkelijk maakte achter het stuur en in het spiegeltje naar Cordy keek.

'Oké!' zei die hardop en ze duwde haar knieën zo hard opzij dat zowel Rose als Bean terug moest duwen.

'Kappen,' jammerden beiden. Cordy glimlachte hemels. Ze zag er al beter uit. Haar huid was die gelige bleekheid kwijt die ze had opgelopen door het jachtige dieet in haar fase van Amerikaanse drop-out, en haar haar viel in een dikke, glanzende vlecht op haar rug. Rose zag dat ze zelfs iets was aangekomen, al voelde ze nog wel die knokige ellebogen in haar ribbenkast drukken. Maar dat was meer uit boosaardigheid dan van ondervoeding.

'Is het niet heerlijk om de meisjes weer thuis te hebben?' vroeg mama aan papa, terwijl ze in gemaakte aanbidding met haar ogen knipperde.

'*Hoe ondank van een kind veel feller bijt dan addertanden*,' antwoordde papa en hij reed de oprit af. Niemand had het nog over onze bestemming gehad.

Vroeger maakten we elke zomer een reisje met onze oude, brede stationcar met zijn pijnlijk plakkende kunstleren bekleding die felrode tatoeages op onze dijen onder de shorts achterliet. Papa en mama wisselden elkaar af aan het stuur en brachten ons over wegen die akkers in tweeën spleten, door tunnels die opbloeiden tot bergachtige vergezichten, over kustwegen waar het enige wat ons van onze Maker scheidde een flinterdunne, lage vangrail was. Op de achterbank wisselden ruzie, lezen, kleuren en de beruchte sonnettenrondjes met papa – waarin we een sonnet lieten rondgaan, waarvan ieder van ons een versregel dichtte tot we een compleet gedicht hadden dat uiteindelijk niets meer met het oorspronkelijke onderwerp te maken had – elkaar af.

Maar het spel maakte ons buitengewoon goed in de geïmproviseerde jambische pentameter, al heb je weinig aan zo'n vaardigheid in een andere wereld dan die van papa.

Zo zagen we het vuurwerk van Fourth of July in Maine, werden we geterroriseerd door beren in het Yosemite Park (Beans schuld, haar marshmallows zaten niet in de berenzak), lieten we ons op de foto zetten bij Mount Rushmore, hadden we het smoorheet tijdens een ongebruikelijk vroege orkaan in Florida en verbrandden we onze tong door tamales in Austin.

Wanneer we daar tegenwoordig op terugkijken, is het misschien merkwaardig dat we geen dingen deden die meer in lijn lagen met de bekende belangstelling van het gezin. Die uitstapjes, waarvan vele waren samen te vatten in een bumpersticker met de naam van een of ander bekend toeristenoord zoals South of the Border of Wall Drug, waren, als je me deze open deur vergeeft, zo Amerikááns. Wanneer we in een motel met een zwembad logeerden en vriendschap sloten met de andere kinderen die gillend rondholden over het betonnen terras, hadden die de helft van de tijd net zo goed een andere taal kunnen spreken. We kenden hun tv-programma's niet, noch de liedjes van de radio die ze zongen. We wisten niet van cafetariavoer en het enige spelletje dat we in de auto hadden was Etch a Sketch. We speelden het natuurlijk goed en het maakte niet uit, want we zouden die kinderen toch nooit meer zien, want die gingen naar Californië, Arkansas en Virginia, ver bij ons vandaan. Maar we zouden liegen als we niet toegaven dat we er ons een tikje buitenissig door voelden.

Dus zou je inderdaad van ons verwachten dat we de zomer regelmatig doorbrachten in Stratford, of Londen, of in Padua, of waar ook in Europa zolang er maar een vage Shakespeariaanse connectie was. Maar volgens ons genoot papa echt van die strooptochten door Americana. Ondanks al zijn pompeuze onwetendheid vond hij het leven van alle andere mensen om hem heen, dus buiten de academische cocon van Barnwell, fascinerend. Hij streepte die vakanties af op een mentaal lijstje, als een manier om zichzelf – en ons – in contact te brengen met de heersende stromingen, al was het maar een paar weken.

Op deze tocht naar mama's borstlot (Cordy's vondst) hadden we natuurlijk allemaal een boek mee, niemand van ons zou er ooit over piekeren zonder leesmateriaal te zitten, maar Rose en mama waren de enigen die lazen. Papa reed. Hij hield het stuur losjes in zijn rechterhand en met de andere streek hij dwangmatig over zijn baard. Hij deed dat zo vaak dat we ons wel eens afvroegen of hij geen sporen zou uitslijten waar zijn vingers harkten. Bean staarde naar buiten en bracht Edward en haar geweten op een mysterieuze mentale weegschaal in evenwicht, en Cordy praatte met papa over de een of andere avantgardeproductie van *De koopman van Venetië* die ze ergens op een marginaal festival had gezien.

'En toen kreeg je die hele toestand over de kisten die Portia's vrijers proberen te ontsluiten, dat die haar maagdelijkheid symboliseren, dus bleef ze maar naar haar kruis grijpen terwijl ze haar tekst zei.'

'Die theorie is niet echt nieuw,' merkte papa op. 'Dat is niet zo'n grote sprong voor de verbeelding. Het oorspronkelijke woord is "casket", doodskist, en door die woordkeus is er verband met de dood van haar vader, maar in werkelijkheid zijn het gewone kisten.'

'Maar moest ze zichzelf op het podium betásten?' vroeg Cordy.

'Nee, dat is waarschijnlijk wat overdreven.'

'O, maar het ergste heb ik je nog niet verteld,' zei Cordy. Ze had haar handen op schoot gevouwen en zat iets naar voren gebogen met haar kin op de leuning van mama's stoel, als een brave hond. Bean hief een vinger, trok die ritmisch heen en weer over het raampje en tikte inwendig de kilometers af.

'Vertel op,' zei onze vader. Dat soort dingen brengen hem in vervoering. Zoals Mount Rushmore voor hem het toppunt van aardsheid was, zwelgt hij in sommige belabberde Shakespeare-interpretaties. Dat betekende dat een groot deel van de toneelvoorstellingen die we in onze jeugd zagen belabberde Shakespeare-interpretaties waren, die gedenkwaardige, geheel blote versie van *Een Midzomernachtdroom* incluis. Die bezorgde ons nog wekenlang nachtmerries nadat Bottom

– geheel als ezel opgetuigd – een erectie kreeg toen hij door Titania werd betast. Afgezien van het feit dat we naar hartenlust uit elk stuk konden citeren, was het voordeel dat we stuk voor stuk goede recensenten werden. En goed zittend konden slapen.

'Nouououou,' begon Cordy, en ze rekte het woord genietend als een toffee uit. 'Die prins van Marokko, weet je wel?' Papa knikte. 'De vent die hem speelde had zich uitgedost als een rastafari. Met valse dreadlocks nog wel. Plus een accént.'

Toen ze dat bommetje had laten ontploffen, leunde ze naar achteren.

Papa grinnikte. '*Versmaad mij niet omwille van mijn kleur*, mon,' zei hij in een onhandig patois.

'Pa-ap,' kreunde Bean, die stopte met het tikken van haar vinger en met haar ogen draaide.

'Nee, zo was het echt!' zei Cordy, die van Bean naar mijn vader keek. 'Je had erbij moeten zijn, pap. Ik dacht dat ik het in mijn broek zou doen van het lachen.'

'Wat probeerden ze volgens jou te bereiken, Cordelia?' vroeg papa peinzend. Dat was de kern natuurlijk. Zelfs een slechte voorstelling had nog waarde, iets om van te leren, al zou het maar een waarschuwing zijn. 'Heb je enige idee van de Zeitgeist, van hun doel?'

Cordy haalde haar schouders op. Het verveelde haar. 'Ik denk niet dat ze die hadden. Volgens mij was het een stelletje werkloze acteurs die denken dat ze diepzinnig zijn of zo. Deprimerend.' Ze vouwde haar handen weer op schoot alsof ze bad.

Mama keek op uit haar boek. 'Het is de volgende afrit,' zei ze en het werd merkwaardig stil in de auto. Cordy sloeg haar boek open en ging lezen.

Een andere familie zou zich misschien hebben voorbereid. Andere moeders zouden misschien diepvriesdozen met eten hebben ingevroren en die van etiketten met instructies hebben voorzien. Een ander trio dochters had misschien een kamerjurk geborduurd, een liedje voor haar hebben geschreven en massageolie en aromatherapiekaarsen om de overgang te verzachten hebben meegenomen. Ondanks al dat gepraat van Rose hadden we alleen onszelf meegenomen. We wisten niet goed wat we moesten vragen en voelden ons slecht op ons gemak met de ziekte van een vrouw die ons door al ónze kwaaltjes had geloodst, we waren slechts gewapend met ons boek en zelf niet geheel onbeschadigd. Mama zat een paar centimeter bij ons vandaan, maar we wisten amper wat ze voelde. Was ze bang? Bedroefd? Berustend?

In het ziekenhuis lieten ze ons niet verder dan de receptie, dus daar kusten we elkaar gedag. Rose omhelsde haar onhandig en klopte haar op de rug alsof ze een oppervlakkige kennis was. Bean kuste haar wang en kneep vervolgens in haar bovenarmen. 'Ik hou van je, mam,' zei ze. Cordy was de enige die zichzelf volledig gaf; ze wierp zich in mama's armen en drukte haar dicht tegen zich aan. Toen ze zich uiteindelijk losmaakte, was mama in tranen, maar niet zo hevig. Cordy zag er huilerig en wat verdwaasd uit. 'Ik hou van je,' riepen we haar na toen zij en papa wegliepen. Zoals altijd in een net overhemd met korte mouwen en een bruine broek die te kort was en een stukje van zijn zwarte nylon sokken prijsgaf, verdween hij met mama in de steriele gang.

'Tragisch,' zei Bean hoofdschuddend toen ze een hoek omsloegen. Mama hield haar tasje in haar armen alsof het een kind was en papa's hand lag op haar rug.

'Het is vreselijk,' beaamde Cordy, die nog steeds snotterde. Rose haalde een papieren zakdoekje uit haar zware leren tas en gaf het aan onze zus.

'Ik bedoel zijn kledingsmaak,' zei Bean.

'Jezus, Bean. Kan het wat gevoeliger? Ze gaan in haar snijden,' zei Rose geschokt. Cordy moest weer huilen.

'Dat wil niet zeggen dat wat hij aanheeft niet tragisch is,' zei Bean, maar de strijdlust was eruit.

'Pardon,' klonk een stem achter ons en toen we ons omdraaiden, zagen we een medewerker met een grote kar vol voorraden en linnengoed.

'Sorry,' zeiden we en we schoten opzij. Rose ging ons voor naar de receptie. De zon begon net te branden in het atrium waar de glazen wanden door zware balken werden verdeeld. Cordy voelde aan een van de planten en kon niet bepalen of die van plastic of echt was. In kleine, vierkante wachtruimten stonden clusters harde stoelen in diverse tinten blauw. Bean en Cordy strekten zich uit op twee hele rijen met de voeten naar elkaar en Rose nam stijfjes op één enkel kussen plaats. We stelden ons papa en mama boven tijdens de voorbereidingen op de ingreep biddend voor, met de hoofden naar elkaar toe, een intieme uiting van hun liefde en geloof fluisterend. Wij konden geen van beide opbrengen.

Cordy en Bean haalden hun boek tevoorschijn, sloegen het open en verdwenen in de tekst. Rose zat een hele poos met de blik op oneindig en daarna sloeg ook zij haar boek open. Kennelijk bleef het daarbij. We gingen er niet over praten, we zouden onze gevoelens onbesproken laten en het niet over regelingen hebben, we zouden geen gevoelsband met elkaar krijgen op een bepaald filmisch moment, waarop dramatische muziek aanzwelt terwijl we elkaar huilend omhelzen om het verlies dat mama moest lijden en onze eigen angst. In plaats daarvan hulden we ons in een mantel van zelfmedelijden en slachtofferschap en weigerden we te bekennen dat we elkaar misschien konden helpen als we maar wat opener werden. In plaats daarvan deden we wat we gewend waren, het enige waarin we consequent een ster waren: lezen.

Even voor vijf uur kwam papa ons halen; door de hitte van de middagzon was de lucht in de receptie zwaar en warm geworden. Bean en Rose sliepen in een ongemakkelijke houding. Cordy had zich omgewenteld en hing met haar hoofd over de rand van de kussens met haar voeten op een van de wandjes van de hokken die de enorme ruimte in kleine vakjes verdeelden. Ze hield het boek onhandig voor haar gezicht, het omdraaien van de bladzijden vergde twee handen.

'*En Harpij roept: Tijd! 't Is tijd!*' kondigde mijn vader luidkeels aan. Cordy hief haar boek op, haar gezicht was roodaangelopen van de spanning en Rose schrok met een harde zucht wakker. Bean snurkte tevreden door totdat Cordy zich op haar linkerzij wentelde en Bean daarbij een schop gaf. Die schrok wakker en knipperde slaperig met haar ogen.

We gingen zwijgend naar boven, van Birnam Wood naar Dunsinane, en papa's schoenen piepten opdringerig op de met bandensporen uitgesleten vloer. Cordy ging met haar vingers langs de brede blauwe stroken op de wanden. Toen we bij mama's kamer waren, bleef papa even staan en draaide zich naar ons om. 'Ik wil jullie wel even waarschuwen. Ze ziet er niet best uit.'

We knikten, liepen achter hem aan de kamer in en gingen in een rij tegen de wand staan alsof we op een groepsfoto voor de politiefotograaf moesten. Alles was wit. De muren, de lakens, de gordijnen die ons moeders bed scheidde van het lege bed aan het raam ernaast, haar huid en zelfs haar lippen. Kleurloos, asgrauw, gebarsten. Het tl-licht sputterde als een nijdige bij boven haar hoofd. Bean beet op haar nagels. Rose huilde. Mama zag er zo nietig uit, zo uitgeput, haar kale naakte hoofd lag als een schedel op het kussen, de gewone blos op haar wangen was tot papier verbleekt.

Papa ging aan de andere kant van het bed zitten en de lakens vouwden zich naar de welving van zijn lichaam. Hij pakte mama's hand en streelde hem liefdevol. Bean meed mama's gezicht en weer viel het haar op hoe oud mama's handen waren geworden, de knokkels waren breed en knokig, de huid was gerimpeld en hing los aan de onderkant. Haar ogen gingen knipperend open en ze keek naar papa. Die ogen waren waterig troebel met grote pupillen. Tegen de muur stond een tafel met een bakje ijs dat smolt tot een vermoeide plas water, een rietje, een waterkan, een klein, geribbeld pakje appelsap waarvan het folie half was opengetrokken. Rose hield zich onledig met die voorwerpen te verschuiven als in een spelletje Three-card Monte.

Cordy ging aan de andere kant van het bed zitten en de gecombineerde druk maakte dat mama's benen, breed en stoer, zich aftekenden onder het strakgespannen laken. Na een korte aarzeling pakte ze mama's andere hand en imiteerde papa's bewegingen door de benige knokkels te strelen waarop Beans oog net was gevallen. 'Hallo, mammie,' zei ze en mama wendde haar hoofd langzaam naar haar toe.

'Dag lieverd,' zei ze; het was een droog, bladdun gefluister. Opnieuw draaide ze haar hoofd in een houterige beweging en glimlachte naar Bean en Rose. 'Hallo, hoe is het met jullie?'

Bean grijnsde. 'Met ons gaat het geweldig, maar wij liggen niet in het ziekenhuis. Hoe is het met jóú?' Ze trok aan de zoom van haar rode linnen jasje, boven een lange rok van spijkerstof. Je kon ervan op aan dat Bean zich in een crisis tot in de puntjes kleedde.

Cordy bleef mama's hand strelen alsof ze iets uit haar wilde toveren.

Mama glimlachte. 'Moe,' zei ze, en ze wendde zich weer tot Cordy.

'Ik weet het, mama,' zei Cordy. 'Waarom ga je niet wat slapen? Wij blijven hier.'

Ze keek papa aan als een kind dat om toestemming vraagt. Hij knikte, tilde haar hand op en drukte er een kus op. Zijn baard streek over haar huid. Rose sloeg hen gade en bedacht dat ze hem nog nooit zo liefdevol naar haar had zien kijken. Ze voelde een zachte scheut van verlangen naar Jonathan. Mama's ogen zakten dicht en we zagen haar ademen.

Na het bezoekuur lieten we papa tevreden in het lege bed in mama's kamer snurken en reden we naar huis met Bean achter het stuur. Naast haar greep Rose zich met afgrijzen vast aan het dashboard telkens wanneer we van rijstrook veranderden. Cordy stak haar hoofd tussen de stoelen door; ze bleef de hond van het gezin. Het was merkwaardig om alleen met zijn drieën te zijn, en het grootste deel van de rit naar huis kibbelden we over wat we die avond zouden eten. Cordy eiste iets vegetarisch (vooral om lastig te zijn, vermoedden we), Bean maakte zich zorgen over het ingebeelde halve pond dat ze was aangekomen sinds ze haar dieet van tapas met martini achter zich had gelaten en Rose droomde al de hele dag van aardappelpuree met roomboter, wat Cordy wel zinde, maar Bean weer niet. Uiteindelijk rommelden we maar wat in de keuken en liepen we tegen elkaar op bij het scheppen van ons eigen culinaire avontuur, waarna we zwijgend aten, af en toe slechts onderbroken door onaangename gesprekjes over mama en wat ons te doen stond om het huis op haar thuiskomst voor te bereiden.

Na het eten klom Bean uit haar slaapkamerraam om op het dak te zitten, een sigaret te roken en naar de sterren te kijken. In New York was hun afwezigheid haar nooit opgevallen, maar hier kon ze ze duidelijk zien, de constellaties en hun interpunctie, de romige werveling van de Melkweg die door de dichte zomerse duisternis drong als de lichtjes op het eindbal van de Coop, alweer zo lang geleden. Ook de geluiden waren vreemd; geen claxons, geen sirenes, geen geschreeuw, geen gezoem van elektriciteit, maar alleen het doordringende snerpen van de krekels en een paar vroege uilen.

'Mag ik erbij komen?' vroeg Cordy terwijl ze haar hoofd uit het raam stak en moeizaam omhoogkeek naar Bean.

'Natuurlijk,' zei Bean en ze schoof opzij. Cordy klom met haar benen eerst naar buiten en klauterde op de lichte helling naast de dakkapel. Waar we zwijgend naast elkaar lagen, was de leisteen tot een glad bed afgesleten.

‘Ze zag er niet uit,’ zei Cordy na een poosje. In een van de bomen achter in de tuin kraste een treurige uil instemmend. ‘Ik wist niet dat het zo erg zou zijn.’

Bean haalde haar schouders op en blies een rookpluim uit die even in de warme lucht bleef hangen en vervolgens oploste. ‘Volgens mij zal ze er voorlopig wel belabberd blijven uitzien als ze nog een chemokuur krijgt.’

‘Ja,’ zei Cordy. ‘Ik weet het. Het was gewoon bizar om haar zo te zien. Je weet wel, zwak.’ Bean wist het. We wisten het allemaal. Die stoere boerenafkomst waar we allemaal een hekel aan hadden, was wat mama zo’n formidabele vrouw had doen lijken. Dat was ze natuurlijk niet, ze was onderworpen aan dezelfde dromen als wij allemaal, misschien zelfs nog meer, en we hadden haar allemaal zien huilen. Ze was niet zo’n vrouw van staal die in staat was tien kinderen in een hongersnood groot te brengen en toch elke zondag naar de kerk ging, maar ze had er altijd wel zo uitgezien. ‘Denk je dat wij het ook krijgen?’

‘Ge-ga-ran-deerd,’ zei Bean traag en knauwend. ‘Het heeft niet eens zin om te stoppen met roken. M’n tieten krijgen me het eerst te pakken.’

‘Je kunt rationaliseren wat je wilt,’ zei Rose, die haar hoofd uit het raam stak en onhandig naar buiten klom. ‘Het blijft een akelige gewoonte.’

‘Het leven is een akelige gewoonte,’ zei Bean nonchalant. Cordy gaf haar een por met haar elleboog en ze schoof opzij. Rose perste zich er aan de andere kant naast. We lagen keurig op een rijtje naar de sterren te kijken.

Lang geleden waren papa en mama een keer naar een diner van de faculteit gegaan en hadden ze ons alleen thuisgelaten. Rose was zestien, Bean dertien en Cordy sloot nog steeds de rij met tien jaar. Het was een frisse avond, het moet aan het eind van de herfst zijn geweest en Bean had net een singletje gekocht van een popsong die haar totaal betoverd had, zo’n eenmalig mirakel met een synthesizer en beatachtergrond en een aanstekelijk refrein.

We deden samen de afwas en daarna zette Bean die plaat op, duwde ze de voordeur wijd open en danste op de veranda onder het gele lamplicht waar motten nerveus tegen zijn warmte fladderden. Uiteindelijk trok ze Rose van de verandaschommel en dansten ze samen ademloos, uitgelaten en transpirerend in de koude lucht. 'Nog een keer!' riep Bean en Cordy haastte zich naar binnen om de naald weer aan het begin van de plaat te zetten terwijl haar ribcord broekspijpen boven haar blote voeten dansten. We draaiden hem telkens weer en Cordy stond in de deuropening naar onze dans te kijken en holde heen en weer telkens wanneer het liedje zijn einde naderde. Uiteindelijk trokken we haar naar buiten en met zijn drieën wervelden en draaiden we tot we de hele tekst uit ons hoofd kenden en zowel van het meezingen als van het dansen buiten adem waren. '*Ze dansen? Hoe krankzinnig is dat vrouwvolk!*' riep Bean. Ze pakte Rose bij de handen en wervelde haar van duizeligheid bijna buiten kennis. En daarna klommen we op dit dak en keken we samen naar vallende sterren totdat Cordy in slaap viel en er bijna af gleed.

Nu we weer op het dak zaten, moesten we aan die avond denken, maar nu waren we ouder, zij het niet wijzer. 'Ik heb een baantje,' zei Cordy.

'Dus je blijft,' zei Rose.

'Jawel. Is dat een probleem?' Cordy draaide zich om, haar vlecht bleef haken achter een losse dakpan en ze verhief zich schuin om zich te bevrijden voordat ze weer ging liggen om naar Roses profiel te kijken.

'Natuurlijk niet. Het is gewoon raar, weet je, om jullie beiden hier terug te hebben.'

'Niet zo raar als hier zijn,' merkte Bean op. 'Ik dacht dat ik voorgoed van deze plek verlost was. Ik vind het hier vreselijk.'

'Grappig,' zei Cordy peinzend. 'Barnwell had altijd zo veel goeds over jou te vertellen.'

'Het voelt buitenaards. Alsof ik er echt aan gewend was geraakt enig kind te zijn en het nu niet meer ben,' vervolgde Rose alsof we niets hadden gezegd.

'Je bent al sinds mijn geboorte geen enig kind meer,' zei Bean bits. 'Dat we niet hier zijn, wil nog niet zeggen dat we niet bestaan.'

'Dat weet ik. Het voelt alleen zo, omdat ik papa en mama de hele tijd zie... Ach, laat ook maar. Je zou het toch niet begrijpen.'

'Precies, omdat het gelul is,' zei Bean. Ze ging rechtop zitten, zette haar peukje op haar duim en schoot het met haar wijsvinger weg in een vuurwerkboog van vonken, waarna het in de tuin landde. We zwegen weer, de stille lucht gonsde en wemelde van het zomerleven. Gelul, dat wel, maar toch wisten we wat ze bedoelde. We kennen allemaal de ervaring alleen met papa en mama thuis te zijn en dat heeft iets speciaals, iets anders. Bean noch Cordy zou ooit het lef hebben om zich enig kind te noemen. De strijd om de aandacht kwam slechts met tussenpozen via telefoontjes van Cordy, die wanhopig op een financiële injectie van Western Union zat te wachten, of van Bean die belde in een taxi op weg naar een feest, of toen Rose weg was om te promoveren, via zorgvuldige brieven op haar elegante briefpapier, met veel zorg geschreven in haar prachtige Palmeriaanse handschrift. Die onderbrekingen waren meer afwijking dan standaard en wanneer ze voorbij waren, werden ze vergeten en kon de achterblijver haar positie van meest begunstigde weer innemen.

Bean ging weer liggen met haar handen onder haar hoofd. 'Wat heb je voor werk, Cordy?'

'In de Beanery. Dan Miller zei dat hij me zou aannemen als ik werk zocht.'

'Als je zou afstuderen, kun je een veel betere baan krijgen dan in de horeca. Eigenlijk zou je een baantje op de universiteit moeten nemen, dan krijg je gratis onderwijs,' stelde Rose voor.

'Zou ik hoe dan ook geen gratis onderwijs krijgen dankzij pappie?' Als jongste was Cordy de enige die verkleinwoordjes voor onze ouders gebruikte. Op deze leeftijd was dat een beetje ergerlijk, maar we slikten het.

'Je bent zevenentwintig. Volgens mij is dat voordeel een paar jaar geleden verstreken,' zei Bean vriendelijk.

'Nou ja, het maakt niet uit. Een diploma kan me niets schelen. Ik wil gewoon gelukkig zijn.'

'Maakt werken in een broodjeszaak je gelukkig?'

'Het is een volstrekt eerzaam beroep.'

'Dat bedoelde ik niet. Rose is degene die vindt dat het beneden je stand is. Ik zeg alleen dat als geluk je hoofddoel is, je ervoor moet zorgen dat wat je doet je ook gelukkig maakt.'

'Ik zei niet dat het beneden haar stand was. Alleen dat er meer in zit.'

'Komt op hetzelfde neer,' schokschouderde Bean. Rose slaakte een diepe zucht ten teken dat ze het er niet mee eens was, maar het niet zou bestrijden. We hebben allemaal de gave grote emotionele diepten over te brengen via de semafoor van onze zuchten.

'Ik wou dat we wat wiet hadden,' zei Cordy bedroefd.

'Vraag maar aan je nieuwe baas,' zei Bean. 'Op de universiteit had hij altijd de beste shit.'

'Volgens mij is hij nu op het rechte pad,' zei Rose.

'*O zware dag van droefheid!*' galmde Cordy met zware stem en we moesten allemaal giechelen. 'En jij, Bean?' vroeg ze. Ze draaide haar hoofd naar de andere kant en het viel haar op hoezeer Bean en profil op Rose leek. En zijzelf ook waarschijnlijk. Iedereen ziet zo dat we zussen zijn.

'Hoezo ik? Ik heb ook geen wiet.'

'Nee, ik bedoel ga je werk zoeken? Blijf je een tijdje?'

Bean hief haar handen op en wreef zich stevig in de ogen, zo hard dat je sterretjes en duisternis ziet wanneer je ze weer opendoet. 'Ik denk het wel. Althans een poosje. Ik wil in de buurt blijven om mama te helpen.'

'Dus je gaat niet terug naar New York?' vroeg Rose.

De stilte omhulde ons. De uil kraste nog een keer, vanuit een andere boom. Of misschien was het een andere, even melancholieke uil. Toen Bean uiteindelijk iets zei, hoorden we de droge klank toen haar lippen zich openden. 'Niet direct. Nee. Misschien een hele poos niet.'

'Wat is er gebeurd, Bean?' vroeg Cordy en haar stem klonk even warm als haar vingers op mama's hand hadden gevoeld. Ze zag één traan over Beans wang, bleek in het maanlicht, biggelen, maar ze raakte haar niet aan. Bean liet hem naar haar oor rollen en toen ze iets zei, was dat met zekere stem.

'Ik wil er niet over praten,' zei ze. We zagen dat haar gezicht strak stond van de ingehouden emotie. Cordy vond dat ze er oud uitzag, maar dat zou ze nooit hardop zeggen. 'Maar inderdaad, ik blijf hier een poosje. Ik ga ook een baan zoeken.' Bean ging rechtop zitten en stak een verse sigaret op, en Rose klaagde niet eens toen ze de rook uit haar gezicht moest wapperen. Iets in Beans stem had zwak geklonken en niet vertrouwd en het onthutste ons een beetje, gewend als we waren aan de stekelige kant van haar karakter.

'Jij kunt wel een baan aan de universiteit krijgen,' stelde Cordy voor. 'Je bent alumnus, of is het alumnae?'

'Alumna,' corrigeerde Rose.

'Jezus, het is al erg genoeg dat ik hier weer woon,' zei Bean en haar bitse toon was weer terug, scherper dan een lemmet. 'Ik ga daar ook niet meer werken. Dan zou ik me een mislukkeling voelen.'

We zwegen een poosje. Niemand wees erop dat we alle drie mislukkelingen waren, of we dat nu wilden voelen of niet. Rose, die zich daar het ongemakkelijkst bij voelde, sloeg uiteindelijk op haar dijen en veegde wat onzichtbaar stof weg. 'Ik ga naar bed. Moet ik nog iemand wekken morgenochtend?'

'Mij,' zeiden Cordy en Bean tegelijk.

Toen Rose naar binnen was geklauterd, rookte Bean haar sigaret op en staarde in de stille nacht. De volle bomen belemmerden het uitzicht op de stad, maar ze wist dat ergens in die slapende duisternis zonde en verlossing scholen, beide even aanlokkelijk. Maar het pad van de zonde was zo troostrijk, ze kende het als haar broekzak, het was zo eenvoudig om in die stille verdoving te zakken.

'Heb je De Dominee nog gezien de laatste tijd?' vroeg Cordy, alsof ze Beans gedachten las.

Bean zuchtte en schudde haar hoofd.

'Jammer, hij is leuk.'

De woorden bleven even op Beans lippen hangen voordat ze ze losliet. 'Morgenavond ga ik bij doctor Manning eten.'

'O, echt? Cool. Je hebt haar een eeuwigheid niet gezien.'

'Niet haar, hem. Zij zit in Californië of zoiets.'

'O,' zei Cordy. Wist ze waar Bean op doelde? Wist ze hoe hij was aangetrokken door de welving van Beans bovenlip, haar borst en die verholen droefenis die tussen ritselende lakens kon worden verjaagd?

Maar al wist Cordy het, ze zou er niets op aan te merken hebben. Wie was zij om onze Bean en alles wat ze vanbinnen droeg te beoordelen, wanneer zij haar eigen geheimen torste, die ondanks de pijn warme en zoete geheimen waren?

Bean masseerde haar voorhoofd en schoot vervolgens haar peuk over het dak in dezelfde boog als de eerste. Ze had een bittere smaak en een droge mond van de rook. 'Zou jij hier voor altijd kunnen wonen, Cordy?'

Ons zusje dacht even na, speelde met het losse eindje van een vlecht en streek met haar vingers op en neer langs de dode en gespleten punten. 'Het is hier niet anders dan elders,' zei ze uiteindelijk. 'Alleen de schaal is wat kleiner.'

'Veel kleiner,' zei Bean. Ze trok haar knieën op naar haar borst en legde haar wang op een daarvan. 'Soms heb ik het gevoel dat ik hier geen lucht krijg.'

Cordy aarzelde even, daarna stak ze haar hand uit en streek met de rug ervan over Beans blote arm.

'Dat zit niet in Barnwell,' zei Cordy, 'maar in jou.'

9

Het mag hardvochtig lijken dat we, toen we de volgende morgen naar Columbus reden, eerst kleren gingen kopen voordat we naar het ziekenhuis gingen. We lieten onze ouders natuurlijk niet helemaal in de steek, omdat we tegen elven in het ziekenhuis waren, maar we gingen er niet direct heen om tandenknarsend kleding te verscheuren.

In plaats daarvan pasten we japonnen in een winkel met goedkope bruidsjurken, met verkoopsters met grote tanden die bij ons stonden te koeren totdat Rose ongemakkelijk zweette in het stugge satijn en Bean bijna snauwde. Cordy, wier spijkerbroek met wijde pijpen onderaan rafelde, zat opgekruld in een stoel en schudde treurig haar hoofd bij elk fondantkleurig geheel.

'Ik zie er bespottelijk uit,' zuchtte Rose, bij haar zoveelste poging zich in een stijve witte jurk te hijsen. Het was stil in de winkel, wat goed uitkwam, want als Rose de strijd had moeten aanbinden met het gekakel en getjilp van een menigte gelukkige moeders en bruiden van begin twintig, was ze misschien moordzuchtig geworden. De jurk was betrekkelijk eenvoudig en mooi, met een strak lijfje met hoge taille, afgewerkt met een sierlijke strik, uitwaaierend in een chiffon rok, maar daarin voelde Rose zich alleen maar moe en miserabel. Ze trok een vies gezicht naar zichzelf in de spiegel. 'Belachelijk,' herhaalde Rose. 'Schaap verkleed als lam.'

'Alsjeblieft, zeg,' kreunde Bean, terwijl ze een scherp rukje aan de lange rok gaf om hem goed te laten vallen. 'Drieëndertig kun je moeilijk schaap noemen. Trouwens, ik zweer je dat niemand die iets te betekenen heeft tegenwoordig nog trouwt voor hij minstens dertig is.'

Rose trok een pruillip in de spiegel en streek haar haar naar achteren. Cordy peuterde aan haar nagels. 'Best. Dan ben ik geen schaap. Maar ik zie er nog steeds mal uit.'

'Omdat je aan deze stompzinnige traditie vasthoudt,' zei Bean. Een van de verkoopsters die ze had weggejaagd fladderde langs, klaar om neer te strijken en de verkoop door te drukken, maar Bean liet haar tanden zien en de vrouw was even snel verdwenen als ze was verschenen. 'Kom mee, Rose, we kunnen echt wel iets beters verzinnen, dat beloof ik je, als je mij het een en ander laat uitkiezen. Ergens waar het niet op een marshmallowfabriek lijkt.'

Rose tilde de lagen rok op en liet ze weer langs haar dijen naar beneden zweven, zoals Daisy die leegloopt in Tom Buchanans aanwezigheid. 'Maar ik wil er niet raar uitzien,' kreunde ze. 'Ik wil als een bruid voor de dag komen.'

Ten slotte stond Cordy op van haar stoel, nadat ze haar nagels met succes aan rafelige flenters had gescheurd. 'Op je bruiloft zal niemand je voor iets anders verslijten. Maar zo'n grote witte jurk is niets voor jou, Rosie. Waarom laat je Bean niet iets uitzoeken? Zij kleedt zich veel beter dan jij en ik.'

Rose keek naar Cordy, die een rafelige tanktop op een heupspijkerbroek droeg, waardoor een stuk van haar buik naar buiten gluurde. In het pashokje hingen Roses eigen kleren, een olijfkleurige sportshort, waar haar benen als bleke, stompe worsten uitstaken en een ruim wit shirt waarin ze er lomp en onverzorgd uitzag. Ze had het aangetrokken om zich gemakkelijker te kunnen verkleden, maar daar had ze nu spijt van. Bean zou zich opgetut hebben en ervoor hebben gewaakt dat ze de hele tijd schoon en volmaakt bleef. *De sleep, zo zei ze, van haar slechtste rok, was meer waard dan mijn vaders land.*

Midden in de kleedkamer, voor brede vlakken van spiegels die haar beeld – vierkant, zwaar en weinig aantrekkelijk – in veelvoud naar haar terugzonden, stond een houten kist waarop de bruid kon klimmen om de breedte van de sleep en de details van de zoom te bewonderen. Rose sloeg er treurig op met haar vuist en begroef haar gezicht in haar handen. Het duurde even voordat we beseften dat ze huilde.

'O, Rosie,' zei Cordy, en ze schoof op haar knieën naar haar zus toe.

Ze legde haar handen op Roses knieën en schudde er vriendelijk aan. 'Wat is er?'

Rose huilde.

Bean stond op een afstandje een sluier om haar hand te wikkelen, tule schraapte langs haar vingers.

'Rosie-Posie,' zei Cordy weer, terwijl ze haar zus lief aankeek. Toen Rose haar handen weghaalde, waren haar ogen rood en liepen de traansporen als een landkaart over haar wangen.

'Ik zou mooi moeten zijn,' zei ze snotterend. 'Voor één dag moet ik mooi zijn.'

'Maar dat ben je toch,' zei Cordy. 'Je wordt de mooiste bruid die we ooit hebben gezien.' En die schat van een Cordy meende het ook nog.

Rose draaide zich om voor een blik in de spiegel, met die blote armen die uit de te strakke mouwen poften en een van verdriet roodaangelopen gezicht. Het was niet haar beste moment, moesten we bekennen, Cordy misschien zelfs ook.

'*Nee, nee, ik ben zo lelijk als een beer,*' zei Rose en daar moest ze weer van huilen. Cordy bracht een hand naar Roses gezicht, maar ze sloeg hem weg. 'Doe niet zo neerbuigend met je hippielulkoek,' bitste ze en Cordy trok gekwetst haar hand terug.

Bean schudde de sluier van haar arm en liep met haar handen op haar heupen naar Rose. Haar hakken zonken weg in het zachte kleed en ze wankelde een beetje. 'Rosalind,' zei ze en ze toverde de volle naam van onze zus als een waarschuwing tevoorschijn. 'Gedraag je niet als een idioot.'

'Bean,' zei Cordy waarschuwend, maar haar vriendelijkheid werd afgekapt door het zwaard van Beans stem.

'Je ziet er beroerd uit omdat die jurken beroerd zijn,' zei Bean.

Rose liet haar hoofd zakken als een dorstige bloem en een dikke traan viel op het satijn. Bean bukte zich en trok Rose aan haar hand overeind.

'Wees even serieus,' zei Bean. 'Wil je d'r echt zo uitzien?' Ze wees met een boze vinger naar een vrolijke kinderstrik op Roses mouw. 'Dit is kleutertroep.'

'Ik wil er als een bruid uitzien,' zei Rose. 'Ik moet eruitzien als een bruid.'

'Gaat dit echt wel over de jurk?' vroeg Bean. 'Omdat dit een heleboel dramatiek is om een veel te dure berg goedkope stof.' Ze pakte het prijskaartje onder Roses oksel en schudde haar hoofd.

'Het is niet de jurk,' zei Rose en ze plofte weer op de kist. 'Het is alles. Ik heb gewoon niets meer in de hand.' Ze sloeg wild met haar armen.

'Je hoeft toch niet te trouwen,' zei Cordy. Rose in die witte jurk zien had haar slecht op haar gemak en een beetje triest gestemd. Ze wist niet of het kwam door het idee van de bruiloft, of het huwelijk, of door de jurk zelf. Ze had niet het minste verlangen zichzelf ooit op dat platform te zien.

Rose en Bean keken haar aan alsof ze een gevaarlijke substantie was waar we net in hadden getrapt. Die blik kon het beste in duet worden uitgevoerd en Cordy kromp ineen, net zoals de ontelbare keren dat we haar vroeger samen op die blik hadden getrakteerd. Hoe was het na al die jaren ervaring mogelijk dat niemand ons zo kon kwetsen als de andere twee?

'Nou, het hoeft toch niet,' pruilde Cordy. Ze trok zich terug in een cocon van rafelige zomen en een slonzig kapsel.

'Hállo, Cordy,' zei Bean. 'Daar schieten we niets mee op.' Ze wendde zich tot Rose, pakte haar handen en hielp haar overeind. 'Trek die verrekte marshmallow uit en laten we naar mama gaan. Daarna gaan we ergens anders heen om een jurk te zoeken waarbij Manhattan niet meteen verbleekt.'

'Als je me er belachelijk laat uitzien, zweer ik dat ik je onterf,' zei Rose. Haar handen voelden glad en warm in Beans koele vingers.

Bean draaide met haar ogen. 'Dat zou me een tragedie zijn.' Met handige, ongeduldige vingers hielp ze Rose uit de japon en joeg haar terug achter het gordijn.

Toen Rose in groep twee van de openbare basisschool zat, kwam een van de hoogleraren van Barney op een idee. Waarom stuurden ze hier, met zo'n weelde aan pedagogisch talent en intellectuele creativiteit op de universiteit, hun kinderen allemaal naar zulke traditionele scholen?

Een consortium van professoren kocht een van de oude landhuizen bij de campus op, met een brede veranda aan vier kanten, uitgestrekte groene gazons en een kelder waar het naar aarde en gebroken potten jam rook. In een aantal vertrekken plaatsten ze meubilair, maar andere lieten ze ongemoeid, zodat de voetstappen daar hol weerklonken tegen de wanden. Ze vulden de keuken met laboratoriumwerktuig, de slaapkamer met kreunende boekenplanken en de salon en huiskamer moesten als klein auditorium dienstdoen. En met deze volslagen willekeurige voorbereiding was de Barnwell Cooperative School geboren.

Voor Rose, die van elke minuut op wat ze haar échte school noemde had genoten, was Coop, zoals de nieuwe bekend zou worden, een complete cultuurschok. Ze was gek geweest op alles waarop de professoren zo neerkeken: de uniforme bureaus, de nette, ouderwetse garderobe, het onbuigzame en voorspelbare rooster en de strakke enkele rijen op weg naar de kantine.

Coop kende die dingen niet. We kregen les, dat wel, maar het onderricht vond plaats op de grillen van de hoogleraren die lesgaven; de ene week kon maandag met biologie beginnen, direct gevolgd door toneel en vervolgens beeldhouwen, en de week daarop was er op maandag misschien helemaal geen les. Het idee achter de school was dat de leerlingen meester over hun eigen academische lot zouden worden, door alle vakken te beheersen door het najagen van hun belangstelling, gestuurd en voorgelicht door de grote academische geesten van de faculteiten van Barnwell. Zo'n systeem was niet een geheel nieuw idee, maar er gingen decennia voorbij voordat de filosofie van Coop een naam kreeg: ontscholing (wat wij allemaal bijzonder bedenkelijk vonden).

Rose wijt onze grilligheid ook aan dat willekeurige onderwijssysteem, maar we zouden het niet anders gewild hebben. Wanneer de andere studenten op de universiteit het over kluisjescombinaties, bezoekjes aan het kantoor van de rector en Scantron-formulieren hadden, dwaalde Cordy in gedachten terug naar Coop en herinnerde ze zich de grote bruine leunstoel in de hoogste gastenkamer die ze voor zichzelf had opgeëist, de uren die ze daarin had doorgebracht met het lezen van Shakespeare, Austen of Marx, en werkstukken schreef over Derrida of Pascal of Curie, of domweg met peinzend kijken naar het plafond.

Tijdens wat in wezen Beans laatste jaar was – hoewel niemand zich druk maakte om dat soort formaliteiten, we zeiden gewoon dat we naar Coop gingen en dat was dat – besloot ze dat we een eindbal moesten organiseren. Ze legde het idee voor aan de raad van bestuur, die haar zoals altijd aanmoedigde om het te doen, maar dan wel in de geest van Coop. Wat natuurlijk betekende dat het bal voor iedereen was, van baby's tot adolescenten met levensangst.

Maandenlang werkten we onder leiding van Bean om er een succes van te maken. (Nou ja, Rose was inmiddels naar de universiteit en deed haar uiterste best om te doen alsof ze ons niet kende, omdat Bean soms al van zich liet horen op bierfeesten op de campus, en je Cordy kon aantreffen in de buurt van het avant-gardetheater van de universiteit, gehuld in iets merkwaardigs zoals een roze legging en soldatenkistjes, dus had Rose niet heel veel zin om te helpen, maar de twee anderen wel.) Terwijl de middelbareschooljeugd een paar plaatsen verderop in een gymnastiekzaal met verlaten tafeltjes langs de lijn danste, en de hoge hakken over het basketbalveld tikten op de muziek van een slome band die ze uit Columbus hadden gehaald om 'Stairway to heaven' te spelen, hadden wij ons eigen feest.

Het bleek meer van een lowbudgetbruiloft weg te hebben. Het feest werd gehouden in de achtertuin van Coop; er was een plafond van sterren door kerstverlichting die kriskras tussen de populieren en de esdoorns was gespannen, en een dansvloer van laminaat die het onregelmatige gras eronder plette. De christelijke broeders traden op als dj, verwisselden verrassend professioneel de nauwkeurig gemerkte cassettebandjes en platen en stompten elkaar goedmoedig als de verveling haar intrede deed.

Op de brede veranda holden kinderen van de basisschool af en aan, ogenschijnlijk belast met de drankjes (vaker over dan om elkaar heen, en ze maakten meer kapot dan ze hielpen). Een aantal van hen was wel nuttig: Carrie Obertz, gekleed in een citroengele wolk chiffon die ze ooit als bloemenmeisje had gedragen droeg bij aan de algemene bruiloftssfeer; Michael Taylor, die zijn klemstropdas had afgedaan en over de rand van de schaal met punch had gehangen, waarmee hij een zwierige en unieke touch gaf aan het kristal van professor Shapiro; en Hannah en Henry Holtz, die tegenwoordig de beste zij het enige chocolaterie van Barnwell drijven. Maar tegen negen uur waren ze als verlepte bloempjes tot kleine pluizige hoopjes op het verandameubilair ineengezegen.

Omdat Coop en Barnwell nu eenmaal zo waren en het merendeel van de studenten bestond uit kinderen van geborneerde, sukkelige ex-hippies, hadden de meesten van de twaalf- tot achttienjarigen zich niet in de traditionele eindbalstijl uitgedost. Cordy had mama's bruidsjurk aangetrokken (een zo jaren zestig mini-jurkje met hoge taille, van een opmerkelijk lappenpatroon) en danste met iedere beschikbare man, doctor Ambrose, een relikwie van de faculteit wiskunde uit het krijttijdperk incluis, alsook met Henry Holtz, die met zijn hoofd praktisch tot Cordy's heup reikte, maar die haar een prachtige hortensiabloem gaf die ze achter haar behabandje stak, zodat ze een spoor van hemelsblauwe blaadjes trok waar ze de rest van de avond maar liep. Haar beste vriendin Lyssie kwam samen met Benjamin Marcus, zij in een Heidi-achtige dirndl, hij in een lubberende lederhose, maar die zeg maar onorthodoxe outfit werd hun vergeven, omdat ze de hele avond in een trage, liefdevolle omklemming in een hoekje van de dansvloer doorbrachten.

Eigenlijk was Bean de enige die op een echt eindbal geen slecht figuur zou slaan. Haar jurk, die iedere vrouw behalve haar bespottelijk had gestaan, was van zilverlamé met een sweetheart-halslijn en een wijde rok met ruches die zo uit Tara weggelopen leek, als Scarlet O'Hara van zilverlamé had gehouden. Haar partner, ene Nick Marchese, droeg een stijve, gehuurde smoking met een vlinderdasje plus sjerp van zilverlamé. *Seventeen* zou trots op ze zijn geweest.

Zelfs Rose kwam nog langs, ze stond op de hoek halverwege de jeugd op de dansvloer en de overbodige chaperonnes die als moederkloeken op de rand van de veranda zaten. En hoewel Rose dit soort dingen gewoonlijk niet zegt, zal ze je toch vertellen dat het een magische avond was: door hoe de papieren lantaarns die we hadden gemaakt met Chinese karakters die iemand had bestudeerd, wiegden in de wind, hoe de valse sterren van de strengen kerstverlichting twinkelden onder de echte, waardoor ze de indruk kreeg dat ze haar hand maar omhoog hoefde te steken om het licht van duizenden jaren geleden in haar handen te houden. Ze bleef er een poosje staan om Cordy's serieuze, nauwgezette wals met doctor Ambrose gade te slaan, het stevig gearmde rocken van Bean en Nick, en, met een sterk gevoel van melancholie, de kuise maar hartstochtelijke cirkeltjes die Lyssie en Daniel eindeloos beschreven. Toen Bean en Nick zich weer omdraaiden, kruiste haar blik die van Rose en keken ze elkaar even aan. Daarna glimlachte Rose naar Bean en door die eenvoudige uitdrukking liet ze merken hoe trots ze was op de manier waarop we die braakliggende lap achtertuin tot zoiets schitterends hadden getransformeerd en Bean lachte terug, waarna Rose door de duisternis werd opgeslokt om de betovering te verruilen voor haar ongenaakbare studentenflat van blokken gasbeton.

Toen we in het ziekenhuis kwamen, zat papa op een van de stoelen een boek met een dikke rug te lezen, terwijl mama argwanend in een dienblad met eten zat te porren. Ze zag er vaalgeel en moe uit en de blos die we zo graag op haar wangen zien was nog afwezig.

'Ha, hier zijn mijn *hondse dochters*,' zei papa, amper opkijkend uit zijn boek. Zijn kleren waren verfomfaaid en verdwaalde baardharen kropen langs zijn wangen omhoog.

'Zoals een kreupel vader zich verheugt in 't dappre doen van zijn bedrijvig kind,' riposteerde Cordy.

Waarop papa zei: 'Dat is een sonnet.'

'Niemand heeft ooit gezegd dat sonnetten niet meetellen,' zei Cordy.

'Let maar niet op hem,' zei mama. Haar stem klonk ijl en dun. 'Kom me eens een kus geven.'

'*Kom dan kozen, liefje, en stoeien*,' zei Cordy zangerig. 'Is dat beter, pappie?'

Papa snoof weer en las verder. We liepen naar mama's bed om haar een kus te geven. Rose drukte haar dicht tegen zich aan en mijn moeder piepte van de druk. Bean gaf haar een haastige kus als een bezem die het laatste vuil wegveegt en Cordy kroop aan haar goede kant in bed om zich als een poes in mama's armholte op te krullen.

'Was het druk op de weg? Jullie zijn laat,' zei mama terwijl ze voorzichtig ging verzitten en achteroverleunde in de kussens die net zo wit waren als haar huid.

'Bean heeft gereden,' zei Cordy. 'We waren er in een wip.'

‘We zijn wezen winkelen voor een jurk voor Rose,’ zei Bean; ze stond als een fotomodel met gekruiste benen tegen de muur geleund.

‘Iets gevonden?’ Mama krabde haar kruin, die was gaan jeuken omdat haar haar weer terug begon te komen en haar gezicht vertrok even omdat de huid onder haar arm werd uitgerekt.

‘Ik doe het wel,’ zei Cordy. Ze richtte zich op, scharrelde in de dikke wollen tas die ze om haar schouder had hangen tot ze een schurftig ogende zachte borstel had gevonden en ging naast mama zitten om de borstel over de plukjes die her en der op de schokkend naakte huid van haar schedel verschenen te halen. We zwegen een tijdje en keken verwonderd naar het contrast tussen het dunne laagje dons van nu en de dikke haardos met de kleur van donker hout die we ons herinnerden, de manier waarop die over haar schouders viel wanneer ze het losmaakte. Toen we klein waren, vonden we het heerlijk om te zien hoe mama haar haren borstelde, eerst de lange, weelderige halen die de glans tevoorschijn toverden en daarna de vlugge, efficiënte bewegingen waarmee ze er een knotje van draaide. Vergeleken bij de hare zagen Cordy’s handen er dik en onbeholpen uit en was mama’s hoofd zo broos als een ongeopende bloem.

‘Nee,’ zei Rose. Het ontging haar niet dat andere moeders misschien wat gretiger zouden zijn geweest, bruidstijdschriften hadden doorgebladerd en dolgraag mee op pad zouden willen, of die zulke winkeluitjes zelfs eigenhandig zouden organiseren. Maar zo was mama niet. Ze was er het type niet naar om haar dochters te laten opgroeien met bruidsglossy’s en daarom las ze die natuurlijk zelf ook niet. ‘Ik zie er in alles afschuwelijk uit.’

‘Dat is omdat alles inderdaad afschuwelijk was,’ zei Bean.

‘Het is een afschuwelijke cultuur,’ zei mama terwijl Cordy haar laatste dons borstelde. Die had haar onhandig rechtop laten zitten met de kussens tegen haar onderrug en toen haar nachthemd openviel bij haar decolleté, zagen we de grote plek met gaas op haar huid en een doorzichtig buisje dat wondvocht afvoerde. ‘Waarom zou je überhaupt zoiets willen, Rose?’

Roses wangen brandden van nijdige schaamte en ze zocht naar de juiste woorden terwijl haar lippen stilzwijgende protesten murmelden.

'Het is haar bruiloft, mama,' kwam Bean tussenbeide. 'Bovendien kan ze jouw trouwjurk niet meer aan, want die heeft Cordy al geruïneerd.'

'Niet waar,' protesteerde Cordy. Ze liet de borstel in de onverkende diepten van haar tas vallen en mama ontspande zich weer in de kussens met Cordy naast zich opgekruld als een vraagteken.

'Je hebt hem op het bal onder de punch gemorst.'

'Ik heb hem laten stomen, stommeling,' zei Cordy. 'Je ziet er niets meer van. Rose kan hem zo aan als ze wil.'

Rose zei niets, maar we wisten allemaal dat mama's jurk uit de swingende jaren zestig haar net zo flatteus zou staan als al die hysterische wolken tule die we die ochtend te verwerken hadden gekregen. Hoe dan ook, het gespreksonderwerp was veranderd, Cordy had de schuld gekregen, zo hoorde het ook, en er was minstens een schijn van vrede hersteld.

'Weg, weg, weg,' zei een verpleegkundige tegen ons toen ze de kamer in kwam en haar crêpezolen piepten dwingend op de vloer. We vertrokken en schuifelden om het draagbare toilet heen dat de zuster voor zich uit duwde. Op de gang ging Cordy verder met nagelbijten totdat Bean haar hand van haar mond weg mepte. Cordy stak haar tong uit naar Bean en Rose wierp hun een afkeurende blik toe.

'Wanneer mag ze weer naar huis?' vroeg Rose aan papa, zodat de aandacht van onze ongehoorzame zus werd afgeleid.

Papa schraapte zijn keel, streek met de hand die niet op zijn plek in het boek lag door zijn baard. 'Morgen, maar *ik weet niet of het zo door God beschikt is*,' zei hij, alsof hij college gaf aan een bijzonder erudiete groep studenten, wat we waarschijnlijk ook waren, in zekere zin. 'Het ziekenhuis stuurt een zuster mee om te vertellen wat we moeten doen.' Hij keek wat verward bij het idee, alsof hij niet goed wist wat hen bezielde om zoiets te doen. Bean keek opgelucht. Ze droeg hoge hakken als dwarsliggernagels en een elegante losse broek, die zo viel dat hij de familie Andreas-dijen slim aan het oog onttrok. Dit was geen vrouw die iemand van ons kon zien als thuisverpleegster, Bean zelf wel het minst.

'Ga vanavond met ons mee naar huis, paps,' zei Bean. 'Je ziet er niet uit.'

Papa haalde zijn schouders op. 'Je moeder en ik hebben sinds ons trouwen nog geen nacht zonder elkaar geslapen, en daar begin ik nu ook niet aan. Ik was mezelf wel in de badkamer.'

Dat was zo. Papa en mama waren onmogelijk jong met elkaar getrouwd, papa was een frisse student die voor zijn masters zat, mama was net afgestudeerd en misschien reeds zwanger (schandalig!). Op onze lievelingsfoto lopen ze samen terug over het middenpad van de kerk; de gasten van de plechtigheid vielen op door hun modieuze kleding in een onscherpe zee van deinende hoeden en elleboogstukken. Papa loopt een klein stukje voor mama uit, wier sluier achter haar aan zweeft als in een onzichtbare bries. Hij glimlacht alsof hij net de jackpot heeft gewonnen. Zij glimlacht alsof ze een geheim heeft ontdekt.

Hoe dan ook, zelfs in de nacht waarin Rose werd geboren sliep papa in net zo'n stoel als het exemplaar waarin we hem vandaag hadden aangetroffen. Dat was in een tijd waarin het niet gewoon was dat mannen in de kraamkamer aanwezig waren, laat staan dat ze optraden als paramedisch assistent bij het doorknippen van de navelstreng, en waarin baby's plichtmatig in de wereld werden verwelkomd met een flinke pets op de billen om een kreet van (vanzelfsprekend) protest te ontlokken. Hij stond er wel op dat Roses mandwieg de kamer in werd gebracht. Met een hand op de plastic rand van de wieg sliep hij tevreden door beide nachtelijke voedingen heen.

Er is veel ophef in de psychologische literatuur over de gevolgen van echtscheiding bij kinderen, vooral waar het op hun eigen huwelijken van zo veel jaar later aankomt. We hebben ons altijd afgevraagd waarom er niet meer onderzoek wordt gedaan naar de kinderen uit gelukkige huwelijken. De liefde tussen onze ouders is geen grote hartstochtelijke affaire, er zijn geen appelflauwtes van lust, geen baljurken en smokings, maar dit is de waarheid: ze hebben sinds hun trouwdag geen nacht zonder elkaar geslapen.

Hoe kunnen wij ooit een liefde vinden die dat evenaart?

10

'Kom op, Cordy!' schreeuwde Bean onder aan de trap.

'Ik kom eraan!' riep Cordy terug. We moesten naar een winkel voor medische voorzieningen om een aantal spullen op te halen die de zuster had besteld maar die ze niet helemaal in het verre, duistere Barnwell wilden bezorgen, zoals een stoel voor onder de douche, een speciaal hemd dat de drain niet tegen haar huid zou drukken, een kussen waardoor ze kon slapen zonder te veel te bewegen en een soort oefenapparaat voor haar hand om haar te helpen het volledige gebruik van haar arm weer terug te krijgen.

Boven op haar kamer doorzocht Cordy als een gek haar kleren om een shirt te vinden dat paste. Haar borsten waren al een hele tijd gevoelig, maar de afgelopen week leken ze enorm gegroeid en het was volop juni. Haar hippiejurken waren goed voor de onderste helft, maar in de T-shirtjes en tanktops die ze gewend was te dragen zag ze er nu uit als een stripper. Ze had een van Beans sportbeha's uit de was gesmokkeld; de druk daarvan maakte de verandering tenminste iets minder zichtbaar.

'Cordeeeeeeeeeeelia!' riep Bean weer.

'Ik kom!' brulde Cordy. Ze stootte haar teen tegen de rand van het bed toen ze over een berg schoenen sprong die ze midden in de kamer had laten liggen. 'Verdomme.' Uiteindelijk vond ze een van Roses wijde topjes, die ze eveneens uit het washok had ontvreemd en trok het over haar hoofd. Ze stak haar voeten in twee sandalen van de stapel, redelijk zeker dat ze van hetzelfde paar waren en kloste de trap af.

'Mooi setje,' zei Bean. 'Goed dat je even de tijd hebt genomen om het samen te stellen.'

Cordy keek omlaag. Het topje was gebatikt, de rok van patchwork. Ze zag eruit alsof ze in een blik stofrestanten had gerold. 'W.E,' zei ze.

'We?'

'What. Ever. Kom op.' Ze sprong van de laatste twee treden en pakte haar tas. Hoe lang kon ze nog ongestraft comfortabel elastische tailleband blijven dragen en kleren plunderen uit de stapels voor de was? Het was maar goed dat ze haar indierocklook had afgezworen, want de minirokjes en kleuter-T-shirts zouden haar allang hebben verraden. Ze moest gauw nieuwe kleren kopen, zwangerschapskleren.

En ze moest het ons vertellen.

Ze ging op de passagiersstoel zitten nagelbijten, terwijl Bean reed en toonloos meeneuriede met de radio. Het ging allemaal te snel. Ze was al aangekomen nu ze weer in het ouderlijk huis terug was, waar het eten overvloedig en nog lekker was ook, en haar misselijkheid nam langzaam af. De tijd tikte door. Zwangerschapskleren waren nog maar het begin. Er moesten afspraken met de dokter worden geregeld en babykleren en al die dingen kostten geld.

Ze moest Dans aanbod voor werk aannemen. Maar hoeveel zou dat opleveren? En stel dat papa en mama haar eruit zouden gooien wanneer ze het hun vertelde?

Ze kon het eerst tegen Rose zeggen. Rose zou wel met een soort plan op de proppen komen. Alleen was Rose stekeliger dan gewoonlijk. Cordy trok aan een stukje huid aan de rand van haar nagel en het ging bloeden.

Misschien was het nog niet te laat voor een abortus. De mist in haar hoofd klaarde even op. De vader – als je die zo kon noemen – zou het niets kunnen schelen. Hij wist het niet eens. En ons gezin maakte het niet uit als het dat ook niet wist.

Maar haar maakte het wel iets uit. Ze wilde het niet maar het was wel zo.

Ze legde een hand op haar buik en drukte tegen de kleine zwelling. We wisten wat de Kerk over abortus te zeggen had, we wisten wat de Kerk over een heleboel dingen te zeggen had, maar daardoor hadden we ons nooit iets in de weg laten leggen. Cordy zou moeite hebben te bekennen dat ze aarzelde omdat het iets met het geloof uitstaande had. Ze wierp een blik op Bean, wier ogen schuilgingen achter een designerzonnebril en die nog steeds meezong met de radio, en zo nu en dan vals zong alsof ze rond de noten borduurde. Bean zou zich ongetwijfeld laten aborteren. Waarschijnlijk had ze er al een achter de rug. Rose zou de baby laten komen.

Maar wat zou zij doen?

Ze stelde zichzelf voor met een zuigeling, een kleuter, een kind, een tiener. Uitgesloten. Was zij niet zelf pas een tiener geweest? Was ze het niet nog? Ze richtte de blazer van de airconditioning omhoog zodat de koude lucht in haar ogen blies en ze die moest samenknijpen tegen de druk.

Zo'n beslissing kon ze niet nemen. Dat had ze nog nooit gedaan. Mensen hadden haar altijd beslissingen uit handen genomen, of de wind bracht haar waar hij heen wilde en ze maakte er het beste van. Ze zou een afspraak met de dokter maken en er dan over nadenken, niet nu.

Toen ze thuiskwamen van de winkel, waar Cordy in een rolstoel met roze linten aan het stuur was geploft en Bean weinig aan haar had bij het afvinken van de lijst, liepen ze een stil huis binnen.

'Hallooooo?' riep Cordy, terwijl ze de tassen en douchezetel liet vallen die ze onder dwang van Bean uit de auto mee naar binnen had gedragen. 'Waar is iedereen?'

'Boven!' riep Rose. 'Kom maar.'

Bean en Cordy liepen de trap op naar de slaapkamer van onze ouders. Mama lag met de ogen dicht in bed. Papa zat naast haar met haar hand in de zijne. Rose stond tegen de open haard geleund, met haar ogen dicht.

'Wat is er?' vroeg Bean. Zij en Cordy gingen op de uitzetkist zitten waarin we de extra dekens bewaarden.

'De resultaten van de biopsie van de lymfeklieren zijn binnen,' zei Rose. 'Ze waren positief.'

'Wat betekent dat?' vroeg Cordy.

'Niets goeds,' zei Bean. Ze had een boek over borstkanker in de bibliotheek gevonden en gelezen, maar in haar hoofd was het een warboel van medische termen geworden en ze kon de complexe statistieken van combinaties en behandelingsopties niet volgen. 'Het betekent dat de kanker naar de lymfeklieren in haar oksel is uitgezaaid. Ze moeten gaan bestralen en misschien krijgt ze nog meer chemotherapie.'

'Shit,' zei Bean.

'Zonder meer,' beaamde Cordy.

Niemand leek iets anders toe te voegen te hebben aan dat koppel bondige verklaringen. We hadden onszelf wijsgemaakt dat alles na de operatie in orde zou zijn, probleem uit de wereld, en dat we de draad van ons leven weer konden opvatten.

'Het had erger kunnen zijn,' zei papa. 'Het is stadium IIIC. Behandelbaar, vooropgesteld dat alles goed gaat. *En wat overblijft stopt nauwelijks de mond der schulden die u nu betalen moet, en de andre volgen snel. Hoe zullen we ons intussen redden?*'

'Papa,' kreunde Cordy. 'Praat normaal.'

'We zullen het gewoon moeten dragen,' zei mama zacht. Ze deed haar ogen open, die helder afstaken tegen het wit van haar huid. 'We wisten dat de kans bestond dat de dingen erger zouden uitpakken. En papa heeft gelijk, het is te behandelen. De dokter zei dat aangezien de tumor zo goed op de chemokuur reageerde, het waarschijnlijk is dat hij even goed reageert op bestraling en misschien nog een chemokuur.'

Nog een. Alsof ze een rondje gaf. Bean stelde zich mama voor achter de bar, rondjes chemococktails gevend op kosten van de zaak.

'Nou, we hebben alle spullen die de zuster heeft opgegeven,' zei Bean nadat ze het beeld van haar netvlies had gewist.

'Haal ze maar naar boven,' commandeerde Rose. 'Wij zorgen wel dat ze hier een plaats krijgen.' De zuster had voorgesteld dat we mama naar beneden zouden verhuizen voor de duur van haar herstel, maar die vond de gedachte de eetkamer in haar slaapkamer te veranderen afschuwelijk. Ze weigerde botweg, ondanks de volmaakte redelijkheid van de argumenten van de verpleegkundige. Dus legden wij ons erbij neer de navolgende maanden onszelf, mama's spullen en zo nodig haarzelf de trap op en af te zeulen.

Bean en Cordy stommelden naar beneden om alle spullen naar boven te halen, en wij namen een ritme aan van werken en betuttelen en tegen elkaar op lopen tot mama klaagde over het kabaal en wij ons als zaadjes naar onze kamers verspreidden om ons te begraven in alle dingen waarover we helemaal niet wilden praten.

Bean had koude handen toen haar hakken over de stoep naar Mannings voordeur tikten. De avondlucht wikkelde zich warm en klam om haar heen, de zijde van haar hemd drukte tegen haar opgewarmde huid, maar haar vingers waren koud en trilden.

'Bianca,' zei doctor Manning toen hij opendeed nadat ze had aangeklopt. Hij droeg een net overhemd waarvan de mouwen keurig opgerold waren, het donkerblauw van de stof kwam terug in zijn ogen. 'Je ziet er als altijd prachtig uit.'

'Edward,' zei ze terwijl ze haar wang bood voor een kus. Zijn lippen voelden warm en droog en bijna vertrouwd, en zijn hoofd bleef iets langer dan in feite gepast was bij het hare om haar geur op te snuiven.

'Kom maar mee naar de keuken,' zei hij. 'Het eten is bijna klaar.'

Bean deed haar schoenen bij de voordeur uit – blootsvoets was hij maar een paar centimeter groter dan zij – en liep achter hem aan. Sinds haar laatste bezoek was de keuken verbouwd, met dure apparatuur die in het gedimde licht zelfgenoegzaam blonk. Bean kon er iets over vragen, maar als ze dat deed, zou de werkelijkheid gevaarlijk dicht bij de fantasie komen, dan zouden Lila en de kinderen ter sprake komen, en Bean wist wel beter dan het hier en nu te bederven. Leunend tegen de rand van het marmeren bovenblad van het kookeiland keek ze naar Edwards handen, die handig een fles wijn opentrokken en haar glas volschonken; de vloeistof nestelde zich vrolijk in zijn holte.

'Laten we het glas heffen,' zei Edward toen hij het zijne vulde en hief. 'Op een oude vriendschap die nieuw leven wordt ingeblazen.'

'Op de toekomst,' zei Bean.

Hetzelfde als het verleden.

Er had maar één getrouwde man op Beans veel te lange lijst geprijkt, een advocaat van de firma waar ze werkte, te oud om nog geen partner te zijn, moe en neerslachtig, dus hij verwelkomde dat mirakel van jeugdige schoonheid die pracht en praal en dramatiek in zijn saaie leven bracht. Ze bedreven de liefde op zijn bureau, Bean wijdbeens op opengeslagen dossiers met een koude presse-papier tegen haar arm. Ze huurden weerzinwekkend kostbare hotelkamers voor slechts enkele uren. Hij gaf haar sieraden, overlaadde haar met dure etentjes en fluisterde strofen van oude hardrockballads in haar oren. In zijn Walter Mitty-dromen was hij machtig en dominant en Bean liet hem in de waan, ze liet hem grootmoedig zijn ten koste van haar eigen kracht. Maar wat haar dwarszat, had daar allemaal niets mee te maken. Het waren de foto's van zijn familie die ze de rug toe had gekeerd wanneer ze op zijn bureau lag en de zelfgemaakte ansicht die ze in zijn zak vond terwijl hij onder de douche stond van hun kamer in het Plaza, verloren in stoom en bloemetjeszeep. Door de manier waarop hij bewoog wanneer hij op haar lag, kon ze zich hem voorstellen wanneer hij zijn vrouw 's morgens een afscheidskus gaf, zijn kinderen duwde op de schommel en het leven leidde waarvan zij hem wegtrok.

Uiteindelijk bleek Bean toch bepaalde normen te hebben.

Maar aan de andere kant, hier was ze weer en keek ze naar een zeer getrouwde man – eerlijk gezegd gehuwd met een vrouw die haar niets dan goeds had gebracht – die een chique maaltijd voor haar kookte. De spoeling was tenslotte dun. Maar o wat was het prettig om zo duidelijk begeerd te worden. Zo prettig om je zorgen te maken over je haar en je make-up in plaats van geld en afschuwelijke vooruitzichten. Zo heerlijk om niet de rug te worden toegekeerd voor iemand die jonger en aantrekkelijker is.

Op de koelkast stond een foto van Lila met hun jongste, die nog maar een baby was toen Bean afstudeerde, knus tegen elkaar aan tegen een achtergrond van sneeuw. Lila's helblauwe ogen hadden kraaienpootjes boven wangen die rood waren van de kou. Bean deed even haar ogen dicht en stuurde een stilzwijgende verontschuldiging de ether in. Voor die geschenken die we op het punt staan te krijgen, moge de Heer ons waarlijk berouw bezorgen.

'Waaraan danken we het geluk dat we weer met je aanwezigheid worden gezegend?' vroeg Edward. Hij hield zijn glas wijn in de ene hand en roerde bedreven met een pollepel in een koekenpan op het fornuis.

Bean schoof langs de rand van het kookeiland dichterbij; de foto was achter haar. Haar hart ging sneller kloppen, haar hand slipte langs de steel van het glas toen ze het neerzette. 'Het is zo lawaaiig in de stad,' zei ze. 'Ik vond het tijd worden voor wat stilte en rust.'

Edward knikte. 'Dan ben je op de juiste plek. Ik kan me de laatste keer dat ik in Barney over het volume klaagde niet meer herinneren.'

'Blijkbaar breng je weinig tijd op bierfeesten door,' zei Bean. Ze legde haar hand op het aanrechtblad en draaide haar heupen zo dat ze opzettelijk naar hem toe stonden, als om zichzelf beschikbaar te maken.

'Mijn belangstelling voor studentenfeesten is ongeveer gelijktijdig met de wijde uitlopende pijpen gestorven. Volgens mij bestaat er een evolutionaire limiet aan hoe lang het drinken van lauw bier je interesse kan vasthouden.'

Bean kwam nog dichterbij. 'Maar al die huwbare jonge studentes dan? Kom op, vind je die niet een heel klein beetje aanlokkelijk?' O, het kostte haar zo weinig moeite, elke beweging was berekend op het maximale effect, elke zin bedoeld om de temperatuur aan te wakkeren. De opwinding van de jacht prikkelde haar nog steeds. Al kende ze de onvermijdelijke uitkomst, al kon ze elke ademtocht onderweg voorspellen, het genot school in zijn ongelooflijke macht om alles uit te wissen behalve de twee mensen in deze kamer. Wisten die onnozele jongens in de kroeg maar wat ze misten.

'Kinderen,' zei Edward geringschattend.

'Ooit ben ik een van die kinderen geweest,' pruilde Bean.

'Maar dat ben je nu toch niet meer?' vroeg hij. 'Jij bent een vrouw.' Met zijn vingers nog om zijn glas streek hij even met de rug van zijn hand langs haar sleutelbeen en hij keek haar recht aan.

En Bean gaf zich over, alsof ze ooit van plan was geweest zich ertegen te verzetten.

Cordy had een rustige dienst in de Beanery, wat normaal was in de zomer. Als je in dat seizoen nooit in een universiteitsstadje bent geweest, is het moeilijk uit te leggen. Het is een kleine plaats met een heleboel grote, lege gebouwen en mensen die er als verdwaalde biljartballen tussendoor lopen. In het studiejaar explodeert het, maar in de zomer is er niets anders dan de tijd die zich stroperig uitstrekt.

Dus waren het alleen Cordy en haar coach, een nieuwbakken student die de zomer was gebleven omdat zijn vriendin een betaald studentenbaantje op de campus had. Eerlijk gezegd had hij de Beanery best in zijn eentje kunnen runnen. Maar hij leidde haar geduldig rond om haar het menu te laten zien en haar de bedwelmende geur van de koffie die hij zette op te snuiven en daarna verbande hij haar naar de broodjestoonbank. Niet dat het als verbanning voelde, dacht ze met de gladde korst van het brood in haar frisgewassen handen, terwijl ze eiersalade tussen de sneetjes smeerde, en ze smokkelde er wat versnipperde dille in om de dikke eisubstantie en het voedzame brood wat pittiger te maken. Ze stopte de broodjeshelften in een piepschuimen bakje met een deksel, sloot het met een bevredigend gepiep en overhandigde het aan de klant, die met een duw van zijn heup tegen de deur de zaak verliet. Toen ze klaar was, veegde ze de kruimels in de gootsteen van het aanrecht.

'Het is goed dat je nu begint,' zei Ian tegen haar. 'Want in het studiejaar is het een gekkenhuis.'

Cordy knikte. Dat leek haar een open deur. Zou ze hier nog zijn tijdens het studiejaar? Ze veegde haar handen af aan haar schort, dat versierd was met tere slingers van randjes poedersuiker van de citroenrepen die ze had gesneden, en trachtte zichzelf voor te stellen met een dikke buik tegenover menigten studenten met rode wangen van de winterse kou, de lucht kolkend van de geur van gedoofde sigaretten en de geluiden van boeken die op tafels en toonbanken ploften.

De deurbel rinkelde. 'Fatsoeneer je,' zei Ian met een knikje van zijn stekeltjeshaar naar de deur. 'De dames komen lunchen.' Een golf moederlijk gegniffel sloeg naar binnen op de klamme lucht en een aantal administratieve medewerksters, voornamelijk faculteitssecretaresses die van de luie en stille zomermaanden genoten, kwamen naar de toonbank.

'Cordelia, ben jij het?' Cordy draaide zich om en friemelde verlegen aan de eetstokjes die haar piekerige knotje in bedwang hielden. De aanvoerder van de roedel, als het ware, Georgia O'Connell, glimlachte haar vol verwachting toe. Mevrouw O'Connell werkte al sinds Cordy zich kon heugen als secretaresse op de faculteit Engels. Toen we klein waren, nam mama ons wel eens mee op een wandeling om met papa in de kantine van de studentenvereniging te gaan eten. Mevrouw O'Connell gaf ieder van ons een snoepje uit de altijd aanwezige pot op haar bureau, butterscotch, of soms zuurtjes die naar limonade smaakten en die een wrange siroop loslieten wanneer je erin beet.

'Mevrouw O!' zei Cordy en ze bukte zich over de toonbank voor een omhelzing die een veeg poedersuiker op de schone roze blouse van de dame achterliet, als rijp op frambozen. 'Wat doet u hier?'

'Werken, zie je dat niet?' Haar gezicht plooide zich in diepe rimpels die naar elkaar toe drongen toen ze glimlachte. 'Meer ter zake is, wat doe jij hier?'

Ha, dat was de grote vraag. Cordy haalde haar schouders op en lachte mevrouw O. innemend toe. 'U weet, wel, mama en zo.'

'Natuurlijk.' De glimlach van mevrouw O. week en ze knikte ernstig. 'Hoe gaat het met haar?'

'Goed, denk ik. Ze krijgt nog steeds pijnbestrijders, dus is ze er niet helemaal bij. Maar we denken wel dat we er naderhand wat van kunnen verkopen, weet u wel, zodat wij er ook nog wat aan hebben.'

Mevrouw O. vond het niet geestig. 'Kunnen wij iets voor jullie doen?'

'We redden ons wel. Rose woont een poosje thuis, weet u. En Bean is er ook weer, dus we komen geen handen tekort.'

'Het hele gezin weer bijeen, je ouders zullen wel verrukt zijn. Jullie vader miste jou en Bianca heel erg, weet je. Hij heeft het altijd over wat jullie uitspoken. Je kunt hem eigenlijk niet tegenhouden.'

'Bah, wat gênant. Namens mij en mijn zussen bied ik mijn excuses aan.'

'Zo is het nu eenmaal als je kinderen hebt. Wacht maar tot een van jullie hem een kleinkind geeft. Dan houdt hij echt niet meer op met kraaien.'

'Zeg dat maar niet te hard,' zei Cordy blozend.

'Volgens hem heb je veel gereisd. Wat heerlijk dat je iets van de wereld hebt gezien.'

De wereld? Ze had de wereld amper gezien. 'Ja.'

'Ik moet bekennen dat ik ervan opkijk jou hier terug te zien. Wij hadden altijd gedacht dat je nog eens in de toneelwereld zou belanden. Je was altijd zo fantastisch op het podium.'

'Ik?' lachte Cordy. 'Nee, ik denk niet dat ik het in me had.'

'Nou, dan heb je mij mooi een rad voor ogen gedraaid. Ik dacht dat ik inmiddels wel voortdurend gesigneerde schouwburgposters uit New York zou krijgen. Herinner je je Kalah Justin nog? Zij was toch ongeveer van jouw tijd?'

'Ja.'

'Nou, er zijn een paar stukken van haar geproduceerd in New York. Misschien moet je haar eens bellen, lieverd.'

Het vooruitzicht Kalah Justin te bellen die tijdens alle colleges die Cordy samen met haar had gelopen binnenshuis een zonnebril had gedragen en Franse sigaretten rookte, was zo'n beetje het minst aantrekkelijke wat ze zich kon voorstellen. Cordy besloot op iets anders over te gaan. 'Wat kan ik u aanbieden?'

Mevrouw O. keek een beetje op van Cordy's plotselinge zakelijkheid. 'O, ja. Nou, het is heerlijk dat je hier werkt. Nu moet ik hier natuurlijk elke dag komen. Ik wil graag een broodje kipsalade en een kom soep.' Cordy sloeg de lunches van alle vrouwen aan op de kassa en ging aan het werk, zette het eten op de dienbladen, waaraan Ian de drankjes toevoegde en zij bracht ze naar de tafeltjes. Ze luisterde naar het gekakel van de vrouwen tijdens het eten en maakte de vlakken onder de koffieapparaten schoon. In de pauzes dwaalde ze door de restanten van wat ooit de keuken was geweest toen de Beanery nog een restaurant was, maar dat was zelfs nog voor onze tijd. Nu was het er een doolhof van dozen, kopjes en servetten en rietjes en die eeuwig snerpende klapdoosjes van piepschuim waar ze al de hele ochtend mee worstelde. Ze liep peinzend langs de rijen en trok haar vingers over de stoffige oppervlakten.

Hier was ze dus naartoe gekomen. Naar de bedaarde stilte van Barnwell. Er kwam een niet weg te krabben jeuk in haar op, als een fantoomledemaat. Wanneer zou ze weer weg kunnen? Waar kon ze hierna naartoe gaan? En vervolgens dat zachte rukje aan het touwtje van haar mentale ballon. Ze kon nergens naartoe, dat was geweest. Er was nu sprake van een tijd hiervoor en een tijd daarna.

Toen Dan bijna twee uur later binnenkwam, had Cordy het gevoel dat ze alle oppervlakten had gepoetst. Hij en Ian wisselden het vriendelijke knikje uit dat alleen mannen van een zekere leeftijd schijnen te beheersen, Ian deed zijn schort af en verdween naar achteren.

'Cordeeeeeelia,' begroette hij haar. 'Hoe gaat het ermee?'

'Ik kan mijn been er wel afknagen van verveling, maar verder gaat het goed.'

Dan schoot even in de lach. 'Geniet er nog maar van zolang het kan, schat. In het studiejaar wordt het nooit zo rustig. Voor het geval je het vergeten was. Dan is het non-stop druk.'

'Whoa-druk,' beaamde Cordy zonder een spier te vertrekken.

Dan lachte. Cordy had als altijd doel getroffen. 'Spot jij maar, maar hij zet een geweldige bak koffie. Ik zal zo onthand zijn wanneer hij klaar is met zijn studie. En, wat heeft Ian je laten doen?'

'Afrekenen. Broodjes maken. Ik denk dat ik alles zeven keer heb schoongemaakt.'

'Je mag best een boek meenemen, weet je. Je leest toch nog wel?'

'Heb je mijn vader wel eens ontmóét?'

'Af en toe. Maar Bean ook. Volgens mij heeft die het hele jaar dat ik op haar etage woonde geen boek opengedaan.'

'Ha, dat is listige verwaandheid. Ze is magna cum laude afgestudeerd, weet je. Maar ze heeft zich er nooit door iemand op laten betrappen dat ze studeerde. Dat doet afbreuk aan haar image van partygirl.'

'Dan heeft ze me aardig bedot.'

Dan opende de kassa en stapelde de biljetten allemaal met dezelfde kant naar boven op.

'Dat is een teken van ernstige psychose,' zei ze.

Dan moest weer lachen en Cordy glimlachte. 'Je bent aangenomen. Ik ben zo blij dat ik iemand heb gevonden die echt een broodje wil maken zonder te bedenken hoe ze er iemand mee kan vergiftigen. Je hebt toch niemand vergiftigd, hè?'

'Nog niet. Maar het is nog vroeg.' Cordy knipperde innemend met haar ogen.

'Dan moest ik je maar eens naar huis sturen. Kom morgen maar om deze tijd terug, dan laat ik je nog meer zien.'

'Wil je dat ik nu al wegga? Zul je je niet alleen voelen?'

'O, en het spitsuur wordt me vast te machtig,' zei Dan terwijl hij om zich heen keek. Een stel zat aan een tafeltje aan het raam naar elkaar toe gebogen en een student hing aan de schaaktafel en zijn hoofd bungelde slaperig boven de amper omgeslagen bladzijden van Rilke in zijn hand. Waarschijnlijk alleen maar voor de show. 'Toe maar, je zult je wel rot vervelen.'

Ze vouwde de vochtige handdoek op en hing hem over de rand van de spoelbak. Die had moeten fonkelen, daarnet was ze hem te lijf gegaan met natriumbicarbonaat en citroen. 'Meestal werk ik in deze tijd van het jaar als serveerster op een duderanch, een boerenbedrijf voor mannenvakanties, en dat is razenddruk werk, dus ja, dit is een beetje raar.'

'Mis je het?'

Cordy maakte haar schort los en stopte even om na te denken. Ze dacht aan de hete dagen met verre horizonten en de koude nachten met heldere sterrenhemels. Ze dacht aan vrij zijn om te gaan en staan waar ze wilde en te doen wat ze wilde, aan niets schuldig zijn en niets bezitten. Ze dacht aan drugs en duizelige jeugdigheid en aan die eeuwige honger, en aan de mensen die ze had gekust en verlaten, en aan de beloften die ze had gedaan en gebroken.

'Nee,' zei ze en we konden met geen mogelijkheid bepalen of ze nu loog of niet.

Cordy schonk nog een beker limonade in voor zichzelf en sloeg haar schort bij haar vertrek over haar schouder. De warmte van de namiddag brandde zichzelf langzaam op voor de avond en voelde klam op haar afgekoelde armen. Ze liep langzaam en liet de vochtigheid haar huid zacht maken. Een paar auto's snelden bijna geruisloos langs. Maura, de eigenares van de boekwinkel, stak haar hoofd uit de voordeur om naar Cordy te zwaaien, die lauw terugzwaaide en niet overstak. Maura verdween weer achter het spandoek met OPHEFFINGSUITVERKOOP. Cordy begon te denken dat het allemaal een list was, want de uitverkoop duurde al zo lang dat er maar niet werd opgeheven. De directrice van het postkantoor toeterde toen ze langsreed, afsloeg van Main Street en in de steeg achter de Beanery verdween en Cordy wuifde nog een keer.

Was dit het dus? Was dit haar leven ná? Kalah Justin zat in New York een ster te worden en Cordy was een barmeisje in Barnwell. Had ze de universiteit maar afgemaakt. Was ze maar jaren terug al naar huis gegaan toen de glans begon te vervagen, in plaats van grimmig door te gaan in de hoop op verbetering. Had ze maar...

'Te laat,' zei Cordy tegen niemand in het bijzonder.

11

'Heb je wel eens nagedacht over het woord "nee"?' vroeg Bean. Ze legde haar tas op de tafel bij de deur en schopte haar schoenen uit. Aan de andere kant van de kamer zat Cordy met gekruiste benen in een leunstoel met een boek op schoot.

'Niet echt, maar ik doe het met liefde als jij je daar beter door voelt,' zei Cordy.

'Vandaag heb ik vijftigduizend keer "nee" gehoord. Ik ben overal en nergens geweest op zoek naar werk. Niemand zoekt personeel.'

'Nou ja, het is dan ook totaal de verkeerde tijd.'

'Ja, en ook totaal de verkeerde plaats.' Bean plofte op de bank en strekte haar benen. 'Hoe dan ook, jij hebt wel werk.'

'Volgens mij was dat uit medelijden.'

Bean snoof. 'Ik zou in dit stadium ook een baan uit medelijden nemen.'

'Bianca, kun je alsjeblieft van de bank opstaan?' Rose kwam de hoek om met mama aan haar arm. Bean sprong overeind.

'Tjonge. Het leeft!' zei Cordy.

'Dank je, lieverd,' zei mama. 'Je hebt een prachtige manier om met zieken om te gaan. Volgens mij moet je medicijnen gaan studeren.'

'Graag gedaan,' zei Cordy en ze las verder. Bean hielp Rose mama naar de bank te brengen. Ze zag er iets beter uit; haar huid vertoonde weer een vleugje roze en het wit van haar ogen was niet meer zo grauw. Sinds de operatie had ze niet meer kunnen douchen, maar voor haar ontslag uit het ziekenhuis hadden ze haar afgesponsd en ze rook aangenaam naar zongedroogde was en lotion. Als we niet naar haar bovenlichaam keken, konden we doen alsof er niets was gebeurd, dat ze niets anders onder de leden had dan een hardnekkig zomergriepje.

Rose pakte de quiltdeken van de rugleuning van de bank en legde die over mama's knieën zodat de felroze nagellak die Cordy onhandig had aangebracht in een poging zichzelf nuttig te maken in het ziekenhuis aan het oog werd onttrokken.

Bean deed een stapje naar achteren om hun werk te bewonderen. *'De bark waarin ze zat brandde op het water als een troon van vuur; de spiegel was gedreven goud.'*

'Dank je wel voor de verwijzing naar Cleopatra, Bianca. Ik vat het maar op als een compliment,' zei mama. Rose bukte zich om een plastic bolletje naast mama op te pakken en legde het op haar schoot.

'Daar moet je niet op zitten, mam. Dan werkt de drain niet goed.' Ze wierp een kritische blik op het geval en ging naar de keuken.

'Is dat de drain?' vroeg Bean. 'Ik dacht dat die veel groter zou zijn, zoals een warmwaterkruik.'

Cordy legde haar boek neer en tuurde naar haar zus. 'Dat is een lullige opmerking, Bean.'

'Nogmaals bedankt,' zei mama. 'Ik hoop echt dat als je ooit ziek wordt, wij je een wederdienst kunnen bewijzen zodat je je net zo aantrekkelijk voelt.'

'O, mammie,' zei Cordy. Ze klom uit haar stoel en kroop op handen en voeten over de grond naar de bank, waar ze als een poes mama's hand een kopje gaf. 'Ik maak maar een grapje.'

'Dat weet ik wel, lieverd,' zei mama terwijl ze Cordy's haar streelde. 'Wat hoor ik daar over werk, Bianca?'

'Niks. Geen werk. Niemand wil deze ouwe Beanerik aannemen.' Bean nam plaats in de stoel die Cordy net had verlaten en masseerde haar voeten.

'Heb je de universiteit al geprobeerd?'

'Jawel. Niets, tenzij ik op de afdeling elektra wil werken, wat ik best wil, maar het lijkt me een slecht idee voor iedereen daar, want ik weet niets van bedrading.'

'Verstandig,' zei Cordy met een tikje van haar wijsvinger tegen haar neus.

'Ben je echt overal geweest?' vroeg Rose. Ze kwam net terug uit de keuken met een glas water dat ze netjes op een onderzettertje naast mama zette.

Bean keek Rose met samengeknepen ogen aan. 'Ja, Rose, ik ben echt overal geweest. De afgelopen twee dagen heb ik mijn licht opgestoken op het terrein van de schoonheidsverzorging, kunstmest, boekhouding, catering en alles daartussen.'

'Kunstmest,' zei Cordy peinzend. 'Dat klinkt boeiend.'

'Wees niet bang, ze hebben niemand nodig.'

'Als het je echt ernst is, als je echt eens op pad gaat, zul je vast wel iets vinden,' zei Rose.

Beans mond viel open. 'Je maakt zeker een geintje. Je hebt geen idee wat ik allemaal heb gedaan.'

'Meisjes, meisjes,' zei mama zonder veel effect. Bean was zo boos dat ze eruitzag als een stripfiguur met rook uit de oren. 'Bianca, je vindt echt wel iets.'

'En intussen heb je geen kosten?' vroeg Rose.

'Juist,' zei Bean en ze keek naar de grond.

Rose fronste. Ze wilde behulpzaam zijn. 'Als je hulp nodig hebt, zoals met een begroting maken, of zoiets...' Ze zweeg.

'Dat is lief van je, Rosie,' kwam Cordy vriendelijk tussenbeide, voordat Bean kon uithalen. 'Echt lief.'

Bean ademde uit door haar neus. Het lag niet aan Rose. Zij wist het niet. Zij wist niet dat Bean de schulden als een loden last op haar schouders voelde drukken, dat Daisy inmiddels twee brieven had geschreven, waarvan nummer twee nog dringender. Ze eiste dat Bean zou betalen wat ze hun schuldig was, dat er legio advocaten beschikbaar waren die haar net zo makkelijk achter de tralies konden krijgen als ze ademhaalden...

Nee, dat wist Rose niet. En Bean kon het haar niet vertellen, al wilde ze het wel. Wanneer ze 's morgens wakker werd, was haar eerste gedachte er een aan geld. Wanneer ze zich aankleedde, berekende ze hoeveel elk kledingstuk had gekost. Nu liep ze etalages voorbij met haar handen in haar zakken, ze werd niet goed van de gedachte überhaupt iets uit te geven. Ze droomde van de gezichten van haar schuldeisers die woedend tegen haar schreeuwden en ze werd wakker terwijl de tranen op haar gezicht droogden en met een gevoel van hulpeloosheid dat als een lijkwade over haar heen lag. Haar nek voelde warm en ze vroeg zich af wat er zou gebeuren als ze haar geheim wel zou verklappen, als ze haar mond opendeed om die pijn eruit te laten. Het idee van verlossing was zo verleidelijk, zo binnen handbereik.

Maar het vooruitzicht van de schande was erger. En de gedachte aan wat Rose van haar zou denken als ze het vertelde... Dat kon ze niet aan.

Mama had gelijk. Er kwam wel iets. Gauw. Het alternatief was ondenkbaar.

Rose liep de stad in naar de apotheek om mama's medicijnen te halen. We hadden de vorige dag aan Cordy gevraagd ze mee te nemen op weg van haar werk naar huis, maar dat was ze schokkend genoeg vergeten. Nadat Rose had afgerekend, zwierf ze nog wat door de gangpaden want ze wilde nog niet terug de hitte in, en ze liet de koude lucht het zweet op haar huid afkoelen terwijl haar blik langs de schappen dwaalde.

'Doctor Andreas?'

Rose keek op van een schap met batterijen. Ze schrok nog altijd een beetje wanneer iemand haar met papa's naam aansprak, al was ze zelf gepromoveerd en had ze daardoor ook recht op de titel.

'O, doctor Kelly!' zei Rose en ze liep naar de vrouw die bij de deur stond. Doctor Kelly was Roses favoriete hoogleraar wiskunde op de universiteit geweest. 'Wat leuk om u weer eens te zien. Hoe is het met u?'

'Uitstekend. We zijn net terug van een cruise met de familie in Griekenland.'

'Griekenland, wauw. Met kleinkinderen en al?'

'Kleinkinderen en al. Carl en ik vierden onze veertigste huwelijksdag en we vonden het leuk als iedereen meeging.'

'Dat klinkt fantastisch. Ze zeggen dat Griekenland geweldig is.'

'Dat is het ook. Jij en Jonathan moeten er een keer heen. Misschien op huwelijksreis?'

'Misschien.'

'Hoe is het met je moeder?'

'Gemengde gevoelens. Ze herstelt goed van de operatie, maar ze hebben kankercellen gevonden in een paar van de lymfeklieren die ze hebben verwijderd, dus moet ze bestraald worden en misschien nog een chemokuur ondergaan.'

'Wat naar om dat te horen,' zei doctor Kelly. 'Kunnen wij iets doen?'

'Ze zou best gezelschap willen, anders dan ons, bedoel ik.'

'Dan zal ik haar een keer bellen om te horen hoe ze zich voelt. Wat ik wilde zeggen, Rose, is dat ik jou wilde bellen.'

'O?' zei Rose. Ze verplaatste haar gewicht en sloeg de armen over elkaar. De zak medicijnen kreukte onder haar arm.

'Na dit jaar ga ik met emeritaat. Zoals je weet is Carl al een tijdje met pensioen en hij wil graag verhuizen. Dichter bij de kinderen wonen.'

Een sprankje hoop lichtte in Rose op en haar hart ging sneller kloppen. Dit kon het antwoord op haar gebeden zijn. Ze had altijd al een baan met uitzicht op een vaste aanstelling op Barney willen hebben, en nu haar huidige universiteit haar contract niet verlengde, kon de timing niet beter.

'Dus is er een plek vrij. Een van de huidige faculteitsmedewerkers promoveert tot hoofd. Heb je nog belangstelling?'

'Wat dacht u? Natuurlijk heb ik belangstelling.'

'Nu Jonathan in het buitenland zit, dacht ik dat je misschien naar hem toe zou gaan.'

'Naar Engeland?' Rose lachte. 'Nee, u kent me toch. Ik ben een honkvast type. Ik zou het heerlijk vinden op de faculteit van Barnwell te mogen werken.'

Doctor Kelly neeg het hoofd een beetje om Rose aan te kijken, die zo straalde dat ze de hele winkel had kunnen verlichten. 'Dan kun je maar beter je sollicitatiespullen bij elkaar rapen. In de herfst maken we de vacature bekend. En Rose, je moet dit niet gaan rondvertellen, maar jouw naam kwam het eerst op toen we de kandidaten bespraken. Ik weet vrij zeker dat de baan van jou is als je hem wilt.'

'O, dank u wel, doctor Kelly!' zei Rose. Ze gaf haar een stevige knuffel waarmee ze ook zichzelf verraste en haastte zich naar buiten. 'U bent altijd welkom!' riep ze over haar schouder.

Bijna de hele weg naar huis holde ze. Toen we klein waren, hield Bean graag modeshows, Cordy hield van tea-party's en Rose van schooltje spelen. Zij moest natuurlijk altijd de docente zijn. Maar als Bean en Cordy lang genoeg meespeelden, zag ze zichzelf nooit voor de klas van een basisschool staan. Het was altijd een van de collegezalen van Barnwell. Wanneer papa ons meenam naar zijn werk, dwaalde zij naar een van de lege zalen en gaf ze college aan een ingebeeld gezelschap studenten, totdat er een echte langskwam om haar ballon door te prikken.

En nu gebeurde het echt. Ze holde naar binnen, zette de zak medicijnen in de keuken en sprong de trap op naar haar kamer. Ze belde Jonathan, maar die nam niet op en hij had geen antwoordapparaat. Waar zat hij? Ze wilde het hem dolgraag vertellen; het was het antwoord op al hun problemen. Hij kon zijn jaar in Engeland afmaken en daarna terugkomen voor een baan op Barney of een andere universiteit in de buurt. En dan hoefde zij hier niet weg. Dan hoefde er niets te veranderen.

Ongeduldig belde ze opnieuw, maar er waren nog geen vijf minuten verstreken en er werd nog steeds niet opgenomen.

Meer geërgerd dan teleurgesteld nam Rose een kijkje bij mama, die sliep, en bij papa, die in zijn werkkamer bezig was en haar groet niet eens hoorde. Cordy was op haar werk en Bean zocht weer een baan. Wat had je aan schitterend nieuws als er niemand was om het aan te vertellen?

Ze reikte naar de telefoon om Jonathan nog een keer te bellen en liet haar hand weer zakken. Toen vroeg ze zich af: stel dat hij niet blij zou zijn voor haar?

De kans was groot dat hij het niet zou zijn. Bij hun ontmoeting had hij haar verteld dat hij een zwerver was en dat had hij bewezen door er bij de eerste de beste gelegenheid vandoor te gaan. En Rose was helemaal geen zwerver. Jonathan zou waarschijnlijk beter bij Cordy passen, die al ongeduldig met haar voet tikte als ze ergens langer dan een week was.

Die gedachte maakte haar irrationeel jaloers en ze moest bijna om zichzelf lachen.

Ze moest hem gewoon laten inzien hoe volmaakt alles was. Ze moest het voorzichtig uitleggen, hem laten inzien hoe logisch het was om zich hier te vestigen als zijn werk in Oxford erop zat. Hoe belangrijk het was dat ze dicht bij papa en mama woonden, en maar een korte vlucht bij zijn ouders vandaan. Het sprak zo vanzelf en Jonathan was zo rationeel ingesteld. Hij zou haar visie delen. Natuurlijk. Dat kon niet anders.

12

Zondagmorgen met dikke onweerswolken aan de hemel, zwaar van de regen. Cordy was al een tijd voor ons opgestaan om pannenkoekbeslag te maken met bosbessen die ze van de struikjes bij de buren had ontvreemd, hun tere lijfjes barstten onder het geweld van de pollepel waardoor het beslag met felpaarse vlekken werd bespikkeld. De laatste tijd was ze een culinaire onewomanband geworden die symfonieën van eenvoudig maar heerlijk voedsel opdiende. Zelfs Bean kon de verleiding niet weerstaan, maar beperkte zich tot twee pannenkoeken en er speelde slechts een zwakke schaduw van een sneer om haar lippen toen ze zag hoe Cordy, die nog steeds staken van armen had maar wier huid weer een gezonde roze gloed vertoonde, een enorme stapel zag verorberen tot haar kin droop van de stroop.

Mama at met ons mee, al kon ze amper één exemplaar weg krijgen, en ze dronk voornamelijk water omdat ze over maagzuur klaagde. Na het ontbijt verkleedden we ons allemaal zonder discussie om samen naar de kerk te gaan, zoals we elke zondagochtend van onze kinderjaren hadden gedaan. Telkens wanneer we thuis waren, namen papa en mama automatisch aan dat we mee zouden gaan naar de kerk. Waarschijnlijk gingen ze ervan uit dat we ook regelmatig gingen wanneer we niet thuis waren. En omdat zij het belangrijk vonden, omdat hun geloof zich nooit uitte in bombastische taal of donderpreken, was het naar ons idee net zo goed een onderdeel van wie zij waren als de boeken die ze lazen.

Papa en mama gingen met de auto – ze was nog steeds te zwak om zelfs het kleine stukje naar St. Mark's te lopen – maar gedrieën volgden we het pad dat we al ontelbare malen hadden gelopen, het pad dat zich door het stille bos achter de kerk slingerde en weer tevoorschijn kwam bij de huizen in onze straat. Toen het pad smaller werd, liepen we achter elkaar, met Rose voorop en telkens wanneer die de ene comfortabele sandaal voor de andere zette, vlogen er wolkjes stof achter haar hakken op. Daarachter volgde Bean, wier vest, klaar om haar ouderwetse halterjurk kuis te houden, aan haar vingertoppen bungelde. En als laatste natuurlijk Cordy, die zacht neuriede en een stok langs de struiken aan weerskanten van het pad trok.

'Van wie is het hier?' vroeg Cordy en haar stem verbrak de stilte.

'Van de gemeente,' riep Rose over haar schouder. Een krulletje was ontsnapt aan het strakke knotje en danste onder het lopen vrolijk op en neer. Bean keek naar de mannelijke voetstappen van haar oudste zus, haar zware brede heupen die haar omlaag trokken en spande haar eigen kuitspieren aan.

Midden in het bos klonk het zoemen van insecten gedempter door het wasachtige groen van de bomen. Bean bleef even staan om naar de symfonie boven hun hoofd te luisteren. Cordy, die naar de punt van de stok keek, liep haar bijna omver. 'Wat is er?'

'Die vogels. Zo hoor ik in New York de vogels nooit.' Gek genoeg was ze eraan gewend geraakt. Toen ze klein was, werd ze wakker en luisterde ze naar de gesprekken van de winterkoninkjes buiten en het nijdige gefladder van Vlaamse gaaien die elkaars territorium betraden. In de tuin hadden we een nestkastje voor roodborstjes opgehangen, en Bean herinnerde zich hoe ze werd opgetild en haar voeten het scherpe, dikke gras ontstegen, dat ze het dakje van het nestkastje omhoog duwde en in het nestje twee minuscule eitjes zag liggen, zo blauw als Mexicaanse turkoois. Ze leken in het halfduister van het kastje onmogelijk fel van kleur en Bean werd vervuld door het verlangen om ze aan te raken, maar toen ze haar hand erin stak trok haar moeder haar weg. Pas toen de vogels geboren waren en elke dag in hun natte verentooi nijdig om voedsel schreeuwden, haalde mama de schalen uit het nest en legde ze in onze hand als kostbare kleinoden. Bean legde ze op de ladekast en streelde ze elke avond zacht, en sloeg de minieme kleurnuances in zich op tot ze de fragmenten beter kende dan haar eigen gezicht.

'*Als vogels zingen, tierelierelei*,' zong Cordy een beetje toonloos, waar niets aan te doen was, want afgezien van gebrek aan muzikaal talent was de muziek van Shakespeares liederen allang verloren gegaan, hoewel papa altijd geïnteresseerd bleef in eigentijdse pogingen om de melodieën te reconstrueren.

Verderop bleef Rose staan wachten met een hand autoritair op haar heup. 'We komen te laat,' zei ze.

Bean keek nog altijd zonder iets te zien omhoog, zoals die jonge roodborstjes in het nest. De schaduwen van het zonlicht dat door de takken viel tekenden een spinnenweb op haar gezicht. Ze wendde zich tot Rose, maar haar ogen registreerden geen herkenning, alleen een leeg koufront.

'Ik ben ontslagen,' zei ze.

Niemand zei iets, maar Cordy stopte met het porren in de grond met haar stok, en Roses hand schoot van haar heup.

'Ze hebben me ontslagen.'

'Wat had je gedaan?' vroeg Rose en ze kon haar tong wel afbijten. Het klonk zo scherp. *Zijn tong is gift'ger dan de slangen van de Nijl.* Maar Bean leek er geen erg in te hebben.

Het binnenhouden had minder moeite gekost. Op haar maag lag weliswaar een loden gewicht waarvan ze wist dat het haar geheim was, maar die kon je makkelijk terugbrengen tot een dof geraas, onderdrukt door de eenvoudige afleiding van dagdromen en zoektocht naar werk. Het hardop zeggen maakte het onmogelijk er geen acht op te slaan. Vluchten uit New York had haar afstand gegeven, de indruk gewekt dat het iemand anders' leven was, iemand anders' rampspoed, maar het hier in dit bos hardop zeggen?

'*De domste dief zelfs praalt niet met zijn stelen*,' zei Bean. We stonden stil en wachtten af. Uiteindelijk wendde ze zich weer tot Rose en nu stonden haar ogen helder en alert en waren ze vol tranen. 'Ik heb het verknald,' zei ze. 'Ik heb gestolen. Van mijn werk. Geld. Ik heb goddomme zo veel geld gestolen.'

Haar schouders schokten van het huilen, ze stootte een gekweld gesnik uit, geweeklaag van verdriet en schaamte. Mascara trok dikke sporen over haar wangen en wiste de subtiele suggestie van gezondheid weg die de make-up daar had aangebracht zodat er nu donkere wallen onder haar ogen zaten en bleke rimpels om haar mond, omlaag getrokken van pijn en verdriet.

Cordy kwam als eerste in beweging, liet haar stok vallen en trok Bean in haar armen; haar nagels, nog blauw van het bosbessensap, streelden kalm over haar rug en volgden de lijnen van de stof. Rose kwam aarzelend naar voren, de vragen brandden op haar lippen, maar Cordy schudde van nee en toen Bean haar voorhoofd op Cordy's schouder liet zakken, stak Rose behoedzaam haar hand uit alsof ze een wilde kat aanraakte, en streelde zachtjes Beans haren.

Daarna kwam het hele verhaal eruit. Ja, ze was naïef geweest en had niet begrepen hoe duur het leven in New York zou zijn. Maar dat was niet wat haar ertoe had aangezet. Dat was alles wat Bean nodig had om haar rol met succes te spelen; de schoenen, de kleren, de make-up, de drankjes in de cafés en clubs waar een fles water al bijna tien dollar kostte. Een van haar huisgenoten, een vrouw met een zuur gezicht die Stella heette, werkte voor een uitgeverij van vrouwenbladen, neusde vaak rond in de kast met de uitgebreide serie schoonheidsproducten die van Bean Bianca maakten. En die leerde haar hoe ze zich kon laten uitnodigen voor de uitverkoop van artikelen en met pr-mensen naar bed te gaan die alle beste collecties hadden. (Ze dankte haar pièce de résistance, een fantastische tas van krokodillenleer waar zelfs beroemdheden van de hoogste categorie maanden naast hadden gegrepen, aan een bijzonder avontuurlijke stoeipartij in een limousine op de terugweg van een totaal oninteressante boekpresentatie.) Maar goedkoop was het leven nog steeds niet.

Het ware Bean misschien te vergeven geweest als ze de eerste verduistering had gepleegd vanuit een of andere radeloze behoefte, zoals de betaling van huur, eten, of protectiegeld voor de maffia. Maar zo was het niet. Laten we eerlijk zijn. Het waren te veel avonden uit in te veel nachtclubs, te veel drankjes die ze zelf moest betalen op slappe avonden wanneer ze niets kreeg aangeboden, te veel schoenen die per paar meer kostten dan een half jaar studieboeken op Barney (en één paar was al te veel). Maar ze zat nu eenmaal met de loonlijst aan een bureau. De firma was zo klein dat ze de cheques met de hand uitschreef en ze naar een van de partners bracht om te tekenen, en al was de gedachte nog nooit bij haar opgekomen, ze besefte dat het heel makkelijk was iets voor zichzelf toe te voegen. De partner keek er nooit naar, die tekende gewoon, en ze zou het maar één keer doen. Gewoon om iets van de exorbitante debetrente terug te krijgen die ze had laten oplopen. En ze zou het terugbetalen.

En omdat het geld nooit werd gemist en er een uitverkoop van showmodellen was in een tassenwinkel waar ze een paar mensen kende en naar binnen mocht voor een eerste kans om door de nieuwe tassen te neuzen, deed ze het nog een keer. En vervolgens had een verrukkelijke Hollywoodster de hoofdrol gekregen in de een of andere heropvoering op Broadway waar Stella dolgraag heen wilde, dus nam Bean haar mee als verjaarscadeau. En daarna was er een fantastische winterjas te koop en ze kon echt haar vorige niet meer aan, niet in New York. Enzovoort enzovoort.

Dat wil niet zeggen dat Bean zich niet schuldig voelde. Dat deed ze wel. Telkens wanneer ze haar cheque naar de bank bracht, dankte ze de hemel dat de firma nog niet zo ver was om de salarissen rechtstreeks te storten en verwachtte ze dat de kassier haar aan zou kijken zodat die haar vuurrode wangen zou zien en de leugens in haar ogen, en haar uit zou maken voor wat ze ook was. Een dief. Maar bij het eenvoudige genoegen van geld uitgeven en de mogelijkheid haar vriendinnen op een avondje uit te trakteren was het zo makkelijk om dat te vergeten. Tot de volgende betaaldag kwam en haar rekening leeg was en het weer moest.

Het was ook niet vanuit puur egoïsme; ze was net zo gul voor anderen als voor zichzelf. Het enige wat ze nooit deed was reizen en dat was een deel van de akelige waarheid waarom Bean zo zelden naar huis ging. Ze wist dat ze net die ene dag dat ze weg was ontmaskerd zou worden, dus was ze dag in dag uit op kantoor en voelde zich niet goed worden wanneer ze daar een compliment kreeg voor haar uitstekende werkethos, voor het feit dat ze nog kwam als ze gloeide van de koorts en die afdeed als te enthousiast opgebrachte make-up. Ze ging zichzelf erom haten, maar kon niet stoppen.

Goed, als je psycholoog was, zou je misschien iets willen zeggen over hoe Bean haar werk haatte en misschien New York ook wel en dat dit allemaal haar manier was om alle problemen op te lossen zonder zelf het zware werk te hoeven opknappen.

En dan zou je best eens gelijk kunnen hebben.

Ze vertelde ons natuurlijk niet alles, bij lange na niet. Ze had ons niet verteld hoe ze dat misselijke, duistere gevoel vanbinnen verstopte door het in riskante fantasieën te begraven. Ze vertelde ons niets over Edward en de manier waarop ze Lila had verraden. Daarover zweeg ze.

Zussen bewaren geheimen.

Want geheimen zijn zwaarden.

Maar op dat moment dachten we niet aan wat Bean had misdaan, maar hoe ze uit de moeilijkheden kon komen. 'Het komt wel weer goed, Bean,' zei Rose zacht. Haar woorden waren net zo vriendelijk als haar vingers op haar zusters haar. 'Daar zorgen wij wel voor.'

Rose stond al klaar met een handdoek toen mama uit de douche kwam. Ze wendde kies de ogen af, maar die nijdige rode kerf, die gehecht was met donker draad, hechtte zich op haar netvlies. De lege plek waar haar borst had gezeten zag er vreemder uit dan een ontbrekende arm, vond Rose. Het had meer van een gelaat zonder trekken, met de afwezige tepel als een afwezige mond. Mama vertrok haar gezicht toen ze haar arm optilde om de handdoek aan te pakken en Rose gaf haar die aan. Ze liet mama zichzelf droog deppen voordat ze hem voorzichtig over haar borst hing en geen acht sloeg op het water dat zich op de grond verzamelde. Ze kon haar arm nog niet ver genoeg optillen om zichzelf een handdoek om te slaan of de sjaal vast te maken die ze over haar hoofd droeg. De stof had de neiging slap te gaan hangen tot een van ons zich voldoende ergerde om hem opnieuw om te slaan. Rose liep achter mijn moeder om de kraan van het bad dicht te draaien, want die druppelde nog na. Mama stak haar goede arm uit om de condens van de spiegel te wissen.

'Heb je hulp nodig?' vroeg Rose.

'Nee, dank je, lieverd,' zei mama. Ze staarde naar haar spiegelbeeld.

'Ik ben in de slaapkamer. Ik zal je helpen met de oefeningen en daarna kunnen we het verband verschonen.'

'Mooi.'

Rose glipte de gang op, trok de deur achter zich dicht en zag nog net dat mama de handdoek liet zakken om haar onevenwichtige borst te ontbloten en een blote hand op de lege plek van haar huid te leggen.

Wat moet dat vreemd zijn, dacht Rose. Klein als ze zijn, hebben we nooit veel waarde aan onze borsten gehecht, maar om er een te missen? Of beide? En het waren de borsten van onze moeder die ons hadden gevoed en waartegen we hadden uitgehuild toen we klein waren. O, het was egoïstisch om het te denken, maar wij misten ze ook.

Toen Rose ging zitten op papa en mama's bed, dat zo hoog was dat er aan het voeteneind een trede zat om er makkelijker in te komen, voelde ze het dekbed onder haar inzakken terwijl ze de lotion en het verbandgaas uit het nachtkastje haalde. Toen ze nog een tiener was, kwam ze een keer de keuken in, waar ze haar moeder aantrof met de handen in het zeepsop en haar vader achter haar stond met zijn handen bezitterig om haar borsten. Hij kuste haar nek, fluisterde iets in haar oor en ze lachte. Rose had zich teruggetrokken, niet zozeer gegeneerd door het tafereel als wel door de wijze waarop haar ongelegen entree hun privacy had geschonden. Nu vroeg ze zich af of papa het litteken zou kussen wanneer ze weer de liefde zouden bedrijven. Zou hij die lege plek strelen?

Wanneer het haar zou overkomen – het leek niet langer als – zou Jonathan het dan doen?

'Ik voel me zo'n stuk beter,' zei mama toen ze de slaapkamer binnenkwam. Ze hield de handdoek weer voor zich toen ze steunend op Rose op bed ging liggen. Haar gezicht vertrok iets toen ze naar het midden schoof. 'Maar ik ben die stomme sjaals zo beu. Ik wou dat mijn haar wat opschoot.'

'We kunnen hoeden voor je kopen. Of je kunt ze ook helemaal laten. Eerdaags is het zo lang dat het lijkt alsof je het zo hebt laten knippen,' zei Rose. Ze trok de handdoek voorzichtig omlaag en door alleen de wond te ontbloten bewaarde ze het kleine beetje zedigheid dat in onze relatie nog restte. Het was toch nog een wond? Nog geen litteken.

'Ik denk dat het heel lang duurt voordat het er een beetje gewoon uitziet.'

'Mis je je borst?' Rose strekte voorzichtig mama's arm en bewoog ermee op de geduldige manier die de fysiotherapeut had laten zien.

'Ja. Ik ben er nog niet aan gewend. Telkens wanneer ik in de spiegel kijk, is het alsof ik een skelet zie en niet mezelf.' Mama haalde diep en sidderend adem en Rose zag tranen in haar ooghoeken. 'Nou ja,' zei ze uiteindelijk. 'Misschien is het de beste oplossing. Voor een vrouw van mijn leeftijd is zo veel haar onpraktisch. Het is net het raadsel van de sfinx, hè? We beginnen met kort haar, dan laten we het lang groeien en tot slot knippen we het allemaal weer af. Is je dat nooit opgevallen?'

'Wat?' vroeg Cordy die binnenkwam en enthousiast op het bed sprong, waardoor Rose haar vernietigend aankeek. Cordy sloeg er geen acht op, wentelde op haar zij en steunde op een arm.

Mama draaide zich naar haar toe en glimlachte terwijl Rose haar arm bleef bewegen. 'Dat oudere vrouwen nooit lang haar hebben.'

'Ik vind je nog te jong voor een wekelijkse kapbeurt,' zei Cordy.

'Er komt meel op het bed,' zei Rose. 'Ben je weer aan het bakken?'

Cordy tuurde naar de sprei. 'Het is wit. Je ziet het niet. En ja, ik maak challe.'

'Ruikt goed,' zei mama.

Rose spoot wat lotion in haar handpalm en wreef haar handen in elkaar voordat ze ze op en neer over mama's arm wreef. Onder de lichte verslapping van de ouderdom voelde ze de spieren nog zitten. Cordy ging rechtop zitten en stak haar hand uit, en Rose goot er wat lotion in, zodat we haar armen samen konden masseren.

'Wat een leven,' zuchtte mama. 'Als ik had geweten dat ik zo'n behandeling zou krijgen, zou ik jaren geleden al ziek geworden zijn.'

'Galgenhumor,' zei Rose.

'Nee, als dit het leven zou zijn, zouden wij strandtentjongens zijn en zou je ergens aan zee zitten,' zei Cordy.

'Ik zou die jongens amper kunnen bijhouden tegenwoordig,' zei mama. 'Ik heb het gevoel dat ik de afgelopen zes maanden alleen maar heb gelegen. Wanneer dit achter de rug is heb ik geatrofieerde spieren.'

'Dan zorgen we voor een paar bedienden die je in een draagstoel kunnen rondsjouwen,' zei Cordy. De telefoon ging en ze viel achterover in een schijnbaar onmogelijke houding, haar broek schoof omlaag zodat je haar buik zag toen ze boven haar hoofd naar de hoorn reikte. Mama hield voorzichtig haar arm omhoog, zodat Rose een nieuw verband kon aanbrengen.

'Hal-ló,' zei Cordy. 'Hallo, Jonathan! Hoe is het met mijn favoriete zwager?' Rose wierp een blik op de klok. Na middernacht daar. Ongewoon. Ze voelde een vleugje paniek.

Cordy luisterde even en trok haar wenkbrauwen op naar Rose. 'Alles goed hier. We maken mama klaar voor de nacht.' Ze klemde de hoorn tussen haar hoofd en haar schouder en hielp Rose mama rechtop trekken, pakte haar nachtjapon en wierp die naar Rose, die hem over haar hoofd trok. 'Ja hoor, een stuk beter. Hoe is het in Engeland? Nog goeie thee gedronken de laatste tijd?' Er viel weer een stilte en ze giechelde. 'Helemaal. Zeg, is het geen miljoen uur daar?'

Mama's adem stokte toen Rose haar arm iets te ruw in de mouw duwde. 'Sorry.'

'Luister, ik geef je aan Rose voordat ze mama's arm breekt. Doei!' Cordy gaf de telefoon aan Rose. Daarna trok ze mama's nachtjapon omlaag over de handdoek voordat ze die tevoorschijn haalde als een goochelaar die een kleedje van een tafel rukt.

Rose liet het opschudden van de massa kussens waar mama nooit zonder kon aan Cordy over en liep de gang op.

'Alles goed?'

Jonathan lachte. 'Zo ken ik je weer. Altijd op zoek naar een ramp.'

'Hou op. Je weet best dat je allang op bed had moeten liggen.'

'Je belt me altijd wanneer het daar in het holst van de nacht is. Nu mag ik eens.'

'Ik ben overigens blij dat je belt. Ik probeerde je vannacht te bereiken, maar je was er niet. Kun je geen antwoordapparaat nemen?'

'Jawel. Maar dat zou alle plezier bederven. Ik zat op dat congres in Londen, weet je wel? Voor de presentatie van mijn paper, weet je nog?'

'O ja, natuurlijk,' zei Rose berouwvol. Ze was zo opgewonden geweest dat ze zijn presentatie glad vergeten was. 'Hoe ging het?'

'Geweldig. Ik was vreselijk zenuwachtig, maar toen ik eenmaal van wal stak, werd het veel makkelijker. En naderhand kreeg ik een aantal prachtige vragen. Ik krijg ook nog een paar goeie collegeperioden. En, waarom wilde jij me bellen?'

De opwinding nam weer bezit van Rose en ze vergat al haar omzichtige bewoordingen. 'Ik heb heel opwindend nieuws.'

'O ja? Ik ook. Wie eerst?'

'Ik,' zei Rose. 'Ik loop al te huppelen sinds ik het weet.'

'Mooi beeld.'

'Overdrachtelijk gesproken.'

'Jammer. Dus wat is er, schat? Leuk dat je zo blij klinkt.'

Rose liep naar haar slaapkamer, deed de deur achter zich dicht en vlijde zich op het perfect opgemaakte bed. 'Gisteren in de apotheek liep ik doctor Kelly tegen het lijf. Weet je nog dat ik over haar heb verteld?'

'Jazeker. Ze was toch je favoriete hoogleraar? Was ze niet je mentor bij je promotie? Hoe is het met haar?'

'Ja, die. Ze maakt het goed. Ze bereidt zich voor op haar pensioen aan het eind van het studiejaar.'

'O.' Aan de andere kant van de lijn ademde hij langzaam in en als Rose zo alert was geweest om het te horen, zou ze beseffen dat haar plan op het punt stond schipbreuk te lijden.

'Ze wil dat ik solliciteer, Jonathan. Ze nemen een interne kandidaat als hoofd van de afdeling en dan is er een plek vrij met het uitzicht op een vaste aanstelling. En ze zei dat die baan voor mij was als ik wilde. Dat zei ze met zoveel woorden. Kun je je dat voorstellen? Over een jaar geef ik misschien college op Barney.'

'Ik dacht dat we na volgend jaar een andere plek zouden zoeken,' zei Jonathan. Hij klonk behoedzaam, aftastend.

'Ja. Maar dit is Barnwell, Jonathan. Ik heb daar altijd willen lesgeven, al sinds ik klein was. Vind je het niet opwindend? Ik weet dat het stom klinkt, maar het is alsof er een droom uitkomt.'

'Ja, dat zal best.'

'Je klinkt niet blij.'

'Ik ben niet óngelukkig. Alleen... Je overvalt me er een beetje mee. Dit is niet de richting die ik voor ons in gedachten had.'

'Nee, we hebben het hier niet over gehad. Maar het is zo perfect. Ik kan in de buurt van papa en mama zijn en jij zou ook niet ver van huis zitten, en ik weet dat Columbus je zo terugneemt, het hoofd van de faculteit heeft dat met zoveel woorden gezegd, al heb je je contract verbroken. En hier is het allemaal zo veel betaalbaarder dan in de stad en... Nou ja, het zou gewoon volmaakt zijn!' Rose hoorde de aarzeling in zijn stem, maar ze zette door en dwong haar eigen stem vrolijk te laten klinken, alsof ze hem op zo'n grote afstand kon besmetten met haar enthousiasme.

'Het is curieus dat je me dit nu vertelt, want wat ik wilde zeggen...'

Hij stopte, schraapte zijn keel en lachte onhandig. 'Het is eigenlijk nogal ironisch, ze hebben mij een gastdocentschap aangeboden.'

'Waar?' vroeg Rose, maar ze voelde het maagzuur al opkomen. Hij ging haar verlaten. Hij ging haar aan haar lot overlaten.

'Hier! Het is fantastisch. Voor twee jaar. En ik heb van die geweldige doctoraalstudenten als medewerkers. Het is echt ongelooflijk, Rosie. Je wilt niet weten hoe groot de concurrentie is.'

'Ik wist niet eens dat je had gesolliciteerd,' zei Rose en ze hoorde zelf hoe zwak dat klonk en kon zichzelf niet uitstaan. Ze ging rechtop zitten en boog zich voorover naar de rand van het bed; haar buik drukte tegen haar dijen.

Jonathan klonk wat zachter. 'Ik wilde je niet van je stuk brengen. Dat ben je wel, hè?'

Rose slikte. 'Nee, ik ben blij. Blij voor jou.' Het was een leugen en hij wist het.

'Maar ik heb je nog niet alles verteld, Rosie. Ik krijg een appartement, dus daar is ook plaats voor jou. Je kunt hierheen komen en dan zijn we twee jaar lang Britten.'

'In Engeland.'

'Dat is de voornaamste woonplaats,' zei Jonathan. In zijn stem gonsde de spanning. 'Denk erover na, Rosie. Zie het als een teken.'

'Maar we zouden gaan trouwen,' zei Rose, maar het was meer een hartenkreet en haar stem brak op de laatste lettergreep.

'En dat gaan we nog steeds,' zei Jonathan. 'Maar dat betekent dat jij hierheen kunt komen en een sabbatical kunt nemen.'

'Dat gaat niet. Wanneer we terugkomen, zal er geen plaats meer open zijn. Besef je wel hoe lang ik heb gewacht op een kans om hier te doceren?'

'Moet het per se Barnwell zijn?'

'Moet het per se Engeland zijn?' vroeg ze. Ze klonk belachelijk, jengelend en kinderlijk, maar ze kon het niet tegenhouden.

'Rosie,' zei hij streng. 'Dit is de kans van mijn leven.'

Voor hem, ja.

'Voor ons allebei,' zei hij. Wat kende hij haar toch goed.

'Je wilt dat ik naar Engeland kom,' zei ze.

'Nee, want je komt hoe dan ook naar Engeland. Ik wil samen met jou in Engeland wonen. Voor een klein poosje. Rosie, je weet wat een coup voor mijn carrière dit is. En je weet ook dat de kans dat er midden in een jaar een plaats vrijkomt klein is. Het is perfect voor mij en perfect voor jou. Jij kunt schrijven en een paar artikelen publiceren en daarna vinden we ergens anders wel een baan. Ergens waar ze je weten te waarderen als de ongelooflijke onderzoekster en docent die je bent.'

Rose zweeg.

'Rose, ik moet je gewoon hier bij mij hebben. Ik mis je heel erg. Elke dag kijk ik naar die stomme dromerige torenspitsen en wens ik dat jij hier bent om dat mee te delen.'

'Ik weet het niet, Jonathan,' zei ze. 'Ik bedoel, mijn moeder en de bruiloft en we zouden een huis kopen en ik...' Ze stopte. Het was zo oneerlijk allemaal. Hij wist toch hoe graag ze altijd een baan in Barnwell had gewild. En nog wel een met uitzicht op een vaste aanstelling. Zekerheid. Geen ontworteling elke twee, drie jaar om ergens heen te gaan, alleen maar om het opnieuw te moeten doen. Zich niet hoeven afvragen waar ze over een paar jaar zou wonen, of wat er kan gebeuren als je allebei geen werk in dezelfde stad kunt vinden.

'Je kunt niet je hele even in Barnwell wonen, Rose. Er is zo veel meer in de wereld dat je zou missen. En het mist jou.'

'Ik weet niet waar je het over hebt,' zei ze effen. Koud.

'Jij bent zo veel meer dan die stad. Je bent zo briljant en je bent zo'n geweldige docent. Dat weet je. En je zou alleen maar meer leren als je je vleugels een beetje uitsloeg en een paar andere plekken probeerde.'

'En mijn moeder dan?'

'Dat komt wel goed. En je zei dat het erop lijkt dat Bean in de buurt blijft. Laat haar het vuur thuis maar eens brandende houden. Je moet eens een keer voor jezelf zorgen, Rose.'

'Ik weet het niet.'

Er viel een korte stilte in de verbinding en daarna slaakte hij een diepe zucht. 'Luister. We hoeven nu geen besluit te nemen. Ik weet niet wat ze hebben gezegd, maar je weet nog niet eens zeker dat je die baan op Barney krijgt, toch?'

'Klopt,' zei Rose voorzichtig en ze vroeg zich af of ze met die bekentenis soms te veel terrein had prijsgegeven.

'We gaan erover nadenken. En over een poosje kom je toch op bezoek? Kun je kijken hoe het dan voelt. Heb je al een ticket?'

'Nog niet. Het is hier een beetje druk geweest, Jonathan.' Dat was niet helemaal onwaar. Maar ze had het maken van reisplannen voor zich uit geschoven, zo'n beetje zoals Bean haar rekeningen niet open wilde maken. We lijken meer op elkaar dan we ooit zouden toegeven.

'Ik begrijp het. Misschien kun je wat tijd vrijmaken om een vlucht te boeken, en dan praten we er verder over wanneer je hier bent, afgesproken?'

'Goed,' zei ze. Opeens was ze op de rand van tranen en voelde ze zich doodop. Alle opwinding van de ontmoeting met doctor Kelly gisteren was uit haar weggestroomd. Jonathan zou het niet uitjubelen van vreugde als hij zijn docentschap moest afslaan en terug naar Barnwell moest om voor eeuwig bij haar te blijven. En zij, die haar hele leven had gewerkt en gehoopt dat ze hier een baan zou krijgen, kon zich niet voorstellen dat ze die baan zou afslaan als die zich aanbood.

Een van hen zou moeten zwichten, anders zou hun hele relatie in elkaar storten.

Bean had een enorme kater, wat op haar leeftijd al gênant genoeg was – moest je dat niet tegelijk met de consumptie van drank door een trechter achter je gelaten hebben? – maar het ergste was dat het donderdagochtend was. De zon was een opgewekte ergernis die zich een weg door haar designerzonnebril baande en haar maag wrong en draaide bij elke stap die ze zette.

Toen ze die ochtend het bordes van het huis beklom, had Rose, die als een haas omlaag kwam, haar bijna omvergelopen. 'Kom je nu pas thuis? Ik wist niet dat je de hele nacht weg zou blijven.'

Eerlijk gezegd had zij dat ook niet geweten. Ze was uitgegaan met de bedoeling iets van de benepen kleinsteedsheid van zich af te schudden en haar problemen te verdrinken. Ver was ze niet gekomen, niet verder dan Edwards huis, waar hij haar met een drankje aan de voordeur begroette en waarvoor ze bedankte door haar jurk van zich af te laten glijden, terwijl zij het glas leegde en hij zich een weg langs haar hals omlaag kuste.

'Het was niet de bedoeling,' had Bean tegen Rose gezegd, terwijl ze langs haar heen de keuken in liep. Ze was zich er maar al te zeer van bewust dat de geur van sigaretten en alcohol uit haar poriën wasemde, onderstreept door het bedompte, zurige aroma van zweet en radeloze seks.

Rose volgde haar terug naar binnen. 'Je ruikt naar een brouwerij.'

'En toch ben ik daar niet geweest. Raar, hè?' Bean vulde een glas met ijs en draaide de kraan open, zodat het ijs geschrokken kraakte van het verschil in temperatuur.

'Stel dat er iets was gebeurd?'

'Dan weet ik zeker dat een van de drie andere gezonde volwassenen in huis, zo niet allemaal, het bereidwillig had aangepakt.' Ze nam een grote slok water en dwong haar maag tot rust toen die protesterend tegen haar ribben perste.

Rose voelde de oneerlijkheid in haar maag branden. Het was niet goed dat Bean zomaar kon rondscharrelen, terwijl zij de dingen mocht regelen. Het was niet eerlijk.

Ze wilde iets zeggen, een vonnis uitspreken, maar op dat moment zette Bean haar lege glas neer en keken ze elkaar aan. Beans haar zat in de war en dat was niets voor haar, haar ogen waren bloeddoorlopen en moe. Haar jurk zat verkeerd dichtgeknoopt en haar handen beefden licht toen ze haar armen kruiste. Wanneer had Bean er voor het laatst zo uitgeput en zwak uitgezien?

Toen Rose zes was en Bean drie en mama op alle dagen liep van Cordy, speelden we op een keer in de keuken terwijl zij aan het bakken was. We hadden een stel blokken gebracht om een kasteel van te bouwen met dikke torens en ophaalbruggen die we met onze stuntelige handen lieten bewegen. Nadat mama de taart in de oven had gezet, liep ze de tuin in; misschien vergat ze ons omdat we zo opgingen in onze bouwkundige verbeelding. Uiteindelijk werd de geur van chocola die met de warmte van de oven meekwam te veel voor Beans maag. Ze liet Rose zwoegen aan een lege slotgracht rondom onze schepping en waggelde naar het fornuis. Met armpjes die nog heerlijk mollig waren pakte Bean een theedoek die over de stang van de ovendeur hing en trok hem omlaag. Ze knipperde tegen de vochtige hitte die naar buiten golfde en voordat Rose haar kon tegenhouden, stak ze haar handen naar binnen en pakte de zware glazen schaal beet om de rijkdom van die geur naar zich toe te trekken.

Beans gil was om nooit meer te vergeten, zegt Rose. Maar wat we ons vooral herinneren is hoe Rose in actie kwam. Ze rukte Bean weg van de oven en sloeg de deur weer dicht met een zwaar ijzeren gerammel, daarna tilde ze haar op een stoel om koud water over haar handen en armen te laten stromen waarop al blaren verschenen door de felle hitte in de oven. We hebben geen idee hoe ze wist wat ze moest doen, hoe ze een handdoek moest pakken om die met ijs te vullen uit de plastic bak in de diepvries en Beans arm erop te leggen. Bean, stil van Roses daadkracht, zag met grote betraande ogen en met lippen die nog dikke snikken wilden voortbrengen, hoe onze zus haar tegen zichzelf had beschermd. En daarna holde Rose naar mama, die maar traag reageerde door de last van haar buik en omdat haar gedachten dikwijls heel ver van ons verwijderd waren.

Nu las Rose op Beans gezicht haar kwetsuren net zo makkelijk als toen ze al die jaren geleden haar brandwonden verzorgde. Ze maande zichzelf tot kalmte en liep naar het kastje naast de gootsteen. Ze deed het deurtje open en ging efficiënt door de half gevulde medicijnflesjes tot ze de aspirine had gevonden. Ze schudde er twee op haar hand, vulde het glas op het aanrecht nog een keer en gaf beide aan Bean.

'Hier, neem deze maar en drink nog wat water. Als je slaapt, zul je je beter voelen.'

Nu, na uren droomloze rust en een voorzichtig stuk toast, zat Bean op een van de hopeloos ouderwetse stoelen in de bibliotheek. De verschoten wollen bekleding jeukte aan haar dijen. Ze had één been onder zich opgetrokken als een ooievaar met een kromme poot. Aan de andere kant van de onhandig brede tafel lag een handje terzijde geschoven boeken: een paar over cv's, een over de kleur van je parachute en een salontafelboek met een fotoverslag van een reis langs de opgezette hongerbuiken van de derde wereld. Ze had ze allemaal aan de kant geschoven voor een fantasy-roman. Het was niet haar gewone kost, maar herbergde gegarandeerd geen enkele verwijzing naar iets wat de monsters van haar huidige bescheten situatie kon oproepen, zoals die moderne romannetjes dreigden te doen, over schoenen en ex-vriendjes, of zelfs over de dramatiek van het dorpsleven in Ierland.

'Het is zo'n beetje tijd, Bianca,' riep mevrouw Landrige van achter de balie, waar ze netjes met de handen gevouwen zat. De bibliotheek was verder verlaten. 'Neem je nog iets mee?'

Bean keek op, knipperde met haar ogen, schoof haar zonnebril omhoog en tuurde met samengeknepen ogen door het licht naar de schemering die buiten inzette. Alweer een dag in het paradijs verstreken.

'Jep,' zei ze, en ze plofte voorover op de tafel om de verspreid liggende boeken naar zich toe te trekken.

'Ja,' corrigeerde mevrouw Landrige en Bean herhaalde het zonder nadenken als een papagaai. Dat was de moeilijkheid wanneer je weer in je ouderlijk huis terugkeerde. Je was in één klap weer een tiener.

Haar maag was opgehouden met draaien en toen ze de boeken terugzette op de plank voordat ze naar de balie liep, knorde hij aanhoudend. 'Ik ben blij dat je bent gekomen, Bianca,' zei mevrouw Landrige. Ze stempelde het boek efficiënt af en zette de kaart in het archiefbakje. 'Ik hoor dat je werk zoekt.'

'O ja?' vroeg Bean. 'Wie zegt dat?'

'Rose. Ze is hier pas geweest en vertelde dat het niet eenvoudig voor je is om iets te vinden. Daar kijk ik niet zo van op. Het is de verkeerde tijd van het jaar, zelfs al zou Barnwell over een bruisende economie beschikken.'

'Heeft Rose gezegd dat ik werk zocht?'

'Is dat zo verbazingwekkend? Ze is je zus. Ze maakt zich zorgen over je.'

'Zorgen over mij,' zei Bean. 'Juist.'

'Het is overigens geen groot geheim. Maura van de boekwinkel zei dat je haar had gesproken en je bent de hele dag in de 650 geweest.' Ze knikte in de richting van de boeken die Bean net had teruggezet. Mevrouw Landrige kende de bibliotheek van Barnwell zonder op te hoeven kijken. Je kon alles aan haar vragen, ze reageerde direct met een registratienummer en wees loepzuiver naar de bewuste plank. Puberteitsriten? Dat is 390, bij de studiehokjes. *Charlotte's Web*? Jeugdliteratuur, bij het raam. Voetbal? In 796, links van de fonteintjes. Toen we klein waren, probeerden we haar wel eens te laten struikelen door de meest buitenissige onderwerpen te noemen die we maar konden bedenken, maar dat spelletje wonnen we nooit. Mevrouw Landrige was de kampioen van het registratiesysteem.

'Ik denk het wel,' zei Bean. 'Het ziet ernaar uit dat ik hier wel een poosje zal blijven.'

'Ik ga met ziekteverlof. Ik krijg een nieuwe heup.' Ze keek naar Bean. De halslijn van haar jurk – ze droeg altijd een jurk, ze was nu eenmaal van Die Leeftijd – omlijstte een hals die er broos uitzag tegen die stof, de strakke pezen en losse huid tekenden zich scherp af. Onbewust streek Bean over haar eigen huid, ervan overtuigd dat ze het lossere weefsel van haar kaken al voelde, en over haar prominente jukbeen.

'Wat naar dat te horen. Hoe voelt u zich?'

Mevrouw Landrige glimlachte. 'Dat is de moeilijkheid met zo'n lang leven, Bianca. Alles slijt. Ik vraag me wel eens af of al die medische vooruitgang wel de moeite waard is. Maar blijkbaar is het niets ongewoons, dus het komt vast wel goed, al zal ik een tijdje uit de running zijn. Dus vroeg ik me af of jij bereid bent om het roer hier over te nemen tijdens mijn afwezigheid.'

'Als bibliothecaresse?'

'Zeker.'

'Maar daar weet ik niets van. Ik bedoel, daar heb ik niet de papieren voor.'

Had mevrouw Landrige een bril gedragen, dan zou ze Bean over de rand hebben aangekeken. 'Doe niet zo gek. Het is de Barnwell Public Library, niet de Library of Congress. Je kwam hier al voor je kon lopen en ik heb alle vertrouwen in je.'

Bean moest bijna hardop lachen. De laatste mensen die haar hadden vertrouwd, hadden haar kunnen laten arresteren. 'Ik weet het niet, mevrouw Landrige. Ik weet niet of ik iets waard zou zijn.'

'Het is geen atoomwetenschap, lieverd. Gebruik je verstand. Jij zoekt een baan en ik heb hier iemand nodig. Je kunt blijven totdat we allebei weer op de been zijn.' Ze glimlachte om haar grapje.

'Nou, goed dan.'

'Kom je dan morgenochtend vroeg en fris zodat we met de opleiding kunnen beginnen?' Ze drukte Bean het boek in handen en die keek er zwijgend naar. Ze kon zich niet herinneren waarom ze in hemelsnaam een boek over een halfnaakte vrouwelijke krijger met de dijspieren van een Tour de France-winnaar had uitgekozen. Ook wilde het nog niet tot haar doordringen dat ze opeens tot opvolgster van een gemeentelijk instituut was gezalfd.

'Ik krijg toch betaald?'

'Vanzelf. Daar hebben we het morgen wel over.' Mevrouw Landrige keek Bean even aan alsof ze nog iets wilde zeggen, maar ze deed haar mond weer dicht. Bean maakte aanstalten om weg te gaan. 'Bianca?'

'Jaaaa.' Bean draaide zich weer om. Ze kende die bestraffende toon. Die had Rose die ochtend ook gebruikt.

Maar mevrouw Landrige klonk vriendelijker, bijna moederlijk. 'Een goede nachtrust wil wel eens helpen.'

Bean schoof haar zonnebril omlaag op haar neus en liep naar de uitgang. Vlug daalde ze het bordes af. Ze voelde de spieren aan de binnenkant van haar dijen trekken en probeerde de herinnering aan de afgelopen nacht van zich af te schudden. Hoe was ze in hemelsnaam weer in dat huis beland? Was het niet de bedoeling dat ze een nieuw leven begon? Had ze ons niet alles opgebiecht om zich vrij te kunnen voelen?

Maar ze had niet alles opgebiecht, of wel soms? Ze was niet schoner dan toen ze arriveerde. *Dronkaards, leugenaars en echtbrekers onder de invloed van de planeten.* Toen ze die ochtend gehuld in een laken wakker werd, zag alles wat in het donker zo benevelend was geweest en juist had geleken er bij daglicht alleen maar gewelddadig en treurig uit. Een lege wijnfles op de grond naast een berg verfomfaaide kleren van hem. Haar mascara die in een donkere korst onder haar ogen zat. De zure smaak en droge mond. Zijn slapende gezicht, ontdaan van zijn begeerte naar haar, ingevallen en leeg.

Bean wendde het hoofd af en schudde het van zich af. Ze passeerde een gezin op weg naar huis, een moeder en vader die elk een armpje van het kind tussen hen in vasthielden, hoog optilden en een paar passen lieten schommelen voordat ze haar weer neerzetten.

In haar poging zich te verontschuldigen en berouw te tonen had ze iemand anders verraden om wie ze gaf, iemand die alleen maar goed voor haar was geweest, die haar hart en huis en haard voor haar had opengesteld, en Bean had er iets lelijks van gemaakt. Alweer. Ze was niet veranderd. Totaal niet. Opeens werd ze van zo'n zelfhaat vervuld dat ze haar nagels in haar hand moest begraven zodat de brandende fysieke pijn haar emotie zou verdrinken, maar het was al te laat. Daar waren de tranen al.

Bean had identiteiten gepast zoals ze nu kleren paste. Ze overwoog een studie entomologie (Rose was beter in de exacte wetenschappen), acteren (Cordy was een betere actrice), dansen (we hebben onze dijproblemen al besproken), poëzie (al ons werk werd in het licht gehouden van maatstaven die je wel kunt raden en die in zijn ogen dus duidelijk ontbraken), de eerste vrouwelijke president worden (Cordy was beter in toespraken), modellenwerk (weer die dijen), mode ontwerpen (als gezin ontbreekt het ons zonder meer aan artistieke aanleg, wat ook de reden was dat ze niet kon gaan schilderen), en economie (Rose moest Beans geld bewaken als we naar de stad gingen om iets te kopen, omdat Bean het aan iets nutteloos zou uitgeven, of het zou verliezen voordat we de hoek van Main Street waren omgeslagen).

De zwaarste klappen vielen als we haar in haar eigen spel versloegen, wanneer ze iets probeerde om daarna te ontdekken dat Rose het al eerder had gedaan (geen probleem) en beter (probleem), of dat Cordy binnenkwam om het als tweede te doen (geen probleem) en beter (probleem). In bepaalde opzichten denken wij dat dit de reden is waarom Bean er uiteindelijk een levensstijl op na hield die zo haaks stond op de waarden van de familie Andreas: domweg omdat er niets overbleef.

Wat doe je als je maar blijft verliezen? Je raapt je knikkers bijeen en gaat naar huis. Of zoals in Beans geval, je pakt je knikkers en gaat naar New York en besluit om dingen als kleren en exclusieve martinicocktails te waarderen en hoe je het beste een belegger kunt versieren om vervolgens toch op tijd thuis te zijn voordat het nachtleven in de stad goed en wel begint. En dat maakt je tot een buitenbeentje, maar niet tot iets bijzonders.

Soms betrapte Bean zich erop dat het voelde alsof ze op en neer sprong, met haar armen zwaaide en riep: 'Kijk naar mij! Kijk naar mij!' maar de enige keren dat ze aandacht kreeg, was wanneer ze zich heel erg misdroeg. Dus op de middelbare school leerde ze te laat thuiskomen in een wolk dikke, zoete wietgeur en glipte ze ervandoor met jongens om een indianentent van bomen te maken, tot ze werden betrapt en naar huis werden gebracht door een verontschuldigende politieagent, en ze spijbelde van colleges tot een van haar hoogleraren haar vader apart nam toen hij een wandeling maakte, en ze sportte tot ze er graatmager uitzag en ze had nog steeds wel duizend jaar op en neer kunnen springen en met haar armen kunnen zwaaien zonder ooit genoeg aandacht van haar ouders te krijgen.

We hadden Bean kunnen vertellen dat ook wij sprongen en zwaaiden en dat geen van ons ooit kreeg wat ze wilde, niet als het op aandacht aankwam. Dat krijgt geen mens.

13

In de zomer, zelfs in augustus, de langste zondag van de docent, gaat alles vroeg dicht. Bij afwezigheid van het rusteloze geroezemoes van de studenten in de gelegenheden tot een fatsoenlijk (of onfatsoenlijk) tijdstip, sluit de plaatselijke middenstand zijn nering en gaat voor het avondeten naar huis. Als je 's zomers na zes uur rondloopt, zou je bijna verwachten tumbleweed te zien rollen, of het piepen van een saloondeur te horen, als een van die twee waarschijnlijk zou zijn in een stadje in Ohio. Maar daar zie je alleen maar doodse, donkere etalages en verlaten straten en trottoirs.

Cordy en Dan sloten de Beanery om vijf uur, al was er na drie uur geen klant meer gekomen en waren ze allang klaar met schoonmaken en voorraden aanvullen. Cordy verlaagde zich zelfs tot het wegschrapen van kauwgom van onder de tafeltjes in een radeloze poging iets nuttigs te doen. Het onweer dat al dagen dreigde, barstte eindelijk los en er vielen gordijnen van regen die de straten keurig schoonveegden en dode bladeren en slingerende rommel door de goten duwden.

'Wil je een lift?' vroeg Dan toen hij uit zijn kantoortje kwam. Cordy was klaar met het schoonmaken van de werkbladen en zat op een van de oude bruine stoelen met haar benen over de leuning naar het plafond te staren. Ze wist vrij zeker dat het ooit van geslagen tin was geweest, maar door jaren van onzorgvuldig verven was het alleen maar grof en wit geworden. Ze zat met haar hand in een gele Barrel of Monkeys waarmee ze af en toe schudde alsof het een goedkope maraca was.

Cordy keek naar de Ark-tische zondvloed (we hadden je toch wel gewaarschuwd voor onze woordspelingen?) en knikte. 'Graag, als het geen omweg voor je is.'

'Niets in Barnwell is een omweg,' zei Dan. Dat was pertinent onwaar. Hij woonde aan de oostelijke rand van de stad, voorbij de studentenhuizen in een flat die maar net iets te duur was voor de studenten. Naspeuringen bij de Barnwell Historical Society hadden uitgewezen dat het vroeger de grootse naam The Theodore had gedragen, al werd het nu vaker Old Yeller genoemd, sinds een huiseigenaar met de beste bedoelingen de hele buitenkant de kleur van volvette roomboter had gegeven die in de zon bijna radioactief straalde. Maar toch zou het hem maar vijf minuten kosten om eerst Cordy thuis te brengen en daarna nog eens tien minuten om terug te komen. In Barnwell-tijd een eeuwigheid.

'Dank je wel,' zei Cordy en daarna wees ze naar het plafond: 'Denk je er wel eens over om die troep eraf te halen? Ik wed dat het plafond eronder prachtig is.'

'In al mijn ingebeelde vrije tijd? Ja, dat zou ik wel kunnen doen.'

'Waarom woon je hier niet boven?' Boven was een breed, ruim appartement met sleetse houten vloeren. Cordy herinnerde zich vaag een feest met veel bier waar haar kamergenoot in het eerste jaar haar naartoe had gesleept. Het was er lawaaiig en klef, het keurmerk van alle studentenfeesten, maar wat ze zich het meest herinnerde was hoe de geur van de Beanery beneden zelfs de stank van het bier had overstegen en die avond had ze het gevoel alsof ze met koffieprut overdekt was. Maar dat had haar niet dwarsgezeten. Wanneer haar kamergenote de stad uit was, zette Cordy koffie in een pot, alleen om de geur door haar kamer te laten trekken, zoals de andere studenten op die etage met wierook deden.

'Dat zou kunnen. Zou ik in elk geval minder hoeven te forensen. Maar aan de andere kant zou ik hier dan de hele tijd zijn, hè? Dan zou ik nooit van mijn werk verlost zijn.'

Cordy haalde haar schouders op en legde loom haar benen weer over de leuning toen Dan de apparatuur achter de bar uitzette. 'Hoe ver zit je eigenlijk van je werk?'

'Goeie vraag,' zei Dan. Hij tilde het scharnierende deel van de toonbank op en kwam naar voren. 'Hé, het ziet er hier geweldig uit,' zei hij.

Cordy had de tijdschriften die schots en scheef op de tafeltjes lagen recht gelegd en het stof uit de hoeken van de vermoeide vloer geveegd.

'Slappe dag,' zei ze.

'Wanneer de jeugd weer terug is, zul je hiernaar verlangen,' zei Dan. Hij schoof een paar stoelen onder tafel, ging de voordeur op slot draaien en trok de zware, groene blinden omlaag. Hij wendde zich tot Cordy. 'Je blijft, hè?'

'Een tijdje wel, ja,' zei ze.

'Mooi, want ik begin gewend te raken aan je gezelschap,' zei hij. 'Jij bent veel interessanter dan de doorsneewerknemer.'

'Dat is alleen omdat ik veel ouder ben dan je doorsneewerknemer.'

'Ook dat,' zei hij. 'En knapper.' Hij knipoogde. Zijn dikke, zwarte wimpers wierpen in het afnemende licht een schaduw op zijn jukbeenderen. Flirtte hij met haar?

Belangrijker nog: vond zij dat erg?

Ze gingen de achterdeur uit, lieten de duisternis van de Beanery achter zich en sprintten over het parkeerterrein naar Dans auto, een zilverkleurige vierdeurs die er verdacht nieuw uitzag en kersvers rook. 'Mooie auto,' zei Cordy. Ze had haar tas boven haar hoofd gehouden maar die had weinig tot niets tegen de nattigheid geholpen en ze gooide hem op de vloer. 'Ruikt nieuw.'

'Is nieuw. Uitgekocht worden betaalt goed.'

'Beter dan het Peace Corps, dat zeker. Verkoop je nog altijd wiet?'

Dan had één hand aan het contact en keek haar van opzij aan. 'Belangstelling?'

'Nee, ik ben alleen nieuwsgierig.'

'Nee. Niet meer. Als er iets deprimerenders is dan de oude man zijn die nog steeds op een steenworp van de campus woont, is het de oude man die nog steeds vlak bij de campus woont en wiet verkoopt aan studenten.'

'Het kan erger. Je zou ook de oude man kunnen zijn die vlak bij de campus woont, wiet verkoopt en alle studentes probeert te versieren.'

Dan reed langzaam van de parkeerplaats en keek of er verkeer aankwam. Dat was er niet. Cordy hoorde de banden fonteinen van water opwerpen toen hij Main Street in reed in westelijke richting. Het water gutste naar beneden, trok zich niets van de ruitenwissers aan die nutteloos waren tegen de wolkbreuk. 'Daar heb ik bepaald geen belangstelling voor. Als ik ze nu bekijk, zie ik alleen maar kinderen, begrijp je? Ik bedoel: het verschil tussen een eerstejaars en een ouderejaars is groot, maar het verschil tussen een ouderejaars en iemand van eenendertig is als een enorm ravijn.'

'Ik weet het niet. Ik blijf maar wachten tot ik me oud voel, tot ik me volwassen voel, maar dat is nog niet gebeurd. Denk je dat dit het grote geheim is dat volwassenen je niet vertellen? Dat je je nooit helemaal volwassen voelt?'

'Ik voel me volwassen. Ik denk dat het komt doordat ik de Beanery heb gekocht. Misschien dat ik er daarom niet voor voel om een huis te kopen. Dat zal de ultieme capitulatie zijn.'

De schaduw van de beken van water rolde onder het rijden over zijn gezicht. Hij moest zich scheren, zag Cordy, al maakte zijn zwarte haar het opvallender. Onder zijn volle onderlip had hij een kleine soul patch, een geaffecteerd plukje haar dat er bij de meeste mannen... nou ja, geaffecteerd uitzag, maar bij hem zowel lief als gevaarlijk.

'Waarschijnlijk heb je gelijk,' zei Cordy, denkend aan de verloren twintigers die haar zwerftochten hadden getekend en haar dagen in en uit zwierven. Had zij het tenslotte niet opgegeven omdat ze zich er uiteindelijk te oud voor voelde? 'Ik bedoel dat ik me nog altijd míj voel. Het is niet zo dat ik wakker word en denk, ik ben een verantwoordelijke volwassene. Ik kijk gewoon in de spiegel en zie mezelf. Dezelfde stommeling die ik al jaren zie.'

Zonder zijn ogen van de weg te halen, reikte Dan opzij en streelde de welving van haar gezicht met de rug van zijn vingers. Ze voelde de haartjes en de droge huid van het afwassen. 'Er is niets stoms aan jou, Cordy.' Hij legde zijn hand weer op het stuur toen hij naar onze straat afsloeg en aan de stoeprand voor het huis parkeerde.

Ze draaiden zich naar elkaar toe en Cordy wist dat hij haar een kus ging geven. Zijn ogen waren donker en intens, de kleur was hel van verlangen en nog iets wat ze niet herkende. 'Ik ben blij dat je er weer bent,' zei hij. Zijn hand lag op haar knie en de warmte drong door haar gebleekte spijkerbroek. 'Het is prettig om iemand te hebben om mee te praten.'

Cordy keek even naar zijn hand, naar de manier waarop zijn brede palm over haar knie lag met zijn vingers iets over haar dij gespreid en daarna keek ze hem aan. De regen beukte naar beneden, de lichten aan weerskanten van de opritten aan de straat waren in de beregende duisternis amper te zien.

Toen ze zich naar elkaar toe bogen – het was wederzijds, laat je door Cordy niets wijsmaken – voelde ze haar adem stokken in haar keel en daarna ademde ze uit toen hun lippen elkaar raakten. Hij had een brede, sterke mond die zacht voelde op de hare en die kus voelde dieper en heerlijker dan alle kussen die ze door de jaren heen had gekregen bijeen.

En daarna trok ze zich terug.

'Ik ben zwanger,' zei ze.

'Dat is snel,' zei hij.

'Dan. Echt. Ik ben zwanger,' zei ze. Haar vingers gingen naar haar mond om aan de nagels te scheuren. Ze wendde haar hoofd af en staarde naar de duisternis.

'Dus... is er iemand anders?' vroeg hij.

'Nee,' zei ze. 'Er is niemand.' Ze keek hem aan en glimlachte even vreugdeloos naar hem.

'Shit,' zuchtte Dan. Hij legde zijn handen op de onderkant van het stuur en de plek waar zijn hand op haar been had gelegen voelde opeens koud en bloot. 'Weet je familie ervan?'

'Nee,' zei ze. 'Nog niet.'

'Wat ga je doen?'

'Ik heb geen idee.' Ze keek weer naar het raampje dat begon te beslaan en trok met haar vinger een paar onderbroken streepjes op het glas. 'Daarom ben ik geen volwassene. Volwassenen maken zulke fouten niet.'

'Volwassenen maken doorlopend fouten, en je hoort mij niet zeggen dat dit een fout is. Je bent te hard voor jezelf.'

'Te hard voor mezelf? Ik ben goddomme zwánger, Dan! Ik krijg een báby! Ik, Cordelia Andreas, krijg de verantwoordelijkheid voor een ander mensenleven, terwijl het me door iedereen meer dan duidelijk is gemaakt dat ik niet eens voor mijn eigen leven kan zorgen. Is dat de grootste grap die je ooit hebt gehoord of niet?' Ze voelde de tranen opkomen en probeerde ze weg te drukken onder haar woede.

Dan zuchtte, boog zich iets naar voren en verschoof in zijn stoel voordat hij weer naar achteren leunde. De motor zoemde en de regen kletterde op het dak, schreeuwend om aandacht. 'Wat ik ook zeg maakt je kwaad, dus kan ik maar beter mijn mond houden, denk ik.'

Met een handbeweging wiste Cordy de strepen die ze op het beslagen glas had getrokken. 'Het spijt me,' zei ze zonder hem aan te kijken. 'Het is jouw schuld niet. Ik ben alleen... Ik weet niet wat ik moet doen.'

'Je moet het ze vertellen, Cordy. Je moet het thuis vertellen.'

'Ik weet het niet. Rose zou erbovenop duiken, natuurlijk; weer een argument dat ik niet goed snik ben. En Bean heeft haar eigen shit op te lossen.'

'Dus ga je het ze niet vertellen? Vroeg of laat komen ze er toch wel achter.'

'Ik weet het. Waarschijnlijk hoopte ik gewoon dat ik kon wachten tot...' Ze maakte haar zin niet af. Ze wist niet wat het juiste moment was om het ons te vertellen.

'Tot?'

'Ik weet het niet,' zei Cordy. Maar ze wist het wel. Tot het tijd werd om op te stappen. Tot het tijd was om het stof af te kloppen en te verdwijnen. Want dat is wat Cordy doet. Cordy kan beter vertrekken dan wie ook. Zonder tranen, zonder verwijten verdwijnt ze gewoon met de noorderzon.

Ze wierp haar vlecht over haar schouder en keek naar Dan. Tranen trokken strepen over haar gezicht en ze haalde hard haar neus op en veegde die af met de rug van haar hand. 'Er gebeurt ook zo veel. Het is niet juist als ik ze hier ook nog eens mee opzadel. Mijn moeder weet je wel, en met mijn vader is het alsof hij niet meer op deze aarde is. Ik mag niet zo tegen jou tekeergaan. Ik heb alleen het gevoel dat ik niemand heb om mee te praten.'

'Je hebt mij toch,' zei Dan en op dat moment keek hij zo lief en hartelijk dat Cordy door haar tranen heen moest glimlachen. Hij pakte haar hand en zo bleven ze een poosje zitten. De ventilator blies koele lucht op hun gezicht en droogde Cordy's tranen, en de regen buiten maakte langzaam plaats voor mist.

De volgende dag was het weer opgeklaard en het vocht dampte onder de hete zon in wolken uit de natte grond. Bean en mama lagen op een ligstoel in de achtertuin. Gekleed in een bikini die haar dijspieren goed deed uitkomen, lag Bean te roken met een zonnebril op die haar het aanzien van een vlieg gaf, en ze had het haar naar achteren getrokken. Ze leek wel klaar voor de Rivièra. Mama had haar stoel uit de gestrekte vingers van de zon getrokken en haar benen staken bleek en geaderd uit haar short. De sjaal om haar hoofd zat anders vastgebonden, de losse eindjes hingen over haar schouder als een echo van de tressen haar die ze kwijt was. Ze las een onbekend tijdschrift. We hadden weinig met bladen, maar meestal slingerden er wel een paar rond, doorgaans gejat bij de tandarts.

'Bean! Wat doe je?' vroeg Rose. De hordeur klapte achter haar dicht toen ze de bakstenen patio betrad.

Langzaam, alsof ze niet begreep wat Rose bedoelde, haalde ze de sigaret uit haar mond en inhaleerde door haar neus. De rook kringelde omhoog in de windstille lucht en bleef er als blauwe nevel hangen. 'Ik lig te zonnebaden.'

'Je rookt waar mama bij is,' siste Rose. 'Wil je dat ze ook nog eens longkanker krijgt?' Ze maakte een beweging alsof ze de aanstootgevende peuk uit Beans hand wilde grissen, maar die liet haar arm zakken, haar vingers hingen loom over de rand van de armleuning en de sigaret bleef waar hij was.

'Ik dacht dat we maar eens voor een kankertrio moesten gaan. Huid, longen en borst.'

'Dat is niet geestig,' zei Rose, gefrustreerd door Beans ongevoeligheid en mama's onvermogen voor zichzelf op te komen. Rose wapperde met haar hand melodramatisch voor haar gezicht om de rook weg te waaieren. Ze droeg weer een exemplaar uit een schijnbaar eindeloze voorraad tunieken en broeken met een losse taille. Door het patroon zag ze eruit als een boze kunstdocent.

'Het is niet erg, Rose,' zei mama. Ze sloeg een bladzijde om. 'De wind staat toch de andere kant op.'

'Het is wel erg,' hield Rose vol. Bean nam uitdagend een laatste trek en doofde de sigaret in de asbak aan haar voeten.

'Rustig maar, Rosie. Ik moet toch naar mijn werk.' Bean stond op, pakte een jampotje waaruit ze had gedronken en gaf mama een kus op haar voorhoofd. 'Prettige dag verder.' Ze liep naar binnen in een walm van kokosnoot, zweet en de scherpe geur van sigarettenrook. Ze had Rose willen bedanken omdat die een goed woordje voor haar had gedaan in de bibliotheek, maar haar constante gevit maakte het lastig om dankbaar te zijn. We hoopten allemaal dat wat Rose dwarszat opgelost zou worden en gauw ook. Het was alsof we met een extreem bazige dertienjarige samenleefden. Opnieuw.

Rose liet zich met een melodramatische zucht in Beans lege stoel zakken, die nog warm voelde van haar lichaam en een beetje kleverig was van de zonnebrandolie. 'Het is niet eerlijk,' zei Rose.

'Wat niet?' vroeg mama. Ze zette het tijdschrift tegen haar boezem, waar het scheef bleef hangen. Rose wendde haar blik af. Op de een of andere manier was een intieme handeling zoals mama helpen met baden minder moeilijk dan kijken naar de lege plek in haar kleren.

Rose tuitte haar lippen. 'Hoe komt het dat zij alles krijgen? Ik heb alles goed gedaan, zij doen niets goed en hun leven loopt op rolletjes.'

'Had je liever gehad dat ze gestraft werden voor hun fouten?'

Rose dacht even na. *Wie zal ik straffen, wie genade schenken?* Ze stelde zich Bean voor op de pijnbank, met een rammelende bedelarmband en haar naaldhakken in een vreemde hoek terwijl de beulen haar ledematen steeds verder uiteen trokken. Voor Cordy misschien de Chinese watermarteling: een traag en pijnlijk druppelen. Geen van die gedachten bezorgde haar enig genoegen. Ze vond het zelfs kwalijk dat ze ze überhaupt koesterde.

'Niet gestraft. Alleen... Hoe komt het dat alles voor hen altijd goed uitpakt en voor mij niet?' Rose stond op en schoof haar stoel uit de zon.

'Wat is er niet goed uitgepakt voor jou? Je hebt een carrière, een fantastische verloofde. Je bent mooi en intelligent en hebt alles verdiend waarvoor je hebt gewerkt. Je hebt een gezegend bestaan, Rosie.'

Rose gromde binnensmonds iets onaangenaams en mama legde haar vingers licht op haar dochters hand.

'We zijn altijd heel trots op je geweest. Op jullie alle drie. En als je zusjes iets meer moeite hebben hun weg te vinden, hoef je helemaal niet teleurgesteld in ze te zijn. Ze hebben alleen iets meer hulp nodig dan jij. Jij bent altijd heel zelfstandig geweest. Zelfs als baby hield je veel eerder op met borstvoeding dan Bean en Cordy. Jij wilde aan de fles, omdat je om je heen wilde kijken tijdens het drinken.' Ze dacht even na en lachte. 'Ik zweer het je, jij begon uit pure nijd te kruipen omdat ik je niet snel genoeg ging.' Wanneer ze haar hoofd bewoog, wierp haar brede, slappe hoed een trilling van schaduwen over haar gezicht. Ze glimlachte en Rose zag de rimpeltjes bij haar ogen en om haar mond.

Ondanks het zure gevoel moest Rose glimlachen. Ze vond verhalen over haar als baby heerlijk. De herinneringen gaven haar een warm en bijzonder gevoel, alsof ze weer de Ene was in plaats van een van de drie.

'Het lijkt me gewoon niet eerlijk,' zuchtte Rose. Bean had de mooie kleren en het lichaam om ze te dragen, Cordy was degene die iedereen om zich heen wilde, wier glimlach licht op de begunstigde wierp. En zij was de duffe, betrouwbare Rose die ze altijd wel zou blijven. Niet mooi en niets bijzonders. Haatte ze ons of zichzelf? Het verschil had zo voor de hand geleken toen ze ging zitten.

'Wat scheelt eraan, Rosie?' vroeg mama. Ze streek met vingers licht als satijn over de hand van onze zus. Mama's huid is altijd al zo zacht als een bloemblaadje geweest en net zo geruststellend als haar woorden. Misschien wenden we ons tot papa voor intellectuele stimulans, maar mama is degene die onze ziel tot rust brengt.

'Het is Jonathan,' zei Rose. 'Ze hebben hem in Oxford een gastdocentschap voor twee jaar aangeboden.'

'Je bedoelt boven op het jaar waar hij al mee bezig is?' vroeg mama.

Rose knikte. In de tuin zag ze de bijen van de ene bloem naar de andere zwenken. Ze kon de krullen en lijnen in de viooltjes langs het pad zien. *Hier is rozemarijn, dat is voor de herinnering; mijn allerliefste, blijf aan mij denken; en hier zijn vergeet-mij-nietjes, dat is voor de trouw.* 'Hij wil dat ik overkom. Om bij hem te wonen.'

'En?' vroeg mama.

'En dat wil zeggen dat ik niet kan solliciteren naar die functie op Barnwell.'

'Aha,' zei mama. Ze legde het tijdschrift weer op schoot en sloeg een bladzijde om. 'Maar je weet niet zeker of je die baan op Barnwell krijgt, hè?'

'Nee, niet helemaal. Ze zijn verplicht landelijk sollicitanten op te roepen. Maar ze kiezen mij. Dat weet ik zeker. Doctor Kelly heeft het met zoveel woorden gezegd.'

Mama lachte. 'Dus denk je dat je tussen Jonathan en je loopbaan moet kiezen.'

'Dat is precies waartoe hij me dwingt.'

'Volgens mij dwingt hij je nergens toe. Hij heeft toch geen ultimatum gesteld? Heeft hij gezegd dat hij bereid is erover te praten?'

'Min of meer,' zei Rose met tegenzin. 'Hij wil dat ik op bezoek kom. Hij zegt dat we er dan over zullen praten.'

Mama knikte nadenkend. 'Nou, je moet zeker bij die arme jongen op bezoek gaan. Hij is waarschijnlijk heel eenzaam.'

'Zo klinkt hij anders niet,' zei Rose klagerig. Als geen van ons haar kant koos, hoe groot was dan de kans dat hij het wel zou doen?

'Niet pruilen, lieverd. Daar krijg je rimpels van.' Rose keek mama aan, die een klaterende schaterlach liet horen. 'Ik maak maar een grapje. Dus wat is het ergste wat er kan gebeuren als jij bij hem gaat wonen?'

'Dat ik die baan op Barnwell misloop.'

'Er zijn ook andere universiteiten.'

'In Engeland zal er geen werk voor me zijn.'

'Dan onderhoudt Jonathan je maar een poosje. Het is niet zo dat jij een kostbare liefhebberij bent, Rose. Je bent Bean niet.'

Rose deed haar ogen dicht, maar de bijen bleven rode patronen op de duistere plekken van haar oogleden gonzen. 'Wat moet ik daar trouwens? Ik bedoel, Jonathan is aan het werk en wat zou ik zijn? Huisvrouw?'

Er viel natuurlijk een stilte omdat mama nou juist dat is. Met iets van schuldgevoel moet Rose terugdenken aan haar gesprek met Bean, maar ze kan het gevoel dat mama's bestaan minder is dan ze zichzelf zou wensen niet van zich afzetten. Wat doet mama met haar tijd? Ze leest, kookt en zorgt voor haar tuin. In de ogen van Rose is dat een benepen bestaan. En daarna geeft ze zichzelf op haar kop omdat ze zulke gedachten heeft, want hoe indrukwekkend is haar eigen bestaan nu helemaal? Beans en Cordy's leven hebben tenminste dramatiek. Niet dat Rose naar dramatiek verlangt, misschien benijdt ze hun de extra glamour, maar in haar eigen leven heeft ze nooit weg geweten met hun aanpak. En heeft mama dan geen goed leven gehad? Heeft ze haar kinderen niet grootgebracht en goede boeken gelezen, en gereisd en gelachen en een huwelijk gehad dat al, hoe lang was het, dertig jaar duurde? Als je een blik op de statistieken van Barnwell werpt, zullen die je vertellen dat de helft van de bevolking werkloos is, en dat is technisch gesproken weliswaar juist, maar in de praktijk niet. Barnwell wemelt van de mensen als mama, getrouwd met een man die hen naar het midden van een maïsveld sleepte en vervolgens de academische wedloop aanging met voor hen slechts een kus en een opgewekte aansporing om ergens in niemandsland een eigen leven op te bouwen.

'Het spijt me,' zei Rose. 'Dat bedoelde ik niet...'

'*U hebt uw vaders trekken*,' zei mama onverwacht. Zij citeert de onsterfelijke het minst van ons. 'Hij zou gek worden als hij niet constant iets te doen had.'

'Ik vind dat niet erg. Ik hou gewoon van een rooster. Ik weet graag waar ik aan toe ben. En ik wil niet lui worden.'

'Ik ken je, Rose. Jij mag van jezelf nooit lang genoeg stilzitten om mos te vergaren.'

'Dus jij vindt dat ik moet gaan?' vroeg Rose terwijl ze zich ernstig naar mama wendde voor goedkeuring als een zonnebloem naar het licht.

'Volgens mij klopt er een kans bij je aan,' zei mama en ze tikte voor de zekerheid op de metalen armleuning van haar stoel. Het was een hol, weergalmend geluid dat Rose dreigend en zuur in de oren klonk.

Op een ochtend bracht Bean haar auto voor het werk naar de garage. Ze had hem voor driehonderd dollar op de kop getikt voor haar vertrek uit New York – tenslotte heeft niemand in de stad een auto – en nu was hij niet meer dan een blok aan haar been en herinnerde hij haar aan de noodzaak tot vluchten. Toen papa een opmerking maakte over zijn constante aanwezigheid als een smet op de oprit ('*Wat grimm'ge doodsgezichten voor mijn ogen!*') had Bean de hint begrepen en de vrouw van de monteur gebeld, die zo vriendelijk was hem van haar over te nemen. Bean besefte dat de rit van negen uur vanuit New York de motor zijn laatste levenskracht had gekost en dat zij hem kochten, was een teken van goede wil en niet van zakelijkheid. Dus weg was hij en zij had honderd dollar in haar portemonnee die vijf keer zo duur was geweest, en zij was op weg naar haar nieuwe glamourbestaan als bibliothecaresse van een kleine stad. *De rijpste vrucht valt 't eerst.*

Maar ze moest bekennen dat alleen al het vertoeven in de bibliotheek haar vredig stemde. Er was zo veel te leren en ook weer niets, want ze kende de manier waarop het licht door elk venster viel, elk koord in het kleed en de precieze geur van de boeken in haar kleren aan het einde van een werkdag. Ze voelde zich geborgen. En mevrouw Landrige, zowel een symbool van liefde als van vrees, was zo broos geworden. Bean had het verschil pas opgemerkt toen ze de hele dag samen doorbrachten. Mevrouw Landrige was amper uit haar stoel gekomen en wanneer ze het fronsend van de inspanning deed, moest ze de ruimte langzaam met een wandelstok doorkruisen.

Met zijn tweeën was er weinig te doen, dus las Bean (ten overvloede) de plankopschriften en zette ze hier en daar een boek dat van zijn kudde was gedwaald recht of terug, toen ze Aidan zag binnenkomen. Vanuit haar ooghoeken viel haar zijn haar op, maar ze had nog net genoeg tijd om het stof van haar rok te slaan en een knoopje van haar blouse los te maken voordat ze de schok van zijn hand op haar elleboog voelde. Zijn hand voelde warm en zweterig. Hij droeg een stapel iets verfomfaaide pagina's.

'Dominee Aidan,' zei ze. Haar bibliotheekstem had plaatsgemaakt voor haar caféstem, en die was diep en hees en eerbiedig. 'Wat doet u hier?'

'In de kerk krijg ik niets gedaan. Er blijven maar mensen langskomen. Dit is mijn geheime toevlucht.'

'Niet meer zo geheim nu ik het weet, vrees ik,' zei Bean. Ze draaide zich naar hem om, dankbaar voor de onnatuurlijk beperkte ruimte die hun omgeving toestond. Hij zag er meer uit als een surfer dan als een priester, met die omhooggeschoven zonnebril en het loshangende witte hemd op een cargoshort en onmogelijk stevige kuiten die eindigden in sandalen.

'Waarschijnlijk kent zo'n kleine plaats geen geheimen,' zei hij.

O, als u het eens wist.

'Maar ik ben blij dat ik jou tegen het lijf ben gelopen. Aan het werk?' vervolgde hij.

'Min of meer,' zei Bean. 'Wat gaat u doen?' Ze leunde tegen de schappen, sloeg de enkels over elkaar en bracht de welving van haar heupen onder haar dunne rokje naar voren. Bean was nu eenmaal Bean, dus had ze in haar garderobe gezocht naar een tenue dat bij haar rol paste en het natuurlijk ook gevonden. Ze droeg een gerimpelde blouse met korte mouwen op een rok tot boven de knie. Even had ze overwogen een bril op te zetten, maar ze had zich bedacht.

'Ik denk erover wat jonge leden van de congregatie bij elkaar te brengen voor vrijwilligerswerk. Mensen van in de twintig en jonge stellen.'

'Zijn er dan zo veel?' Beans indruk van de kerk, vooral in de zomer, was van een heleboel grijs haar. Ze onderdrukte haar volgende vraag: moet ik vrijwilligerswerk gaan doen?

'We hebben er waarschijnlijk zo'n vijftien à twintig, wat meer dan genoeg is. In Cadbury bouwen ze een paar Habitat for Humanity-woningen. Ik dacht, we kunnen wel een weekeinde gaan helpen. En dan zien we wel verder. Misschien kunnen we gedurende het studiejaar naar de grote stad gaan om te kijken of de kerken daar iets met ons samen willen doen.'

'Dat klinkt geweldig. Ik ben dol op dat soort dingen,' zei Bean. Ze loog. Bean was best een goed mens, maar ze had nooit één ogenblik overwogen vrijwilligerswerk te doen. Ondanks (of dankzij) het feit dat ze zo lang in een stad had gewoond met zo veel ellende om haar heen, had ze tot op dat moment het idee om iets voor haar medemens te betekenen bewust verre van zich gehouden.

'Geweldig. Heb je zin om langs te komen? Dan scharrelen we samen wat namen bij elkaar die we daarna gaan bellen.'

'Ja hoor. Overmorgen? Na mijn werk hier?'

'Uitstekend. Maar om zes uur moet ik weer weg. Ik ga naar de stad om vrienden op te zoeken.'

'O,' zei Bean. Eerlijk gezegd had ze gehoopt dat ze hun werk konden doen en zij vervolgens een glaasje wijn kon voorstellen, en dat ze dan konden praten…

'Tot overmorgen dan,' zei hij, en hij verdween achter de boeken.

Bean ging rechtop staan en strekte haar schouderbladen naar achteren, waar de boeken in haar huid hadden gedrukt. Nonchalance kostte zo veel inspanning.

Ze ging verder met het rechtzetten van de boeken en ging met haar vinger langs de ongelijke bovenkanten. Het was interessant om te zien dat sommige schappen zo veel stoffiger waren dan andere. Kennelijk had niemand in Barnwell veel op met doe-het-zelfhandleidingen of recepten voor de stoofschotels.

Aidan bracht haar in verwarring. Als dit New York was geweest, zou ze vrij zeker weten dat hij haar stalkte omdat ze constant tegen hem op liep. Maar hier was het aantal mensen tegen wie je op kon lopen beperkt. Het was vast toeval allemaal. Behalve dat hij vandaag kennelijk met haar wilde praten. Had hij… een oogje op haar?

Iemand had een paar boeken op een van de tafels laten liggen. Bean raapte ze in het voorbijgaan op, keek met een half oog naar de nummers en zette ze terug op hun plek. Een afspraakje met Aidan lag niet buiten het rijk der mogelijkheden; hij was jong en vrijgezel en leuk, en dat was zij ook.

Haar betere ik sprong in haar keel en hoofdschuddend schoof ze het laatste verdwaalde boek op zijn plaats. Jawel, Beany, je zou een geweldige partner voor hem zijn, met al die verduistering en overspel en drank. Dat zoekt iedere man in een vrouw: een tikje alcoholistische, ontuchtige dievegge.

Nee, hij deed gewoon aardig. Ze zou het als niets anders opvatten. Nou ja, misschien kon ze iets minder drinken. En ervoor zorgen dat ze er goed uitzag als ze ging lopen, gewoon voor de zekerheid. En Edward… Ze was nog niet zover om die specifieke drug op te geven. Nee. Dat poosje vergetelheid was zo heerlijk.

14

Het tl-licht flikkerde en dreigde langzaam het helemaal op te geven. Cordy staarde omhoog, haar ogen brandden van het flitsen als van een discobal en ze wachtte af. 'Dit voelt een beetje koud,' zei de zuster, en ze hield een tube gel omhoog waarna ze een dunne lijn op Cordy's buik kneep alsof ze een ijsje versierde. Het was inderdaad een kille sensatie, maar minder onaangenaam dan een koude stethoscoop, of erger nog, zo'n ijzig speculum. Cordy wendde haar blik naar de monitor terwijl de verpleegkundige het apparaat op haar huid drukte.

Er was nog niets te zien, een witte veeg, de druk van het plastic op haar buik en daarna duwde de zuster iets harder terwijl ze haar hand schuin heen en weer bewoog. 'Je baarmoeder is in retroversie,' zei ze tussen neus en lippen door en Cordy zei: 'O,' alsof ze begreep wat dat betekende.

'Geen ramp,' zei de verpleegkundige terwijl ze bleef drukken. 'In het tweede trimester draait hij zich vanzelf weer goed.' Ze verschoof de staaf, stopte en drukte opnieuw.

'Aha!' zei ze, alsof ze zojuist een verloren contactlens had ontdekt, en ze klikte een paar keer met haar muis om plustekentjes op het scherm aan te geven. Ze duwde weer, gleed over de gladde gel en klikte opnieuw. 'Lijkt me een week of tien,' zei ze.

Cordy tuurde naar het scherm en probeerde iets te onderscheiden in de ruis van gespikkelde grijze ruimte. Het beeld waaierde uit als van een toverlantaarn en in het midden zag ze haar niervormige baarmoeder. Daarin een witte cirkel als een gebalde vuist, van begin tot eind gemarkeerd met plustekentjes. Het lichaampje leek meer op een kleine indringer, een galsteen of een maagzweer dan op een baby en Cordy staarde er nieuwsgierig naar en vroeg zich af hoe het was ontstaan.

Inwendig draaide het kleine ding zich om en Cordy onderscheidde de scharnierende ruggenwervels, het grote hoofd als van een marsmannetje en ondanks zijn ongevormde lelijkheid hield ze er meteen van.

'Van mij,' fluisterde ze en ze strekte haar vingers uit naar het scherm. 'Van mij.'

Niets was ooit alleen van haar geweest. Kleren, boeken, speelgoed waren eerst van Rose of Bean – of erger nog, van allebei – en dan van Cordy. De vloek van de afleggertjes. Nieuw-voor-mij, nooit gewoon nieuw. Cordy moest vooral denken aan een jurk die ze had begeerd, ze zag hem van Rose naar Bean gaan en wachtte ongeduldig op de dag dat hij van haar zou zijn. Zachte bruine tartanstof, een Peter Pan-kraag, pofmouwen en een rok als een kleppende torenklok om onze knieën wanneer we van de kerk naar huis holden.

Ze was er vreselijk op gebrand, had zijn stamboom via haar zussen gevolgd, de keren geteld dat ze hem droegen en de dagen afgestreept tot hij van haar zou zijn. De stof was in de was steeds zachter geworden, de kanten kraag losgekomen van de stof en mama herstelde die. Zo goed als nieuw. Maar niet nieuw. En toen kwam eindelijk de dag dat Bean hem was ontgroeid en afdankte. Cordy griste hem van de berg bij de wasmachine, holde naar haar eigen kamer en trok hem aan.

Hij was te klein. Bean was een laatbloeier geweest, Cordy was er vroeg bij. Beiden hadden tegelijkertijd een tienerlichaam gekregen en hij paste niet. De kleine knoopjes van parelmoer stonden op springen op haar borst, de tere mouwen spanden wanneer ze haar armen strekte, de vrouwelijke kraag knelde om haar hals. Cordy rukte de jurk van haar lijf, propte hem in de vuilnisbak en rouwde er nog jaren verbitterd om.

Maar deze baby zou voor altijd van haar zijn. Dat wonderbaarlijke gevoel hield haar warm toen ze zich teder en met respect voor haar gezwollen buik aankleedde, en nog toen ze de steriele praktijk uit zweefde naar Dans auto op het parkeerterrein. Hij had haar willen brengen, maar ze wilde met alle geweld alleen gaan. Opeens werd ze bevangen door een golf van misselijkheid en moest ze zich met één hand tegen het portier schrap zetten. Ze slikte de misselijkheid in haar mond weg, draaide zich om en leunde tegen het warme metaal.

Vertrekken was er nu niet meer bij. Geen zwerftocht meer op de wind, geen tas meer pakken op een ingeving en weg huppelen van onbetaalde rekeningen en ongewenste minnaars. Deze aflegger was een blijvertje. Voorgoed.

Cordy's ogen liepen vol tranen en knipperend met haar ogen naar de zon veegde ze die af met de manchet van haar blouse. De rand van de autosleutel drukte in haar huid. Een troostende pijn.

Maar ze kon toch weg?

Ze kon nu meteen vertrekken, verdwijnen in het duister van de landkaart en zich schurken in een nieuwe stad en een nieuw leven. De belofte van een volle tank benzine en een blanco toekomst deed inwendig zeer.

Nee. Dat kon niet. Omdat ze zelfs in die nieuwe incarnatie een baby zou dragen. Ze kon nooit meer zomaar verdwijnen.

Ze reed terug naar Barnwell door akkers vol wuivende schoven, groen geworden door de zomerse regens. Ze liep door de lege keuken, gooide de sleutels op Dans bureau achter in de Beanery zonder te blijven staan om gedag te zeggen en liep naar huis met haar handen op haar buik. Hoewel het fysiek onmogelijk was en technisch gesproken onwaar, had ze het gevoel dat ze de dag was begonnen met niets op haar naam en geëindigd met iets wat ze van haar kon noemen. Toen Dan na het werk langskwam, stond ze in de keuken met haar vuisten deeg te kneden en naar buiten te staren, naar de gazonsproeier die bogen water spoog in het afnemende zonlicht.

Dan leunde met de armen over elkaar tegen het aanrecht; het haar op zijn armen was hobbitdik. Hij had een zware, diepe stem die Cordy deed denken aan het brommen van de stem van een man wanneer ze met haar hoofd op zijn borst lag. 'Wat ga je doen?' vroeg Dan en hij boog zich iets naar voren. Boven zijn ogen fronsten zwarte, brede wenkbrauwen.

Het deeg rekte warm en elastisch in Cordy's handen, ze rolde het teder tussen haar vingers en draaide het om zodat ze de oppervlakte kon bestrijken met boter dat wit aan de binnenkant van de schaal zat. Ze duwde de schaal terug naar het midden van het fornuis en legde er een vochtige theedoek overheen. 'Ik laat het komen,' zei Cordy. 'Ik krijg een baby.'

Dan knikte, wendde zijn blik af van Cordy en keek naar de koelkast waarop we jarenlang kunstprojecten en zelfgemaakte magneten hadden geplakt en die nu een verzamelplaats was van verstreken coupons, memo's van Rose die niemand ooit las en een magnetische set poëzie van Shakespeare, die vandaag zo was gerangschikt dat er onder meer stond: *Tong lichtekooi wellustig onder ridders* en *Kate besloot blozend struweel hij kuste.* (Auteurs: papa van de eerste en Bean van de tweede. Je dacht zeker dat het andersom zou zijn?)

'Wanneer ben je uitgerekend?'

'Kerstmis,' zei ze. 'Of daaromtrent. Je vindt me toch niet slecht, hè?' Ze keek hem met ronde, heldere ogen aan.

'Waarom zou ik?'

'Ik kan me geen baby veroorloven,' zei ze. 'Dit was niet echt de bedoeling.'

'Is er dan een bedoeling?' vroeg Dan gemaakt verrast. 'Niemand vertelt mij ooit wat. Laat me die bedoeling eens bekijken.' Hij sloeg met zijn vlakke hand op het fornuis en de schaal trilde instemmend.

'Doe niet zo stom,' zei Cordy. 'Ik ben zoals die vrouwen over wie ze documentaires maken, die een last zijn voor de staat.' Ze keek somber naar haar handen, nog kleverig van het deeg, en liep naar de gootsteen om ze te wassen.

'Oké, laten we het paard even achter de wagen spannen,' zei Dan. 'Dat is niet de slimste beslissing die je nu kunt nemen, maar voor jou is het de juiste. Dus of je neemt een besluit en je blijft erbij, of je twijfelt negen maanden of je wel de juiste beslissing hebt genomen.'

'Juist,' zei Cordy en het klonk weer fluisterend. Ze droogde haar handen aan de theedoek en ze zakten weer naar haar buik. Van míj. Niets was ooit van haar geweest. Niets.

Bean was verrast dat het zo lastig was geweest om iets goeds te doen. Zij en Aidan hadden een tiental liefdadige instellingen bijeen gebrainstormd, maar die hadden de komende drie maanden geen gebrek aan vrijwilligers. Wie had dat kunnen denken?

Toen ze eindelijk onder aan de lijst was beland, bij de bouwhulp die Aidan in eerste instantie had voorgesteld, was ze bijna bereid te liegen en tegen Aidan te zeggen dat ze daar ook geen hulp nodig hadden. Buitenwerk? In die warmte?

Maar ze was niet echt in een positie om God nog pissiger te maken dan ze elke dag al deed en door te liegen tegen een priester en een liefdadige instelling moedwillig vrijwilligers te ontzeggen, maakte ze zich wel heel kwetsbaar voor een engel der wrake. Dus belde ze en natuurlijk waren ze dolblij met de hulp. Vanzelfsprekend.

Ze leende wat kleren van Cordy, die niet armoediger hadden kunnen zijn als ze het handwerk had overgeslagen en meteen maar in de modder was gaan rollen, beperkte haar make-up tot zonnebrandcrème, mascara en lipgloss en zette koers naar de bouwplaats. Ze zat op de achterbak van de auto met haar benen te zwaaien en te fluiten toen Aidan arriveerde met een ploegje vrijwilligers van St. Mark's.

Ze hadden allemaal gecarpoold. Shit. Daar had ze aan moeten denken. Dat deden goede mensen.

'Bianca,' zei hij hoofdschuddend toen hij haar zag. 'Je ziet er veel te mooi uit voor dit werk.' Ze keek verrast omlaag naar haar kleren, omdat een blik in de spiegel voor haar vertrek haar ervan had overtuigd dat ze van de straat geplukt zou worden om als invalster te spelen in een remake van Oliver! Hij tikte met zijn vingers tegen de poot van haar zonnebril. Ze bedekte beschermend het parelmoeren logo met haar hand. Nou ja, die had ze net zo goed in Canal Street gekocht kunnen hebben, wist hij veel.

'Ik ben niet bang om vies te worden,' zei ze. De veel te grote glazen verhulden elke onzekere flikkering. Ze tuitte haar lippen en schudde haar haar. Ze hield haar handen omhoog, vrij van nagellak. 'Kom maar op.'

Bean kende geen van de andere vrijwilligers. De mensen die ze van school kende hadden vleugels gekregen en waren uitgevlogen, net als zij, al was het met minder spectaculaire crashlandingen. Haar vriendinnen van de luidruchtige, met bier overgoten feesten, de stoere meisjes met die wrede monden en de dreigende, lompe jongens waren in de ether opgelost, verhuisd, hadden andere banen genomen – echte banen, die wekelijks minder betaalden dan die zonnebril had gekost –

of kinderen gekregen en waren volwassen geworden voordat de gedachte aan volwassenheid maar in ze was opgekomen.

Maar de rest van de groep van St. Mark's was aardig, vriendelijk en hartelijk. Ze kende er een paar van de bibliotheek, een jonge moeder die er met haar kinderen kwam, het stel dat de ijzerwinkel had overgenomen en de voorraden voor vandaag had gedoneerd. Drie pas aangestelde professoren met een fris gezicht. En Bean kwam erachter dat ze stuk voor stuk nuttiger waren dan zij. Thuis leidden we een bestaan van de geest, wat allemaal goed en wel was, maar Bean vroeg zich wel eens af, in de tijd dat de dreiging van De Bom als het zwaard van Damocles boven ons hoofd hing, wat er met ons zou gebeuren als het einde inderdaad zou komen. Niemand zou behoefte hebben aan mensen als wij. Poëzie en kunst zouden zinloos zijn. We zouden boeren en timmerlui en geleerden en leiders nodig hebben. Maar niet een overspelig, in ongenade gevallen afdelingshoofd met een nutteloos vermogen om Shakespeare te citeren en een ontluikende kennis van het registratiesysteem van de bibliotheek.

Want inmiddels kon ze je, zij het niet met de zwier van mevrouw Landrige, met gemak rechtstreeks naar de afdeling brengen die je zocht en af en toe zelfs op het juiste boek inzoomen, om het van de plank te halen en in je dankbare handen te leggen en het bedankje vervolgens achteloos weg te wuiven. Maar hier, aan het halen en sjouwen gezet, voelde ze zich een onhandige sta-in-de-weg, met de armen wijd tegen het multiplex, heen en weer snellend tussen het gesnerp van de zaag en het lawaaiige scherpe kloppen van de hamers in haar oren. Algauw was ze zweterig en moe en knoopte ze haar haar in een knoet en veegde ze de mascara die met het zweet over haar wangen liep af en probeerde ze te vergeten wie ze in werkelijkheid was en waarom ze hier eigenlijk was.

Bij de lunch ging ze in de schaduw naast de jonge moeder van de bibliotheek zitten. 'Wat leuk om kennis te maken met iemand van mijn leeftijd,' zei de vrouw. Amanda.

Bean schrok op. Ze keek naar Amanda, die een boeketje kraaienpootjes om haar ogen had wanneer ze lachte, de boog van een fronsrimpel tussen neus en mond, haar in de war en uitdijende heupen. Waren zij van dezelfde leeftijd? Bean was er zo aan gewend geraakt zichzelf als een twintiger te beschouwen, gewoon het zoveelste stuk van de stad dat in een potentiële sleutelroman leefde. Toen ze klein was, had ze eens uitgerekend hoe oud ze in het jaar 2000 zou zijn en dat had haar zo stokoud geleken, zo ver in de toekomst, dat het met geen mogelijkheid iets te maken kon hebben met het meisje dat ze toen was. Maar hier was ze nu, zelfs voorbij die onvoorstelbare leeftijd.

Ze zakte in elkaar en at zwijgend haar boterham terwijl Amanda naast haar door babbelde totdat het goddank tijd werd om weer balken te sjouwen en balen te tillen.

Aan het eind van de dag had Bean overal pijn en voelde ze zich een wrak, haar make-up was spoorloos, haar kapsel zat wild (maar aantrekkelijk wild, dat had ze in de ramen van de vrachtwagen van de dakdekkers gezien).

'Hoe voel je je?' vroeg Aidan. Zijn hand lag op haar rug. Bean rechtte automatisch de rug met haar schouderbladen naar achteren als vleugels, net zoals ze altijd deed wanneer ze een oude vrouw zag die gebogen ging onder haar leeftijd.

'Ik ben kapot,' zei Bean, en ze verwrong haar lippen in een nederige glimlach. 'Maar ik voel me goed. Zoals na een goeie kickbokstraining, maar dan beter.'

Aidan lachte. 'Misschien moeten we het zo verkopen. Dienstverlening als fitness.'

'Franchises in winkelgalerijen met posters van ons waarop we onze veel wijde spijkerbroeken ophouden.'

'Dat is nog eens een ambitie,' zei Aidan. Een paar werkers van St. Mark's kwamen langs. Aidan zei hen gedag met één hand op de schouder, met de andere gaf hij een stevige hand. Hij lachte en zei tegen Amanda dat hij haar zondag bij de dienst zou zien. Amanda bleef nog even hangen, misschien hoopte ze meer op een audiëntie met Bean dan met Aidan, maar daarna glipte ze weg en waren ze weer alleen. 'Ik ben blij dat je bent gekomen,' zei Aidan.

'Ik ook,' zei Bean en ze meende het nog half ook. Het was prettig vergetelheid te vinden in iets anders dan een fles wijn of Edwards bed.

'We kunnen echt iets bereiken met deze groep jonge leden als alles zo gesmeerd blijft gaan als vandaag. En je hebt me geweldig geholpen door ze zo snel bij elkaar te brengen. Zullen we dit over een paar weken weer doen?'

'Wat dacht je van volgende maand?' stelde Bean voor. 'Ik denk dat de mensen gesteld zijn op hun weekeinden. Ik niet natuurlijk, omdat ik nu officieel een oude vrijster van een bibliothecaresse ben en thuis moet blijven bij mijn kat en thee drinken.'

'Echt? Dat lijkt me vreselijk onrechtvaardig.'

Bean haalde haar schouders op. 'Zo zijn de regels. Het staat in het handboek.'

'Nou, laten we maar eens teruggaan. Ik moet mijn preek voor morgen nog afmaken en het ziet ernaar uit dat de anderen ook zover zijn.'

'O, dominee Uitstel,' zei Bean terwijl ze hem op weg naar de auto een vriendelijke por gaf.

'Dat is het niet. Ik wil graag dat hij... vers uit de mentale oven is.'

'Gloeiend hete sermoenen.'

'Precies. En jij?'

'Naar huis,' loog ze.

Bean kon zelf de aantrekkingskracht die haar naar Edward trok niet verklaren, alleen dat hij haar even misselijk maakte als opwond.

'Niets zeggen,' zei Bean toen Edward de hordeur voor haar openhield. Hij rookte een sigaar en de zure lucht deed haar maag een beetje omdraaien toen ze langs hem heen schoof. 'Ik heb de hele dag goede dingen gedaan en ik weet dat ik er niet uitzie.'

'Dus je komt voor een beetje kattenkwaad?' vroeg hij. Hij hield de sigaar bij zijn mond en kwispelde ermee voordat hij weer een trekje nam.

'Ik kom een beetje douchen,' zei ze.

'En daarna?' vroeg hij plagerig.

'Kom over tien minuten maar naar boven, dan merk je het vanzelf,' zei ze.

'Je bent doortrapt,' zei hij met een gebaar naar de brede trap naar de eerste verdieping en met zijn vrije hand gaf hij haar een klap op haar billen. Er speelde blues op zijn installatie en de krant lag door de hele kamer verspreid. Hij had zich zo makkelijk naar het vrijgezellenbestaan gevoegd, dat het eenvoudig te vergeten was dat ze met elke keer dat zij er was, alle goeds wegbrandde dat ze mogelijkerwijs kon doen met een schamel dagje vrijwilligerswerk. Zijn vrouw, zijn kinderen, ze bewees hun allemaal geen dienst met haar aanwezigheid. Alle preken die we hadden gehoord toen we opgroeiden, alle Bijbelse verhalenboeken die we stukgelezen hadden, het was allemaal voor niets geweest. Het was Bean opgevallen dat ze de Tien Geboden afvinkte door ze stuk voor stuk ordelijk te overtreden tot er van haar ziel niets meer over was dan een nietige, gescheurde flard die in de holle duisternis vanbinnen rondfladderde.

Ze liep naar de trap en wierp over haar schouder een blik naar Edward. Elke keer dat ze hem zag, werd hij minder aantrekkelijk, dacht ze. Zijn tanden waren nog wit en zijn haar een presidentskandidaat waardig, maar zijn gezicht was getekend door alcohol en teleurstelling. Maar toen hij naar haar knipoogde en het glas naar haar hief, knipoogde ze terug. En toen ze onder de douche stond en het zweet en vuil van de dag wegwaste, en hij zich bij haar voegde, sloeg ze geen acht op de stem van haar verstand en liet ze hem de kille, onzekere buitenwereld en haar plek daarin weg toveren. Dit was dus haar leven. Goed vanbuiten, rot vanbinnen. Tot op het bot.

Papa zat aan de keukentafel in zijn *Riverside Shakespeare* te lezen. Rose kwam binnen en ging op een van de rechte stoelen tegenover hem zitten. 'Papa,' zei ze, maar hij stak een vinger op en haalde zijn ogen niet van de tekst. Dat was zijn teken: wacht even, ik lees. Niet dat hij niet wist hoe het afliep, welk stuk hij ook las.

Toen hij klaar was, legde hij het boek open met de rug naar boven op tafel. Roses vingers jeukten om het op te pakken en er een bladwijzer in te leggen. 'Ik wil je advies.'

'*Wees noch een borger, noch een lener ook, want hij die leent verliest vaak geld én vriend. En 't borgen stompt de zin tot sparen af,*' zei hij met een zelfingenomen lachje. O, papa, een Hamlet-grapje. Wat heerlijk. Dat had je niet hoeven doen.

Rose glimlachte gedwongen. 'Bedankt. Maar dit gaat over werk.'

'Aha, de zuigkracht van een vaste aanstelling,' zei hij. 'Wat vindt Jonathan ervan?'

'Hij wil in Engeland blijven. Het is belachelijk. Omdat we dan over twee jaar weer iets anders moeten zoeken.'

'Er zijn nog meer universiteiten. Mensen gaan constant van de ene naar de andere.'

'Jij niet,' zei Rose beschuldigend.

'Nee,' bekende papa. 'Maar dat was een andere tijd. Vietnam had ons opgezadeld met een overvloed aan academici en we mochten van geluk spreken als we een plek vonden, vooral op zo'n prestigieus instituut als Barnwell. Maar jij hebt een keus die ik nooit gehad heb. Plus dat jij werkt op een terrein dat veel minder bevolkt is dan het mijne.'

'Dus je bedoelt dat ik die baan niet moet nemen.'

'Ik doe niets anders dan er, tamelijk logisch, kleine wiskundige van me, op wijzen dat niets je dwingt die baan aan te nemen.'

'Maar stel dat ik hier geen andere baan kan vinden?'

'Dan ga je ergens anders heen.'

'Ik kan jullie niet aan je lot overlaten,' zei Rose.

Papa fronste. 'En waarom niet?'

Rose aarzelde. 'Nou, vanwege mama. En Bean en Cordy zijn er nu.'

'En niets daarvan is jouw verantwoordelijkheid, Rose. Niemand heeft je ooit gevraagd voor ons te zorgen. Waarschijnlijk is het aan je moeder en mij te wijten dat we dat zo lang hebben getolereerd. Zorgen voor anderen is altijd je sterke kant geweest, maar het is ook een gave die voor jou een zekere mate van opoffering met zich meebrengt, of je dat nu beseft of niet.'

Getolereerd. Rose had er nooit bij stilgestaan dat alle verantwoordelijkheid die ze op zich had genomen door iemand was getolereerd. Zij had niet anders gekund. Net als bij het etentje in een bijna verlaten Italiaans restaurant, toen Bean en Cordy verstoppertje speelden tussen de poten van lege tafeltjes waarbij hun gegil de obers liet schrikken die met volle dienbladen onderweg waren naar de tafel waar papa en mama met vrienden zaten te eten, en Rose met hen naar de vestibule verhuisde om hen bezig te houden met kleurkrijt en een lange witte strook slagerspapier. Op een zomerse picknick van de faculteit rukte Cordy haar kleren uit om net zo lang door een gazonsproeier te hollen tot haar luier zwaar was van het water. Rose, gegeneerd door Cordy's kinderlijke naaktheid, nam haar mee naar binnen om haar af te drogen, haar gele jurkje van bobbeltjesstof weer aan te trekken en een nette strik op haar rug te knopen. Toen mama was vergeten iets bij de kruidenier te kopen dat we in ons lunchtrommeltje konden meenemen, wist Rose inmiddels waar het boodschappengeld werd bewaard, in een pot bij het aanrecht, en zocht ze nauwgezet witbrood en bologneseworst uit, zodat onze boterhammen er net zo zouden uitzien als die van de andere kinderen aan tafel (totdat we naar Coop gingen, natuurlijk, waar het kind naast ons eerder hummus in zijn trommeltje had dan Campbell-soep). In de huiskamer tikte Rose voorzichtig de as uit papa's pijp wanneer hij vredig zat te slapen in zijn stoel. Het is waar dat niemand haar ooit vroeg die dingen te doen, maar we gingen er gewoon van uit dat zij ze deed en we vertrouwden er zozeer op dat het bij geen van ons opkwam hoe onrechtvaardig dat tegenover haar kon zijn, hoezeer ze zichzelf was gaan beschouwen als de persoon die deze dingen deed.

Maar als ze die dingen niet zou doen – als ze niet meer voor ons zou zorgen – wie zou zij dan zijn? Wie zou Bean zijn zonder haar fraaie masker? Wie zou Cordy zijn als die opeens de touwtjes van haar eigen leven in handen nam? Wie zou Rose zijn als zij niet meer de verantwoordelijke was?

'Je gaat hem opzoeken, hè?'

Rose keek ervan op dat het tot haar vader was doorgedrongen. Ze had haar reis aangekondigd en op de familiekalender in de keuken geschreven, maar ze had er al helemaal op gerekend dat ze er iedereen nog tien keer aan zou moeten herinneren. Sinds wanneer lette papa op dat soort dingen?

'Dus dan ga je erheen en zie je het vanzelf.'

'Maar wat moet ik doen?' vroeg Rose, nog meer de weg kwijt dan toen ze begon.

'Dit boven alles: wees jezelve trouw, en daaruit volgt, als op de dag de nacht, dat jegens niemand je ooit vals kunt zijn.' Hij strekte zijn hand uit over de tafel, gaf een klopje op haar hand en ging weer verder met zijn boek.

Gesprek afgelopen.

Bedankt, Polonius.

15

De avond voordat mama aan haar eerste week bestraling begon, kwam Cordy aan tafel met haar explosieve nieuws. Ze had brood gebakken, zoals ze tegenwoordig altijd deed, en het in een mandje gelegd, gebroken graan op botergeel geblokt doek, de damp sloeg nog van de sneetjes en het geurde naar gist en gezelligheid. Rose had gebeden en we wilden net gaan eten toen ze haar mond opendeed.

'Ik krijg een baby,' zei onze zus.

Papa, die een snee brood in zijn geheel smeerde tegen mama's regel om je brood per hapje te smeren, stopte. De hand met het botermes legde hij op tafel. 'O, Cordelia,' zei hij, en die woorden spraken boekdelen.

Bean keek op, niet verrast. Ze was nog steeds in werkkleding, een lavendelkleurig jasje op een wit T-shirt in een spijkerbroek van meer dan driehonderd dollar, zou ze je eerlijk vertellen. Mevrouw Landrige zou die niet hebben goedgekeurd, ondanks het prijskaartje. 'Wauw,' zei ze.

'Je maakt een geintje,' zei Rose fronsend met een strak mondje.

'Wat?' zei mama. Ze neuriede zacht, sneed een tomaat in stukjes en haar mes schraapte over het bord.

Kijk, ons gezin in een notendop.

'Ik ben zwanger. Ik krijg een kind,' herhaalde Cordy, alsof we haar niet allemaal hadden gehoord. Nou ja, mama niet, maar dat was niets nieuws. Haar reacties kwamen altijd vertraagd, meestal weefde ze de gespreksfragmenten die over en weer gingen aan tafel zelfs weer samen.

Het verklaarde veel. De gewichtstoename, dat ze 's morgens zo stil was, de manier waarop Rose haar buik had zien zwellen in haar taillеband, haar radeloze behoefte om ons allemaal te voeden. En toch waren er nog ontelbaar veel vragen over.

'Wie is de vader?' leidde Rose de aanval in. Cordy keek onthutst, alsof ze niet op die vraag had gerekend, alsof het nooit bij haar was opgekomen dat er sprake moest zijn van een vader, dat mensen wel eens nieuwsgierig konden zijn waar die was.

'Ik weet het niet,' zei ze, en papa liep rood aan en de strepen wit op zijn gefronste voorhoofd tekenden zich scherp af. 'Niet iemand die ertoe doet.'

'Goddomme, Cordelia,' zei papa en zijn mes kletterde op zijn bord met een scherp geluid waarvan mama opschrok. 'Je kunt geen kind krijgen.'

'Te laat,' zei Bean, die inwendig glimlachte. 'Volgens mij is er geen weg terug mogelijk.'

'Jim,' zei mama; een floers van zijde over zijn woede.

'Hoe ga je jezelf in hemelsnaam onderhouden? De rekeningen betalen? De baby voeden? De dokter betalen?'

'Ik red me wel,' zei Cordy, en het was net zozeer een gelofte aan zichzelf als een belofte aan haar vader. 'Ik heb een baan en als het moet, neem ik er nog een bij.'

'En wie zorgt er voor de baby als jij de godganse dag aan het werk bent?'

'Dat doen wij,' zei mama en nu was de zijde van haar stem in staal veranderd. 'We laten geen van onze kinderen in de steek als ze onze hulp nodig heeft.'

De blik die over papa's gelaat gleed was pijnlijk om aan te zien. Hadden we papa ooit zien huilen? Ja, op de begrafenis van zijn vader verschrompelde hij huilend in de kerk toen de dominee een litanie van Pop-Pops goede werken ten beste gaf. Maar nu stond zijn gezicht bedroefder, alsof een duizendvoudig verraad het in één oogwenk uitschreeuwde. Hij stond op en stevende de keuken uit en liet zijn servet als bij nader inzien op zijn stoel liggen.

'Goed gedaan,' zei Bean.

'Hou je bek, Bean,' zei Cordy, die er belabberd uitzag. 'Alsof je niet net zo'n mislukkeling bent als ik.'

'Let op je taal, meisjes,' zei mama vriendelijk.

'Heb jij nooit van anticonceptie gehoord?' vroeg Bean. Cordy deed haar ogen dicht omdat de herinnering voorbijtrok. De kunstschilder, de woestijn, hun laatste nacht op die afgeleefde futon. Hoe lang was dat geleden? Hooguit drie maanden. Het leek wel een vorig leven.

'Jawel hoor,' zei Cordy.

'Wanneer ben je uitgerekend?'

'December,' zei Cordy. 'Misschien met Kerstmis.'

'Nou, dat zal een hele verandering in je leven zijn,' zei mama.

'Ik weet het,' zei Cordy en het was niet vast te stellen waarop de tranen in haar ogen duidden. 'Ik weet het.'

Na het eten zaten we in de huiskamer te doen of we lazen. Omdat we zo veel jaren in dat huis hadden gewoond, kenden we elkaars voetstappen. Die van mama waren vlug en licht. Die van papa zwaar en doelgericht. Die van Rose log en aarzelend. Bean, ferm en scherp en Cordy zette het om de paar stappen op een holletje. We luisterden naar de voetstappen boven ons hoofd, mama die door haar slaapkamer naar de kaptafel liep en ging zitten om haar hydraterende nachtcrème op te doen. Ze stond weer op en liep naar de badkamerdeur, waar haar nachtjapon hing. Papa slofte zwaar en treurig naar de badkamer, het water stroomde, hij slofte terug naar de ladekast waar hij zijn zakken leeghaalde, de inhoud erop legde en de muntjes op een schoteltje kletterden waar ze zouden blijven liggen tot een van ons er beslag op legde om een ijsje van te kopen. En door al die geluiden heen een tapijt van stemmen. Die van papa was hard en boos. Die van mama zachter. Die van papa klonk weer woest. Mama verhief haar stem om niet voor hem onder te doen. Het piepen van de badkamerdeur.

Bean keek naar Cordy, die zat te huilen. Zilveren tranen biggelden over haar gezicht, vielen – plop – van haar kin en maakten vochtplekken op haar T-shirt. 'Hé,' zei ze. Ze stond op, liep naar haar zus die op de bank zat. Al was Cordy niet kleiner dan wij – we waren allemaal even groot – daar midden op de bank zag ze er onmogelijk klein uit met haar benen opgetrokken onder het boek en gekleed in een slecht zittende oude tanktop en olijfkleurige broek. Bean ging naast haar zitten en streelde haar arm. Cordy bleef huilen.

'Hé,' herhaalde Bean. 'Het komt wel goed. Je hebt hem alleen overdonderd, begrijp je?'

'Ik weet het,' zei Cordy op die huilerige manier van iets horen en er niets van geloven. Ze veegde haar neus af aan de binnenkant van haar pols. Rose stond op, pakte een doos Kleenex en ging ermee aan haar andere kant zitten. Cordy pakte een zakdoekje en snoot haar neus. 'Hij is gewoon verrast,' zei Rose zacht. 'Hij is niet echt boos.'

'Hij draait wel bij. Hij krijgt een kleinkind. Dat zal hem helemaal overdonderen. En hij zal je wel helpen, dat doet hij altijd. Nu is hij gewoon van zijn stuk gebracht,' zei Bean.

'Ik weet het,' herhaalde Cordy. Ze nam nog een zakdoekje en veegde de huid onder haar ogen af. Ze keek ons aan, onze kleine zus, met donkere wallen onder haar ogen en drogende traansporen op haar wangen. 'Ik zou gewoon willen dat hij een beetje blij was voor me. Een beetje blij, maar. Ik besef dat dit de stommiteit van mijn leven is, maar ik wil deze baby. En ik word een goeie moeder.'

'Natuurlijk word je dat,' zei Rose. 'En wij zullen je helpen.'

'Je wordt een te gekke moeder,' zei Bean, die Cordy's haar streelde. Dat waren de bemoedigende woorden die je in zo'n situatie uitspreekt, maar ik denk niet dat iemand op die bank het al echt van harte geloofde. *De leeuw maakt panters tam… De vlekken blijven toch.* Met alleen wilskracht kreeg je Rose niet moedig, Bean niet eerlijk en Cordy niet verstandig. Waren wij daar geen levend bewijs van, dit armzalige zusterschap, evenzeer aan elkaar geklonken door onze mislukkingen als door onze hoop?

Een paar dagen na Cordy's onthulling zat Rose in de huiskamer te lezen toen ze Bean en Cordy op Beans kamer hoorde rondstommelen. De golf van jaloezie sloeg vanbinnen toe voordat ze hem weer onderdrukte. Was ze al zo ver heen dat ze zich in de luren liet leggen door dit decenniaoude touwtrekken tussen ons drieën? Resoluut legde ze haar boek neer en ze ging naar boven. Op de overloop aarzelde ze even, bang dat ze niet welkom was bij ons.

Rose viel in de eerste twee weken op Barnwell vijfenhalve kilo af. Niet expres, maar omdat ze, geconfronteerd met de angstaanjagende taak om naar de eetzaal te gaan zonder te weten hoe het daar werkte en zonder een vriend of vriendin om bij te gaan zitten, verkoos op haar kamer te eten. Dag in dag uit at ze 's morgens cornflakes met melk uit de kleine koelkast die haar kamergenote had meegebracht, en zorgde ze ervoor dat die niet wakker werd van het geluid van haar lepel. Rond lunchtijd haastte ze zich naar de Student Union, waar papa ons ontelbare malen op hamburgers had getrakteerd, en daar at ze alleen. Voor het avondeten wandelde ze de stad in en at ze in de veilige omgeving van een eetcafé of boekwinkel, of glipte ze naar huis met de verklaring dat ze mama's kookkunst miste, zelfs wanneer die een van haar mentale verdwijntrucs had toegepast en er dus niets te eten was. Pas toen een leuk, frivool meisje met een halsketting van hennep en een licht vage blik waarvan Rose weldra zou merken dat die chemisch teweeggebracht was, haar te eten vroeg met de andere meisjes van de etage, zette ze een voet in die kamer en daarna volgde ze haar verlosser heel behoedzaam en at ze precies wat zij at, en zette ze haar voeten net zo neer en gebruikte ze haar bestek net als zij, zodat je zou denken dat ze haar schaduw was.

Voordat Rose de moed kon opbrengen de deur open te doen, wierp Cordy die wijd open. '*Wie spreekt toch daarbinnen? Maak eens open, kom!*' lachte ze kakelend.

'O, we vroegen ons al af wie er over de overloop rondsloop,' zei Bean met een blik over haar schouder naar Rose, waarna ze zonder veel belangstelling weer naar de berg kleren op het bed keek. Bij de aanblik van de kamer onderdrukte Rose een zucht. Het had er veel van weg dat Bean alle dozen en tassen die ze had meegebracht had opengemaakt – en ze had een indrukwekkende hoeveelheid in dat kleine autootje van haar gepropt, het was net een clownmobiel – en de inhoud door de kamer had verspreid. Cordy stommelde rond op een ongelijk stel hoge hakken, in een broek, een rok, een T-shirt met lange mouwen en een omslagdoek om haar hoofd, alsof ze een lift in een cabriolet verwachtte. In 1952.

'Ik sloop niet rond,' zei Rose. 'Wat spoken jullie hier in godsnaam uit?'

Cordy bleef staan, zette haar heup opzij en zwaaide kritisch met een wijsvinger naar Rose. 'De naam van de Heer niet ijdel gebruiken, *dahling*,' zei ze. 'Dat is zo onbeholpen.' Ze gooide de rand van de doek over haar schouder naar achteren en huppelde ergens anders heen.

'Ik ruim op. En Rita Hayworth helpt een handje. Althans dat zegt ze,' zei Bean met een gebaar naar Cordy.

Rose liep naar het bed, leunde er met haar dijen tegenaan en betastte de stof die erop lag. 'Je hebt een heleboel kleren,' zei ze.

'Ik weet het.'

Vragend tilde Rose de mouw op van een roze jasje van shantoengzijde. 'Hier zitten de kaartjes nog aan.'

Cordy haalde een felgroene handtas uit een doos in de hoek, stommelde weer terug en gleed een beetje uit op haar hakken. Bean heeft de grootste voeten van ons allemaal. Cordy bleef halverwege haar ronde staan, blies Rose een handkus toe en vervolgde haar catwalkparade.

'Ik weet het,' zei Bean. Ze klonk verlegen van berouw. Mijn god, hoeveel van dit spul had nog steeds het prijskaartje eraan zitten? Heel veel hiervan was de zucht om te hebben, te bezitten, om haar kleine kledingkast te openen en de oorlogsbuit, een zee van kleren te zien. En dan had je natuurlijk nog de mode, als de grillige courtisane die van gedachten veranderde in de tijd die het haar kostte om iets te drinken te bestellen, waardoor ze met de schoenen van gisteren en het kapsel van vanmorgen zat opgescheept.

'Heb je dit echt allemaal nodig?' vroeg Rose.

Bean keek scherp op en kneep haar ogen defensief samen.

'Nee, ik bedoel het niet gemeen. Ik vroeg het me gewoon af. Anders kun je ze in consignatie geven aan een winkel in de stad.'

Beans handen bewogen zich vlug, ze vouwde, sorteerde en schudde de plooien van een rok uit. Ze pauzeerde even met haar handen op een antracietgrijze rok en bijpassend jasje. Pechkleding. Dit pakje had ze aangehad op de dag van haar ontslag. Ze wist nog dat ze de zoom naar een fatsoenlijk niveau had getrokken. Ze gooide het pakje opzij en schudde haar handen af. Hadden andere mensen dat soort bijgelovige gevoelens over hun kleren? Natuurlijk had Bean voorkeurskleren, maar ze had ook tegenovergestelde gevoelens, dat ze een bepaald kledingstuk nooit meer zou dragen als haar iets slechts was overkomen terwijl ze het droeg. Dit kwam er zeker voor in aanmerking.

Maar als ze ze verkocht, kon ze de herinnering ook kwijt, althans een stap in die richting zetten.

'Je kunt er reteveel aan verdienen,' zei Cordy. Ze sprong op het bed, Beans hoge hakken kletterden van haar voeten en ze tilde gehoorzaam haar heup op zodat Bean de kleren waarop ze zat weg kon trekken. Cordy maakte het tasje open dat ze had gepakt en haalde papieren zakdoekjes, halve rollen pepermunt en een heleboel muntjes uit de vakjes.

'Nou, ik heb retehoge schulden, dus eerlijk is eerlijk,' zei Bean. Ze had een frons op haar voorhoofd waarvoor ze misschien ooit plastische chirurgie zou hebben overwogen.

Nadat Bean in het bos was ingestort en ons haar verhaal had verteld, waren we van ontzag vervuld door het bedrag dat ze schuldig was en hoe onmogelijk het was dat op te brengen, maar toen wisten we nog niets van Beans couture. Rose, die niets wist van wat er dit seizoen in Parijs in de mode was noch het iets kon schelen, tuurde naar het label en zette grote ogen op. Reteveel, hoe onnauwkeurig die aanduiding ook mocht zijn, was precies wat Bean zou beuren.

'Misschien krijg je wel meer dan je schuldig bent. Kun je houden wat er overblijft,' zei Cordy.

Bean en Rose keken elkaar aan en schudden allebei hun hoofd. 'Ik wil het geld niet,' zei Bean, en Rose glimlachte verrast maar wel trots.

'Ik wil het gewoon terugbetalen,' zei Bean. 'Dat is een goed idee, Rose. Bedankt.'

Rose was gevleid en bloosde licht.

'En ook nog bedankt voor je gesprek met mevrouw Landrige om mij aan te nemen. Dat was echt lief van je, want je had het niet hoeven doen.'

'Ik wilde je helpen,' zei Rose. 'Dat wil ik nog. Als je iets nodig hebt.'

'Stoute, stoute Beany,' zei Cordy en haar wijsvinger ging weer als een metronoom heen en weer. Ze had een zilveren sigarettenkoker onder uit het tasje gehaald en hield hem open als een medaillon. Toen ze haar handen omdraaide om de inhoud te tonen, knipperde Rose met haar ogen.

'Bewaar je daar je marihuana in?' vroeg Rose met een knikje naar de koker, onder de vingerafdrukken, maar duidelijk antiek en net zo duidelijk kostbaar.

'Nou ja, je moet het ergens in bewaren,' zei Bean.

'Dat is heel waar,' zei Cordy gemaakt ernstig, alsof Bean zojuist het geheim van volmaakt geluk had prijsgegeven.

'Die was ik eigenlijk vergeten,' zei Bean en ze stak haar hand uit naar Cordy, die de omslagdoek naar beneden had geduwd waardoor haar hoofd uit de plooien van de stof stak, zoals bij een schildpad. Ons kleine zusje snoof aan de joints als aan een fijne sigaar.

'Dat is duidelijk,' zei Cordy. 'Dit is oude troep.' Ze gaf de koker aan Bean.

'Je mag een gegeven paard niet in de bek kijken,' zei Bean.

We geloven niet dat Rose nooit stoned was geweest, maar nu werd ze het duidelijk wel. Als ze het ooit geweest was, zou dat beslist met ons zijn geweest en tegen de tijd dat Bean en Cordy de wiet ontdekten, zat Rose al op de universiteit en wilde ze hoe dan ook niets met ons te maken hebben. Nu was de enige teleurstelling dat Cordy niet lekker met ons meedeed. We lagen op het dak naar de wolken te kijken die zich in en uit het blauw weefden. Rose lag helemaal plat op haar rug en haar brede, witte voeten bungelden over de rand. Ze was slaperig en verward en de inspanning om haar oogleden open te houden werd haar te veel, dus die liet ze dichtvallen met een plof die de buitenwereld afsloot, maar haar een merkwaardig ruim gevoel gaf.

'Ga je naar Engeland verhuizen?' vroeg Bean aan Rose.

Roses kaak voelde ongelooflijk zwaar, alsof ze zich door zand bewoog en het duurde een poos voordat ze reageerde. 'Engeland is heel ver weg,' zei ze, en haar woorden klonken dromerig en doorrookt op de aandrang van haar lippen. 'Heel ver weg.'

'Maar jij bent de enige van ons die nooit ver weg is geweest,' merkte Cordy op. 'Je hebt zelfs nooit in een andere staat gewoond.'

Dat was zo. Rose klampte zich aan Barnwell vast als een slingerplant op een wandrek die met zijn tentakels de top had bereikt en weer omlaag kronkelde.

'Volgens mij is het goed om ergens anders te wonen,' zei Bean. 'Het verandert je perspectief op de wereld. Ik bedoel, het verandert nu zelfs mijn eigen perspectief op Barney.'

'Ik hou van de manier waarop ik tegen Barney aankijk,' zei Rose klaaglijk en ze pruilde met haar onderlip, waarvan Cordy moest giechelen. 'Barney is mijn vriend.' Dat deed Cordy nog harder giechelen.

'Maar Jonathan is je vriend en hij zal in Engeland zijn,' merkte Bean op, alsof ze het tegen een klein kind had, wat precies het effect was dat de drug op Rose leek te hebben. 'Wil je dan niet bij Jonathan zijn?'

Met een enorme, lome duw hees Rose zich rechtop, ze had haar ogen nog dicht. Ze kruiste de benen als een yogi en hield haar rug kaarsrecht. We vergaten wel eens dat ze altijd een voortreffelijke houding had gehad, omdat ze haar lichaam verstopte onder lagen stof die haar een prematuur middelbaar voorkomen gaf. 'Ik wil wel bij Jonathan zijn. Ik mis hem,' zei ze, en haar stem herbergde een diep verdriet. 'Maar ik wil niet in Engeland wonen.'

'Je was anders gek op Engeland toen we naar Stratford gingen,' zei Cordy.

'Toen waren we op vakantie,' zei Rose. 'Dit zou betekenen daar continu zijn. Altijd maar Engelsen om je heen.'

'Met hun rare accent,' zei Bean behulpzaam.

'En hun bizarre eten,' voegde Cordy eraan toe.

'Iago vond Engeland *sweet*,' zei Bean, die de as van haar voeten sloeg en haar armen stevig om haar onderbenen sloeg.

'Volgens mij bedoelde hij met *sweet* niet zoet!' zei Cordy.

'Iago was een leugenaar,' zei Rose.

'Vergeet Iago maar,' zei Cordy. 'Ik stel voor dat we stemmen. Iedereen die vindt dat Rose naar Engeland moet verhuizen, steekt zijn hand op.' Bean en Cordy staken hun hand op. 'Wie is ertegen?' Rose reageerde niet. 'De voorstemmers hebben gewonnen,' zei Cordy triomfantelijk.

Er viel een korte stilte en toen legde Bean haar hand vriendelijk op die van Rose. 'Het is niet voorgoed, weet je. Misschien is het wel een teken of zo.' Rose snoof een beetje, maar Bean zette door. 'Alsof je bent voorbestemd iets anders te gaan doen. Dat zul je zien wanneer je bij hem op bezoek gaat. Dan weet je of het de juiste keus is.'

'Zit me niet zo op mijn nek,' zei Rose en haar ogen vlogen open. Haar pupillen stonden hard en donker en verdrongen de iris.

Ze wist dat ze gelijk hadden. Ze wist het toen ze die ochtend wakker was geworden uit een droom waarin ze was buitengesloten uit haar klaslokaal en ze op de deur bonkte, smekend om te worden binnengelaten. Ze besefte het toen ze op de stoel bij het raam naar de tuin zat te kijken en zich afvroeg wat er voorbij het pad lag dat zij zo keurig had betreden. Rose geloofde niet zo in voortekenen noch in een betekenis voorbij datgene wat ze kon meten en zien, maar ze vroeg zich onwillekeurig af of iemand haar iets toefluisterde, en hoe lang ze er weerstand tegen kon bieden.

Bean keek naar haar zus en zuchtte. Cordy boog zich naar voren en sloeg haar armen om haar knieën en haar schouderbladen weken als engelenvleugels. '*Gewoonte kan de neiging der natuur bijna veranderen*,' zei ze, en kijkend naar Rose legde ze haar wang op haar knie.

'Wat moet er veranderen in mijn aard?' vroeg Rose.

Niemand gaf antwoord.

Het was maar goed dat Cordy had onthuld dat ze zwanger was, want opeens was het onmogelijk geen acht op haar gezwollen buik te slaan, die niet langer was toe te schrijven aan goede voeding in plaats van haar vroegere dieet van pasta en taugé van twijfelachtige herkomst. Haar haar was dik en dof geworden, haar nagels sterker en ze merkte dat Bean er een keer jaloers naar keek toen ze aan tafel de zout aangaf. Voordat Cordy zich aankleedde, ging ze naakt voor de spiegel staan en volgde met haar vingers het nieuwe patroon van blauwe aderen op haar zwellende borsten (ook afgunstig door Bean bekeken). Het leek wel alsof ze om het uur een glas water nam aan het aanrecht, waar ze gretig dronk om die onbekende nieuwe dorst te stillen, en ze moest net zo vaak naar de wc.

Haar bloei stond in schril contrast met mama's aftakeling. Die was een borst kwijt. Cordy's borsten werden groter. Mama had een droge mond; Cordy verdronk in het vocht. Mama's haar was verdwenen en ze had haar bleke schedel verborgen onder een assortiment sjaals waardoor ze er merkwaardig glamoureus uitzag. Cordy's haar werd dikker. Mama's huid glansde merkwaardig genoeg; Cordy kreeg pukkels die haar verdrietig deden kreunen waar die veelgeprezen zwangerschapshuid bleef en hoe het kon dat zij tegelijkertijd met rimpels en pukkels te kampen had.

Cordy's misselijkheid duurde maar even, waarna ze honger kreeg en creatief werd. Die van mama was aanhoudend en werd het ergst van de geur van eten. Op een avond had Cordy besloten brood te maken met sinaasappelsap in plaats van melk en dat was zo hard en kruimelig geworden dat je er alleen wentelteefjes van kon maken, wat zij en Rose 's morgens deden.

'Stop!' riep papa terwijl hij de trap af stormde. Rose en Cordy, die niets riskanters deden dan brood in ei dopen en naar het nieuws op de radio luisteren, verstijfden.

'Mama kan die geur niet verdragen,' zei hij. Hij was nog in zijn pyjama, zijn haar zat iets in de war van de slaap en zijn bril stond scheef. Zijn buik stak uit zijn pyjamajasje. Onze ouders kleedden zich altijd zo formeel voor het slapengaan; ze hebben nooit hun toevlucht genomen tot een nachthemd of een trainingsbroek. Papa draagt traditionele katoenen pyjama's met een keurig streepje, mama draagt nachtjaponnen die meer dan eens dienst hebben gedaan in verschillende krankzinnige scènes in onze toneelproducties.

'Oooooké,' zei Cordy, terwijl er nog steeds eigeel van een snee brood in de schaal droop. Rose kwam sneller in actie. Ze zette met één hand de afzuiger boven het fornuis in werking en haalde de koekenpan met de andere van de brander.

'Zet het raam open,' zei Rose. Cordy liet het brood weer in het beslag vallen en stak haar hand uit naar het raam. 'Eerst je handen wassen!'

'Jemenikkie,' zei Cordy. 'Wat kunnen sommige mensen toch bazig zijn.' Papa trok zich terug als een geestverschijning in een wapperende pyjamabroek. We werkten even in stilte door en waaierden de onzichtbare geur het raam uit. Rose pakte een bord met gebakken sneetjes en gooide ze in de vuilnisbak. Ze deed hem dicht, daarna weer open om de zak dicht te binden en naar buiten te brengen. 'Dus we kunnen niets eten wat ruikt?' vroeg Cordy.

'Cordy, die vrouw heeft kanker. Ben je nou boos omdat je geen wentelteefjes krijgt?'

'Wie zegt dat ik boos ben? Ik wil er gewoon zeker van zijn dat ik de regels nu begrijp.' Ze liep naar de koelkast, scharrelde er wat in rond en haalde verse bessen en yoghurt tevoorschijn.

'Doe niet zo egoïstisch,' zei Rose. Cordy was bezig de bessen door de yoghurt te mengen, blauwe en roze vlekken in het wit, en keek haar zus aan. Haar mond ging wijd open en weer dicht, alsof ze een gedachte wegslikte.

'Het spijt me,' zei Cordy uiteindelijk.

Dan had zijn auto nodig, dus bracht Rose Cordy naar de dokter voor haar afspraak. 'Cordelia Andreas, vier uur,' blafte Rose tegen de receptioniste. De wachtkamer zat vol vrouwen in diverse stadia van zwangerschap, van de vrouwen die allang aan gezwollen enkels leden tot de beginnelingen met hun opgewekte gezicht die zich nog druk maakten om hun make-up. Cordy stond achter Rose. Ze droeg een lange broek en de zomen hadden rafels die over het kleed sleepten.

'Rijbewijs en verzekering?' wierp de receptioniste tegen, niet uit het veld geslagen. Waarschijnlijk is zelfs Rose geen bedreiging wanneer je dagelijks door hormonale vrouwen wordt omringd. Rose draaide zich om naar Cordy en stak haar hand uit.

Welnu, Rose zal zeggen dat normale mensen zouden weten dat die dingen van je werden verwacht, dat je de documenten zelfs al in je handen hebt. Cordy zal zeggen dat niets aan haar normaal is, ha, ha, ha, dus waarom zou ze nu beginnen? De andere vrouwen in de wachtkamer hadden een fatsoenlijke handtas, verstandig zwart met speels zilver. Leer. Cordy had haar geweven tas als een bandelier over haar schouder gehangen. Ze stak haar hand erin en haalde een boek tevoorschijn, een tampon die betere tijden had gekend, een leeg kauwgompakje, een plastic lepel (voor het geval van lepelschaarste?), het verkruimelde eindje van haar laatste salarischeque en uiteindelijk een klein ding dat als portefeuille dienstdeed.

'Ze heeft geen verzekering,' zei Rose. 'Je hebt toch wel geld bij je?' vroeg ze aan Cordy. Die knikte.

'Oké, dan kan ze betalen wanneer we haar volgende afspraak maken,' zei de receptioniste die Cordy's rijbewijs ruilde voor een stapel formulieren. Rose zeilde naar een stoel in de hoek met Cordy in haar kielzog, die zich erg overbodig voelde. Toen ze plaatsnam, had Rose haar balpen al bedrijvig uitgeklikt om de formulieren in haar kleine, precieze handschrift in te vullen.

'Laat je je ook voor mij onderzoeken?' vroeg Cordy, meer uit nieuwsgierigheid dan uit sarcasme.

Rose hield geschrokken op en schoof het klembord met de pen vervolgens naar Cordy. 'Doe het dan maar zelf, ik wilde alleen maar behulpzaam zijn.' Uit haar eigen (volwassen) handtas haalde ze een boek. Cordy keek haar strak aan en maakte vervolgens het formulier af, waarbij ze zo hard drukte dat ze het bord eronder bekraste. Eigenlijk was ze niet zo'n klein beetje bezorgd dat ze het niet af kon zonder Rose. Dat ze niets kon zonder Rose: noch de weeën, noch het luiers verwisselen, noch het afsnijden van de korsten van boterhammen met pindakaas en jam. De zwerflust kroop weer als een meteoriet in haar omhoog, het was een plotselinge, heftige aandrang om te vermijden opnieuw in duisternis op te gaan. Ze schudde het nagloeien van zich af en concentreerde zich.

Toen de verpleegkundige haar naam afriep, pakte Cordy Roses hand. 'Kom maar mee,' zei ze en haar vingers sloten zich klam om die van Rose.

Het zou eufemistisch zijn om te zeggen dat Rose Cordy's beslissing om de baby te houden afkeurde. Alles aan het denkbeeld dat Cordy een baby had baarde haar zorgen, van het feit dat zijzelf de eerste met een kind had moeten zijn, tot haar overtuiging dat Cordy bij de eerste de beste gelegenheid de verantwoordelijkheid zou ontvluchten. Maar dan keek ze naar Cordy die beefde voor het onbekende en was die weer ons kleine zusje, en het enige wat ze nodig had was iemand die voor haar zorgde. 'Oké,' zei Rose. Ze stonden op en hand in hand liepen ze naar de spreekkamer.

16

Toen Edward uit de douche kwam, lag Bean opgekruld op bed te lezen. Ze was allang gestopt met zich gekrenkt te voelen door mannen die na de seks dwangmatig douchten. Het moment leende zich prima voor een beetje lezen zonder dat iemand iets tegen haar wilde zeggen.

Edward plukte het boek uit haar handen. Zijn vingers maakten natte afdrukken op de zachte bladzijden en er rolde een druppel water over het omslag. Na een blik op de achterzijde wierp hij het minachtend terzijde. 'En wat heb jij vandaag gedaan?'

'Gewerkt.'

Edward plofte op het matras en de handdoek om zijn middel raakte los. Het laken was door hun inspanningen ook losgewoeld en hij gleed een beetje uit op het zijdezachte kale matras. Bean wist haar boek nog net op tijd te redden en vouwde een hoekje recht dat was omgebogen toen hij het opzij had gegooid. 'Wat zou je ervan vinden als we met z'n tweeën een uitstapje gaan maken? Een lang weekeinde?'

'Dat kan niet. Ik moet werken.'

Hij legde zijn gezicht even in zijn handen. 'Bianca, die rampzalige bibliotheek kan toch wel een paar dagen zonder jou overleven?'

Bean gaf hem onzachtzinnig een tik met het boek op zijn hoofd, draaide zich om en trok het losse laken over haar blote huid. 'Ik ben al dol op die rampzalige bibliotheek sinds ik kan lezen.'

'Oké, prima,' zei hij en hij hief zijn handen voor zijn gezicht om eventuele klappen af te weren. 'Het spijt me.' (Hij loog.) 'Laat me opnieuw beginnen. Schone Bianca, ik verlang ernaar om een paar dagen met u op het platteland door te brengen. Kan uw tempel van wijsheid u missen?'

'Nee,' zei Bean. Ze rolde op haar rug en sloeg het boek weer open. Edward sloeg het weg en Bean slaakte een gefrustreerde zucht. 'Wat wil je?'

'Ik wil een romantisch weekeinde met een verrukkelijke vrouw.'

Beans ogen werden klein en vals. 'Romantisch? Waarom denk je dat ik belangstelling heb voor romantiek?'

'Dat heeft iedere vrouw.'

'Praat niet zo in stereotypen. Er is niets romantisch aan deze relatie, Edward. Dit is een goedkope verhouding.'

Hij had nog het lef om gekwetst te kijken ook, waardoor Bean met hem te doen kreeg, maar niet voor lang.

'Denk je zo over mij?' Zijn huid was nog roze van de douche en hij zag er gezwollen en moe uit.

Bean ging rechtop zitten en trok het laken nog strakker om zich heen. 'Wat dacht je, Edward? Dit is niet bepaald de liefde van de eeuw. Je bent, als ik je er even aan mag herinneren, getrouwd met een heel geweldige vrouw met wie je een paar heel geweldige kinderen hebt. Dit is seks.'

De gekwetste blik bleef. Lieve god, dacht Bean. Hij had een zelfbeeld als de een of andere toneelheld: een schandalig getalenteerde oudere minnaar bij een (min of meer) jeugdige ingénue en zij had die droom verpletterd – hém verpletterd – door rechtstreeks te zijn. Ze wilde zijn arm aanraken, maar zijn gezicht had al een wreed trekje aangenomen.

'Je zou dankbaar moeten zijn. Jij bent bepaald ook geen jonge bloem, Bianca.' Ze voelde onder haar kin en woog onbewust de verzakking. Hij zag de zwakte en glimlachte. 'Het is niet zo dat je veel andere aanbiedingen hebt, hè?'

Bean moest even terugdenken aan die avond in het café, aan die gezichten die zich van haar afwendden toen er iemand binnenkwam die jonger en mooier was. Maar dat wist hij niet. Uitdagend neeg ze het hoofd. 'Wil je de proef op de som nemen? Dan stel ik me zo voor dat slechts een van ons alleen slaapt.'

Edward vouwde zijn arm onder zijn hoofd en leunde achterover. Normaal gesproken zou Bean misschien haar hoofd op zijn borst genesteld en hem warm en stevig naast zich gevoeld hebben tegen de kou vanbinnen. Maar zijn gezicht stond hooghartig en inwendig voelde ze zichzelf verstijven.

'Misschien moeten we er maar een punt achter zetten,' zei hij, maar ze wist dat hij alleen maar wilde dat ze bij hem terugkwam en haar excuses maakte. Opeens was ze moe en wilde ze thuis in haar eigen bed liggen met de geluiden van onze ademhaling in de kamers om haar heen.

Ze liet het geopende boek op haar gezicht zakken zodat ze de geur van goedkoop papier inademde. Toen ze uitademde, gonsden de bladzijden als een grassprietje. 'Je overdrijft.'

En je bent een eikel.

'Ik zie niet in wat het nog uitmaakt. Als dit maar een goedkope verhouding is die alleen om de seks draait en jij blijkbaar de minnaars van je af moet schudden, zal het niets voor je betekenen om hier een punt achter te zetten.'

Bean keek Edward met samengeknepen ogen aan. Omdat zijn natte haar achteroverzat, zag ze zijn wijkende haargrens. Hij had zijn borst opgezet en er speelde een flauw, zelfingenomen glimlachje om zijn mond.

Nee, dacht Bean, zijn kwaadheid maakte haar niet verdrietig. Ze kreeg met hem te doen. Zij wilde niet zo zijn: verbitterd ouder wordend, levend in een film die zich alleen maar in haar hoofd afspeelde en iedereen kwetsend die waagde van haar te houden, gewoon omdat ze teleurgesteld was in zichzelf. Ze kon beter zijn.

Ze leidde hem af op de manier die ze het beste kende: een flits van een bloot been tegen het witte laken en haar krullen over haar blote schouders. Maar onwillekeurig had ze een beetje een hekel aan zichzelf toen zijn mond zich over haar huid sloot en ze weer een nacht zonder goedheid in zweefde.

'Weet je, ik was geen maagd meer toen ik met je vader trouwde.'

'Mam!' zei Rose. Ze liet verrast haar boek op schoot vallen. Ze had ons gesmeekt haar voor te lezen; het licht deed te veel pijn aan haar ogen. Iedereen had gezegd dat bestraling lichter was dan chemo, maar dat leek tot nu toe niet het geval. De huid van haar hele borst zag er nijdig vuurrood uit en de medicijnen maakten haar voortdurend misselijk. Ze was constant uitgeput, het was een vermoeidheid tot op het bot die ze moeilijk kon uitleggen, maar we zagen het aan de langzame bewegingen van haar armen, de vertraagde reactie wanneer het zonlicht de kamer in viel en ze zich probeerde af te wenden, overgeleverd als ze was aan het stroperige gevecht in haar lichaam.

Mama, die Roses ongemak bij het horen van dit specifieke nieuwtje ofwel negeerde ofwel niet opmerkte, vervolgde: 'Ik weet niet of je vader het wist. We hebben er nooit over gesproken.' Ze spreidde haar vingers op de dekens en voelde zachtheid tegen haar pijnlijke huid.

'Wil je dat ik stop met voorlezen?' vroeg Rose, die een uitweg uit dit gesprek zocht. Mama draaide haar hoofd langzaam om Rose aan te kijken. Haar ogen waren waterig van de pijn en uitputting, waardoor het blauw nog een slag meer naar wit toe was verdund.

'Ja,' zei ze. Rose pakte een boekenlegger en legde het boek op papa's nachtkastje, precies evenwijdig met de rand. Ze zwegen een tijdje, Rose met haar handen netjes gevouwen op schoot. We leken in veel opzichten op papa, maar Rose en mama waren elkaars evenbeeld, als op een oude sepiafoto. Het knoetje op hun achterhoofd, de vermoeide rimpels bij de ooghoeken, hun licht afhangende schouders, de manier waarop hun mond samentrok als ze boos waren.

'Het was mijn vriendje voordat ik je vader leerde kennen, Jack Weston. Ik hield van hem, niet zoals ik van je vader hield, weet je, maar ik hield wel van hem.' We hebben foto's van die jongen gezien, van die man die onze vader had kunnen zijn. Een kampeervakantie in Pennsylvania, achter hem groene bergen, blote borst roodverbrand, met achteloos een arm om de schouders van onze moeder. Zij lacht, kijkt weg van de camera, alsof er buiten beeld een grapje wordt gemaakt, maar hij kijkt met groene ogen recht in de lens, een open blik, zijn tanden een beetje scheef, het wit contrasterend met die lichtoranje tint van oude kleurenfoto's.

Rose zat nog steeds te wachten tot het moment voorbij zou gaan, in de hoop dat de essentie van het verhaal haar bespaard zou worden. Mama's ademhaling was merkwaardig dik en traag, en ze pauzeerde tussen de zinnen om energie te verzamelen om verder te gaan. Het licht tussen de gordijnen werd zwaar en geel en zonk naar de horizon.

'Ik dacht dat we zouden gaan trouwen. Hij was zo hartstochtelijk.' Hier trokken Roses tenen krom, maar dat was niet nodig. 'Hij was een dromer. Hij geloofde in een betere wereld. Daarom zijn we niet getrouwd. Niet omdat ik niet wilde wat hij wilde, alleen wilde hij het sterker. Hij tekende voor het Peace Corps om een paar jaar in Afrika door te brengen. En hij wilde dat ik meeging.'

Er viel weer een stilte, op de roestige stroom van haar ademhaling na. Rose had iets willen zeggen, ze had moeten vragen – en later zou ze betreuren dat ze het had nagelaten – of het wel goed ging met mama, maar Rose was te onthutst door haar plotselinge openhartigheid. Mama's ogen gingen heen en weer onder het crêpe van haar oogleden.

'We hoeven niet te praten,' zei Rose. Ze pakte haar boek weer op, streek met haar duim langs de rug op en neer en voelde de scherpe vouwen van het omslag om de bundel bladzijden. 'Je kunt het me later wel vertellen.' Of nooit. Nooit zou goed zijn.

'Je moet naar me luisteren,' zei mama en plotseling klonk ze bits. Toen ze weer verder praatte, klonk ze rustiger en was ze weer verloren in de mist van herinneringen of pijn. 'Ik was te bang om naar het buitenland te gaan. Ik kon me mezelf daar niet voorstellen. Ik was bang dat ik ziek zou worden van het water, of dat ik niet sterk genoeg zou zijn voor lichamelijk werk. Of dat ik... heimwee zou krijgen. Zoiets.'

'Dat is niet erg,' zei Rose. 'Ik zou ook bang zijn.'

'O, lieverd,' zei mama. Ze schoof op de tast haar hand over de dekens, vond die van Rose en kneep er stevig in. 'Ik weet het. Daarom vertel ik dit.' Er viel een lange stilte en Rose dacht even dat ze in slaap was gevallen. Meestal dommelde ze in een soort halfslaap in de schemertoestand van verdoving terwijl het gif inwendig een vuistgevecht leverde.

'Je moet gaan,' zei ze uiteindelijk. Rose keek mama aan. Haar ogen waren nog dicht, haar lippen grauw en gebarsten, ondanks de ijsblokjes die we uur na uur brachten. Ze at amper en dronk nog minder. 'Je zult er anders eeuwig spijt van hebben.'

Dit was een onverwachte ontwikkeling. Waren we altijd zo egoïstisch geweest dat we ervan uitgingen dat het leven van papa en mama pas begon met het onze en ophield in een soort schijndode toestand wanneer we buiten hun dampkring waren? Wervelden die net als wij door hun jaren als een wirwar van herinneringen, emoties, verlangens, hoop en spijt?

Op dat moment besefte Rose dat ze mama helemaal niet kende.

'Maar ik ben bang,' zei ze, en die bekentenis putte haar net zo uit als mama zich voelde, die daar op een volmaakte zomeravond op bed lag te wachten tot het leven weer zou terugkeren.

'Doe elke dag iets waar je bang voor bent,' zei mama. 'Eleanor Roosevelt.' Ze hield nog steeds Roses hand vast.

'Heb jij me hier niet nodig?' vroeg Rose klaaglijk.

'O, Rosie, natuurlijk vind ik het heerlijk om je hier te hebben. Maar ik wil dat jij doet wat je gelukkig maakt. En nu ben je niet gelukkig, of wel soms?'

'Op dit specifieke moment niet, nee.'

'Dan moet je gaan,' zei mama en ze streelde licht over Roses hand. 'Ga kijken hoe het zou kunnen zijn. Voordat het te laat is.'

Rose voelde de tranen in haar ooghoeken opwellen terwijl ze zag hoe mama, afgemat van het gesprek, in slaap sukkelde. Maar toen ze aanstalten maakte om op te staan en de kamer te verlaten, gingen mama's ogen weer open.

'Het spijt me niet dat ik niet ben gegaan,' zei ze zacht. 'Maar ik wou dat ik het had gedaan. Dan was ik misschien een ander mens geweest.'

Dat was een mogelijkheid die nog nooit echt bij Rose was opgekomen.

'Ik wil dat je weet dat ik vind dat je een kosmische stompzinnigheid begaat,' zei Bean tegen Cordy, die zo vriendelijk was haar naar de stad te brengen. Achter in de auto van onze ouders lagen dozen met Beans garderobe, gerangschikt en verpakt als geoogste tarweschoven, klaar om aan de hoogste bieder te worden verkocht in de consignatiewinkel die ze had gevonden.

'Dank je wel!' zei Cordy. 'Die heb ik nog niet gehoord. Het is prettig om te weten dat ik mijn titel weer voor een jaar heb veiliggesteld.' Ze zette haar richtingaanwijzer aan en verwisselde langzaam van rijstrook.

'Ik ben nog niet uitgesproken. Ik vind het ook dapper. En je bent niet de eerste. Jij bent altijd goed met kinderen geweest, ik niet.'

'Jij bent niet slecht met kinderen, Bean. Je hebt er gewoon nooit zo van genoten.'

'Maar jij wel. En als je alle praktische dingen hebt geregeld, zul je een geweldige moeder zijn.'

'Dank je wel,' zei Cordy wat zachter. 'Ik ben blij dat er iemand achter me staat.'

'Je weet dat ze je uiteindelijk allemaal zullen steunen. En met zij bedoel ik papa. Mama doet het al, maar volgens mij is ze nu te uitgeput om zich ergens druk over te maken.'

'Ik hoop het.' Maar Cordy klonk somber en haar stem trilde.

De manier waarop papa zich van Cordy had teruggetrokken was heel moeilijk te verteren, meer dan anders verstopte hij zich in zijn werkkamer achter een boek, gromde op haar pogingen tot een gesprek en zwalkte door het huis, maar nooit tegen ons. Ze was van lievelingsland in een nutteloze bondgenoot veranderd, van Cordelia in Ophelia.

'Ga je ze nog vertellen over je situatie?' vroeg Cordy. Haar blik bleef op de weg gericht, onpeilbaar voor Bean.

'Nee!' zei Bean gechoqueerd bij de gedachte. 'Jezus, kun je het je voorstellen?'

'Het zou de spanning van mij afhalen. Ik wil het wel voor je doen,' zei Cordy; het was een flauwe grap waarvan we misselijk werden. Andere zussen deden dat soort dingen waarschijnlijk ook, maar ondanks onze pietluttige conflicten en problemen waren wij niet dat soort zussen.

'Ik meen het, Cordy. Je mag het nooit aan iemand vertellen.'

'Je kunt niet zomaar doen alsof het niet is gebeurd.'

'Doen alsof? Je hebt geen idee. Ik denk er altijd aan, Cord. Het is het eerste waar ik aan denk wanneer ik 's morgens wakker word en het maakt me zo misselijk dat ik alleen maar wil overgeven.' Het maakt me zo misselijk dat ik de nacht doorbreng in het bed van een andere vrouw en de midlifecrisis van haar man uitbuit om mezelf te kunnen vergeten.

'Ik ken dat gevoel,' zei Cordy, en ze doelde niet alleen op de ochtendmisselijkheid, maar Bean luisterde niet.

'Ik haat mezelf. Ik heb een hekel aan wat ik mezelf heb laten worden, wat ik mezelf laat doen. Het is alsof de persoon die dat allemaal heeft gedaan niet eens... Het is net iemand die ik niet ken. Omdat ik zo niet ben grootgebracht. Ik heb geen enkel excuus, zoals een moeilijke jeugd met een leegte erin die ik moet opvullen. Ik heb het gewoon gedaan omdat ik dacht dat ik het nodig had. Ik dacht dat ik het verdiende. Het is om beroerd van te worden.'

'Je mag hem graag, hè?'

'Wat?'

'Dominee Aidan,' zei Cordy. Ze wierp een blik over haar schouder in een reflex ondanks de kartonnen dozen die het zicht belemmerden en stuurde naar de afrit van de snelweg de stad in. 'Je vindt het leuk om hem leuk te vinden.'

'Wat heeft dat in godsnaam te maken met wat ik daarnet zei?'

'Alles,' galmde Cordy.

'Hoor eens, hij is een lekkertje,' zei Bean. 'Voor een dominee. Maar denk dat je dat een dominee mij zou willen hebben?'

'Ik denk niet dat dominees worden geacht iemand te hébben.' Ze stopte voor het rode licht. Naast ons hield een haveloze zwerver een kartonnen bord omhoog waarop iets stond. Cordy schudde glimlachend haar hoofd en hij rammelde van de afrit.

'Ik mag hem gewoon graag. Als vriend. Ik denk dat hij me kan helpen.'

'Even terzijde, met neuken schiet je weinig op,' zei Cordy.

'Hou je kop,' antwoordde Bean.

'Als je hem wilt, moet je je verhouding met doctor Manning verbreken,' zei Cordy.

Bean verstijfde. Cordy wierp een blik opzij en schudde haar hoofd. 'Bean, je denkt toch niet dat wij niets in de gaten hadden?'

'Ik heb niet... Het is niet...' sputterde Bean, maar er viel niets te zeggen. Alweer betrapt.

'Ik vind je geen slecht mens, weet je, je hebt vast wel ergere dingen gedaan. Kolére, ík heb wel ergere dingen gedaan. Maar dat is niet echt wat je wilt, hè?'

'Nee,' fluisterde Bean en ze had een brok in de keel van verdriet en schuldgevoel. 'Ik bedoel, wanneer ik gelukkig bij hem ben, ben ik gelukkig, maar...' Ze stopte. Ze was het natuurlijk niet. Vergetelheid was niet hetzelfde als geluk. Dronken zijn was niet hetzelfde als vergeten, en net zo dikwijls als ze echt dronken was geweest bij hem, was ze beneveld door haar pogingen alles te vergeten waarmee ze zich geconfronteerd zag.

'Nee, dat ben je niet,' zei Cordy opgewekt. 'Je bent er duidelijk belabberd aan toe, Bean. We zijn op ons ellendigst als we het onszelf aandoen. Het is triest maar waar.'

'Alsof jij zo gelukkig bent,' zei Bean.

'Zij willen me laten ranselen als ik de waarheid zeg, jij wilt me laten ranselen als ik lieg; en soms word ik geranseld als ik zwijg.'

'Je hoeft voor mij niet de martelaar uit te hangen,' snoof Bean, maar Cordy's woorden hadden een angel van waarheid.

'Ik heb nooit beweerd dat ik gelukkig ben. Ik ben blij dat we het nu niet over mij hebben. We hebben het over jou. En hoe je er een punt achter gaat zetten met hem. Of je Aidan nu wilt of niet.'

'Ik kan het niet,' zei Bean, terwijl ze weer in haar schulp kroop.

'Het moet,' zei Cordy. 'Het geeft je niet het gevoel dat je zoekt. Het lost niets op. Het maakt niemands leven er beter op. Het houdt je gewoon tegen op je weg.'

'Waarheen?' Alsof er iets in Barnwell de moeite waard was om naar op weg te zijn.

'Naar wie je ook wordt,' zei Cordy alsof dat iets oploste. 'De nieuwe Bean.' En daarna herhaalde ze: 'De nieuwe Bean', omdat het haar deed giechelen.

Mag ik u voorstellen? De nieuwe Bean, gelijk aan de oude Bean.

In New York hadden zij en haar kamergenoten een housewarming-party gegeven, waar ook Daisy's vriendje van de partij was. Zoals gewoonlijk had Bean te veel gedronken en toen ze zich de volgende morgen als een behoedzame vampier in het zonlicht begaf, was Daisy de confrontatie aangegaan. 'Je laat Michael met rust,' dreigde ze en de kracht van haar stem werd voor de verandering niet omfloerst door haar zangerige accent van Georgia.

'Wat?' vroeg Bean. Ze was van haar stuk gebracht, als een zeeman die terug aan land komt, en ze moest zich vasthouden aan de rand van het tafeltje om Daisy aan te kunnen kijken. Haar gezicht was zo bleek van woede dat haar sproeten wel sterren leken.

'Gisteravond kon je niet van hem afblijven. Van mijn vriendje.'

Daisy porde haar wijsvinger gevaarlijk dicht bij Beans borst. Te moe en katterig om zich te concentreren, staarde Bean naar het bleke vlees, de onverzorgde nagels en de brede handpalm waarover haar handschoenen spanden op de foto van haar debutantenbal.

'Ik bedoelde er niets mee,' stamelde Bean, speurend in haar herinnering naar een excuus. Er was een vaag beeld, haar arm om Michaels schouder en haar mond bij zijn oor. Haar hand ging onwillekeurig naar haar gezicht. Gelul.

'Dat is jouw probleem, weet je dat. Je zult gewoon nooit leren omgaan met mannen die je niet neukt.' Bean schrok van de platvloersheid, omdat ze in zulke lieflijk geweven lettergrepen was vervat. Daisy zag de emotie over Beans gezicht glijden en knikte, tevreden dat haar uitbarsting doel had getroffen. 'Ja, ik heb het wel gezien, hoor. Dat kroeglopen van je en thuiskomen in een walm van sigaretten en bier en god weet wat nog meer. Maar ik pik het niet langer. Laat. Ons. Met. Rust.' Bean had zich zo verraden gevoeld, zo terecht onrechtvaardig behandeld. Maar Daisy had haar beter door dan ze zichzelf ooit door had willen hebben.

De nieuwe Bean. Ze wilde wel lachen, maar ze wist zeker dat ze, als ze daar eenmaal mee zou beginnen, in plaats daarvan onbedaarlijk zou gaan huilen. Er was geen nieuwe Bean. Er was alleen maar diezelfde rotte appel die zichzelf onder lagen make-up verstopte, die loog en pikte; geld, plus de echtgenoot van een andere vrouw. Het was allemaal van hetzelfde laken een pak. Ze had vergeefs gezworen te veranderen. Ze knielde voor de heilige communie in de kerk alsof ze die waard was, ze deed vrijwilligerswerk alsof de duisternis vanbinnen niet in de fundamenten van de huizen die ze bouwde zakte om sporen van bederf achter te laten onder lagen verf. Haar maag maakte een salto en ze legde haar voorhoofd tegen het zijraampje zodat de airconditioning op het glas de warmte van haar huid kon afkoelen.

Hoeveel dieper kon ze nog zinken? Hoeveel leugens kon ze nog vertellen?

Wie zou haar redden?

Cordy had gelijk. Ze moest een punt achter haar verhouding met Edward zetten. En Aidan... Ze haalde zich zijn gezicht voor de geest, zoals hij haar schouder aanraakte toen ze met elkaar spraken en zijn brede sterke schouders wanneer ze aan een huis werkten, zijn warme begroeting wanneer ze hem in de kerk zag met ons gezin.

Het was nog zo'n slecht idee niet om van Aidan te houden, bedacht ze. Iets in zijn aanwezigheid maakte dat zij zich weer schoon voelde, gaf haar de hoop dat ze ooit weer heel zou zijn, weggetrokken van de rand van de afgrond, hersteld van de schade. Ze verlangde constant naar dat gevoel. En terwijl ze aan hem dacht en de beelden een voor een de revue passeerden, werd hij steeds groter, knapper en volmaakter.

Hij was het. Hij kon haar van zichzelf verlossen.

17

Mama herstelde van haar eerste week bestraling. Ze was nu al zo lang moe geweest, dat we bijna vergaten dat ze ooit anders was geweest. Ze klaagde niet, al wisten we dat ze pijn op de borst had en zelfs de geringste inspanning haar leek uit te putten.

Bean was aan het werk en Rose was de stad in, zodat Cordy alleen bij papa en mama was. Toen papa mama naar huis had gebracht, leek ze wel moe, maar ze speelde nog wel een spelletje scrabble met Rose en wandelde in de tuin en schoof aan bij ons aan tafel, al at ze nauwelijks iets en diende haar aanwezigheid vooral om de gekreukte stilte tussen Cordy en papa glad te strijken.

De volgende morgen werd Cordy wakker omdat mijn moeder overgaf, en al had ze de laatste tijd dat zelf ook gedaan, dit leek erger, wanhopig pijnlijk zoals haar misselijkheid dat niet was, hoe ongemakkelijk ook. Cordy struikelde haar bed uit met haar haar in de losse knot waarmee ze had geslapen, een T-shirt vol gaten en een pyjamabroek los op de heupen gebonden en ging slaapdronken op de tast naar de kamer van papa en mama.

Hoe oud was je toen je voor het eerst besefte dat je ouders ook maar mensen waren? Dat ze niet almachtig waren, dat niet alles wat ze zeiden altijd opging, dat ze dromen en gevoelens en littekens hadden? Of besef je dat nog niet? Bel je je ouders nog steeds voor een eenzijdig gesprek, als kind tegen een ouder en niet als volwassenen onder elkaar?

Volgens ons drong dat tot Cordy door toen ze mama achterovergeleund op bed zag, met een arm van papa om haar schouders, haar mond nat van het speeksel en haar huid wit en papierdun in de onbarmhartige arm van de zon die door de gordijnen naar binnen reikte. Onze vader zette de zilverkleurige schaal neer die we allemaal wel eens hadden gebruikt wanneer we in de greep waren van vreselijke maag- en darmklachten. De holle klank toen hij tegen de bedrand stootte deed Cordy huiveren bij de herinnering. Papa depte mama's voorhoofd, daarna haar mond met een nat washandje en ze glimlachte naar hem, en hij glimlachte terug, en toen deed ze haar ogen dicht.

'Hoe is het met haar?' vroeg Cordy en haar stem was amper meer dan gefluister. Papa ging verzitten op het bed en draaide zich naar haar om, en zij bedacht hoe verrast hij altijd keek wanneer hij ons zag, alsof hij ons niet al ons hele leven kende. *Wie daar?*

Hij deed zijn bril af, veegde hem onnodig af met de zakdoek die hij speciaal voor dat doel bij zich droeg – zo'n heer, die vader van ons – en zette hem weer op zijn neus, waarna hij naar Cordy tuurde alsof de schonere glazen het mysterie van haar aanwezigheid konden verklaren. Daarop moeten we zeggen: veel geluk, paps. 'Het gaat wel weer,' zei hij. 'Ik denk dat het van de medicijnen komt.' Hij keek licht teleurgesteld bij dat nieuws, alsof de chemische ketenen vervat in de pillen hem op een diep en persoonlijk niveau hadden teleurgesteld.

'Kan ik iets doen?' vroeg Cordy. Ze deed voorzichtig een stap naar voren met haar blote voet over de strook tussen de brede vloerdelen en de rand van het kleed, dat aan de randen versleten was. Naast haar fladderden haar vingers als opgeschrikte vogels.

'Kom eens hier,' zei papa en hij klopte op het bed aan de andere kant van mama. Die deed haar ogen niet open, maar glimlachte flauwtjes toen ze voelde hoe Cordy ging zitten.

'Hallo, mammie,' zei Cordy en haar vader gaf haar een washandje waarmee ze voorzichtig mama's kaak en mond schoonveegde. Ze had altijd zo'n mooie huid gehad, strak en met zacht dons als van fruit, met heel kleine sproetjes op de brug van haar neus (geen van ons had die geërfd en wat vonden we dat erg), wangen als rozenblaadjes zo rood. Papa stond op en ging naar de badkamer. Cordy luisterde naar de vertrouwde klank van de schaal op de wasbak, de holle klank toen hij hem uitspoelde. 'Heb je nog iets nodig?'

'Nee, schat, dank je wel. Ik ben alleen moe.' Haar ogen bleven dicht en bewogen licht heen en weer onder de blauw dooraderde oogleden van vloeipapier. 'Wil jij wat te eten voor je vader klaarmaken?' Ze zweeg even en ging met haar tong langs haar lippen. 'En misschien kun je daarna naar boven komen om me voor te lezen.'

'Ja hoor,' zei Cordy. Ze drukte een kus op mama's voorhoofd dat koud en klam aanvoelde en stond voorzichtig op van het bed om het niet in beweging te brengen. Het was nog koel in de kamer en ze trok het dikke witte dekbed recht voordat ze de gordijnen sloot, zodat de zonnestralen die nieuwsgierig naar binnen vielen en als vingers op een toetsenbord over de dekens speelden, werden buitengesloten. Zo was Cordy altijd al geweest, een kalme bereidheid om te aanvaarden wat er op haar bord lag. We hadden te vaak speelgoed uit haar mollige vingertjes gepikt voordat ze de motoriek of de wil had om terug te slaan. Maar we zouden liegen als we zeiden dat de aanblik van mama op dat bed haar niet de woorden ontnam. Savasana. De houding van een lijk.

In de keuken rammelde Cordy er bedrijvig op los, brak eieren en sneed groenten klein voor een omelet en bekeek de kruidenpotjes. Rose had de potten en blikken in de keuken op alfabet gezet. Nu stonden ze tegen elkaar opgestapeld als dronken zeelieden en de bodem van de kastjes lag bezaaid met droge blaadjes.

'Ze slaapt,' kondigde papa kortaf aan toen hij de keuken in kwam. Hij moest al naar buiten zijn geweest, want de krant lag opengeslagen en er stond een beker koude koffie naast. Hij tilde het voorstuk op toen Cordy soepel een bord op tafel zette met een gouden omelet met groene vlekjes en witte stukjes ui en paprika uit de tuin. 'Dank je wel,' zei hij. Hij keek eerst naar haar en daarna naar zijn bord, alsof hij het mysterie van het verband tussen het meisje en het bord probeerde te doorgronden.

'Graag gedaan,' zei Cordy. Ze maakte nog een omelet, schoof het op haar bord en kwam bij hem aan tafel zitten. Papa verborg zich achter de krant, maar ze hoorde het geluid van zijn bestek en zag de grimas waarmee hij zijn bittere, zwarte koffie doorslikte.

Als kind had Bean een geweldige afkeer van het geluid van kauwen ontwikkeld. Aan de ontbijttafel, geconfronteerd met het melodieuze tandenknarsen van ons hele gezin dat zich een weg baande door de cornflakes, werd ze steeds razender totdat ze opstond en wegliep om haar bord elders in vrede leeg te eten. Cordy had zich daar nooit druk om gemaakt. Die was dol op de symfonische harmonie van etende mensen, de lichte zuchten van genot bij de ontmoeting van smaak en papil en de ritmische klanken van het bestek.

'Ik vind het echt leuk om in het restaurant te werken,' zei ze plompverloren. Papa liet de krant zakken en keek onze zus aan. 'Ik dacht net, ik hou van alle geluiden. Zoals van de stoompan en de deurbel en de gesprekken. Ik kan werken en naar alle geluiden om me heen luisteren, en dat heeft iets geruststellends, snap je?'

'*Indien muziek het voedsel is der liefde*,' zei papa met een lachje. Cordy raapte het op, een kruimeltje. Hij las door in zijn krant. Ze voelde de tranen in haar ogen prikken. Zo was het nooit geweest. Hij had altijd naar haar verhalen geluisterd, gevraagd hem haar dromen te vertellen en het hardst om haar grapjes gelachen. Nu leek het wel alsof hij amper het geluid van haar stem kon verdragen en niet eens het fatsoen kon opbrengen om over koetjes en kalfjes te praten.

Cordy was ervan overtuigd dat we het mis hadden. Hij zou het zeker niet bijleggen. Misschien wel nooit.

Waarom had ze nooit geweten hoe goed ze het had totdat het weg was?

Ze at zwijgend haar bord leeg, het voedsel in haar mond smaakte niet en ze ging naar boven terwijl papa de afwas deed. Ze bleef een ogenblik staan kijken naar mama die sliep en volgde het zachte ritselen van haar in- en uitademing. Was dit het dus? Je altijd afvragen of wat je deed het juiste was, voldoende was, teder en vriendelijk genoeg om pijn te sussen en hoop te voeden? Er fladderde iets van paniek om haar hart bij die gewichtige gedachte. Hier konden wij nog iets doen als Cordy de boel liet versloffen, maar die baby zou van haar zijn. Van haar alleen.

Ze ging een beetje verzitten. Toen mama Cordy's voeten op de vloer hoorde, deed ze haar ogen open. 'Heeft hij iets gegeten?' vroeg ze. Zo is mama. De vier ruiters van de Apocalyps konden ons uit alle macht bestormen, en zij zou willen weten of papa wel had gegeten.

'Ja,' zei Cordy. '*Het feestmaal van de hertog is al afgelopen*.' Ze bekeek mama iets beter. 'Hoe gaat het met je? Je ziet er een beetje...' Ze wuifde met haar hand. '... raar uit.'

Mama zuchtte. 'Er is niets aan de hand. Ik ben gewoon moe zoals gewoonlijk. En ik heb trek.'

'Wil je iets eten?' Cordy maakte aanstalten om terug naar de keuken te gaan.

'Nee, dank je, lieverd. Al kon ik het binnenhouden, tegenwoordig smaakt alles naar metaal. Het is vreselijk.'

'O.' Cordy draaide zich weer om en ging naar het bed. 'Zal ik je nu wat voorlezen?'

'Dat zou heerlijk zijn,' zei mama.

Cordy pakte het boek van mama's nachtkastje. 'Tolstoi?' informeerde ze argwanend.

'Ik dacht, ik heb een heleboel tijd,' zei mama met een wrange glimlach. We zijn berucht om onze pogingen andere klassieken dan Shakespeare te lezen, maar even berucht om ons onvermogen (of onwil) ze uit te lezen, op enkele uitzonderingen na.

Cordy knikte en sprong nogal enthousiast op papa's kant van het bed en verontschuldigde zich toen mama's gezicht vertrok. 'Ben je er nog niet in begonnen?' vroeg ze.

'Nee. In de kliniek was je vader zo vreselijk bibliografisch, dus hebben we maar naar een film gekeken. Iets over een hond.' Cordy wist precies wat mama bedoelde. Soms was papa in de stemming, vooral wanneer hij iets ingewikkelds las, om herhaaldelijk te protesteren en bij tijd en wijle te stoppen om de citaten hardop te lezen alsof hij wilde zeggen: 'Niet te geloven, hè, deze flauwekul?' Niet dat hij het woord flauwekul snel zou gebruiken.

Cordy knikte en sloeg het boek open. Mama draaide haar hoofd zodat haar haar over het kussen viel en keek haar aan. 'Mijn baby,' glimlachte ze en Cordy legde haar hand op haar buik. 'Mijn baby,' zei onze zus.

Omdat je onze familie inmiddels wel kent, zul je er niet van opkijken dat papa het ijs brak met een briefje. En je zult er evenmin van opkijken dat het geen geschreven briefje was, maar een gekopieerde pagina uit zijn *Riverside*, waarop bepaalde regels nauwkeurig met een markeerstift waren aangezet. Polonius tegen Ophelia. Papa had eens een artikel geschreven waarin hij het advies aan Laërtes had geanalyseerd

(*Dit boven alles: wees jezelve trouw*, de regels die hij ook voor Rose had geciteerd) en het advies aan Ophelia (wanneer dat ruwweg neerkomt op: niet met Hamlet slapen, sufferd). Welnu, gezien de wijze waarop het voor Laërtes en Ophelia uitpakt, hebben wij altijd gevonden dat Polonius, ondanks de geslachtsongelijkheid in beide uitwisselingen, groot gelijk had en dat Ophelia echt naar hem had moeten luisteren. Tenslotte, Hamlet = zo gek als een deur, en blijkbaar was het besmettelijk.

Maar deze woorden waren tederder dan we hebben toegegeven en in papa's geschenk aan Cordy kwamen ze onschuldig en vriendelijk over. *Je praat nog als een bakvis, in zo'n gevaar nog groen en onervaren... Toon je wat slimmer... Ik weet wel, als 't bloed gaat zieden, hoe 't gemoed dan mild de tong zulke eden leent. Dat laaien, kind, dat minder hitte geeft dan licht, en dooft nog voor de eed geheel is uitgesproken.*

Cordy zat met de kopie in haar handen in de schaduwrijke steeg achter de Beanery. Een jaar geleden zou dit haar rookpauze zijn geweest, maar nu was het gewoon een moment waarop ze tegen de gruizige scherpte van de bakstenen muur geleund zat om de geur van belegen vuilnis in te ademen. Haar schort was bezaaid met halve handafdrukken, alsof ze pas nog was aangevallen door een monster met drie vingers onder het meel. Hoe vaak had ze het papier nu opengevouwen, gelezen en weer opgevouwen? Het papier werd door haar klamme handen al zacht om de vouwen.

Hier heb je een van de moeilijkheden van de communicatie in woorden van een man die er niet bij is om zich nader te verklaren: soms is het verdomd moeilijk om te begrijpen waar hij het over heeft. Hoor eens, het enkele feit dat iemand het ene boek na het andere artikel na de andere dramatische interpretatie over Shakespeare eruit rammelt, zou duidelijk moeten maken dat hij ondanks zijn welbespraaktheid niet uitblonk door helder communiceren. Niet dat een van ons het ook maar tegen papa durfde te zeggen, maar we hebben het zonder meer gedacht.

Cordy wist dat papa vond dat ze een vergissing beging, dat ze onvolwassen en kinderlijk was en dit maar een bevlieging. En dat beeld van kinderlijkheid was grotendeels haar eigen schuld. Haar hele leven had ze gezwolgen in haar rol van lievelingsdochter, ervan genoten om de beminde kleinste te zijn en dit was de andere kant van de medaille. Wie geloofde haar nu nog, nu ze had besloten volwassen te zijn?

'Cordy!' riep Dan binnen. Ze bracht een hand naar haar gezicht en voelde de warmte van oude vernederingen. Wie maakte ze wat wijs? Onze onuitgesproken aanmaningen wervelden brandend om haar heen, zigzagden door haar haar en maakten haar perifere gezichtsveld wazig. Was ze ooit in iets anders geslaagd dan in een nomadenbestaan, wat op zich geen prestatie was? Lang geleden had ze moed gelijkgesteld aan zwerven, gevonden dat de kracht school in de reis. Nu besefte ze dat het haar geen moed zou vergen om te vertrekken; de kracht kwam uit de terugkeer. De kracht lag in blijven.

Ze deed de hordeur van de keuken open en luisterde naar het piepen en het dichtslaan achter haar. Ooit, lang geleden, was de Beanery een restaurant geweest en had Cordy met een schuin oog de industriële ovens bekeken en zich al bepaalde dingen afgevraagd. Voor haar uit vernauwde de betegelde vloer zich tot een gang en daarna werd hij weer wijder achter de toonbank. Ze liep erheen als een nerveuze bruid.

'Hé,' glimlachte Dan. Cordy ontspande zich als een pup die te vaak is geschopt. 'Er moeten een paar broodjes gemaakt worden.' Hij knikte naar een moeder en dochter die aan een tafeltje aan de andere kant zaten. Het leek een middelbare scholier op reis. Ze zaten stijfjes om zich heen te kijken, de moeder oordelend, de dochter open. Zo van: hier zou ik op een afspraakje kunnen komen. Hier kan ik na de colleges met mijn vrienden bij elkaar komen. 'Kipsalade op croissant, kalkoen op focaccia.' Hij gaf haar het bonnetje en een knipoog en Cordy ging aan het werk.

Toen ze klaar was met de broodjes en ze netjes op een bord had opengesneden en ze met een plakje augurk, wat patat en blokjes watermeloen tot een eetbaar boeket gegarneerd, bracht ze die naar het tafeltje. 'Het is hier zo klein,' zei de moeder, en haar vingers friemelden afwezig aan haar rietje. 'Ik weet niet of je makkelijk zult wennen aan zo ver van... alles zijn.'

Cordy spitste haar oren bij die verklaring en er passeerden ontelbare gedachten, maar ze glimlachte slechts en zette de borden neer. Haar goedkeuring zou toch geen gewicht in de schaal leggen. Dit was een meisje zoals Bean, dat zag je zo, vol van haar eigen dromen en verlangens en ideeën, en wie kon er trouwens nou niet verliefd worden op een plek als Barney? De indrukwekkende muren van dikke natuursteen uit Main, de authentieke gebogen trappen van Rubin, de lichtkoepels in de Student Union, bedrieglijk aanlokkelijk tijdens zomerexcursies over de campus, maar dreigend in hartje winter, het ruime binnenplein, het zachte groen in de schaduw van de esdoorn. De campus is schitterend en mindere meisjes dan zij waren voor zijn sirenenlied bezweken.

'Jij bent zeker van hier, hè?' vroeg de moeder en het duurde even voordat Cordy besefte dat ze het tegen haar had.

'Ja. Geboren en getogen.'

De moeder trok haar wenkbrauwen op en knikte naar haar dochter, alsof ze wilde zeggen: 'Zie je wel wat er van mensen vanhier wordt?'

'Is het niet moeilijk om zo geïsoleerd te wonen?' vroeg de moeder.

Cordy aarzelde. Het kon haar geen zier schelen of het meisje naar Barney kwam of niet, maar het leek haar oneerlijk om niet even een poging te wagen, om voor de spiegel te staan om zichzelf van alle kanten te bekijken en het model van haar eigen toekomst te showen.

Ze wendde zich tot de dochter, die zich ongemakkelijk voelde in de kleren die ze voor de inschrijving had aangetrokken, een groen pakje dat wat ze nog aan persoonlijkheid had wegmoffelde. 'Het is waar, Barney is een beetje geïsoleerd. Maar je staat ervan versteld hoe de campus tijdens het studiejaar opleeft. Er zijn ontelbare dingen te doen. Het registratiekantoor heeft doorgaans een kalender waarop je kunt zien hoe een doorsneeweek eruitziet, en als je daar je voordeel mee wilt doen, kan dat best.' Ze merkte dat ze bewust op haar accent lette en op de verraderlijke klinkers van het Middenwesten. 'Volgens mij gaan de meeste studenten op de universiteit in de stad zo op in het campusleven, dat ze niet vaak uitgaan. Bovendien zijn ze daar als student toch te arm voor.'

De dochter glimlachte dankbaar. De moeder keek koud.

'En bovendien zitten we maar een uur van de grote stad. Eet smakelijk.' Ze glimlachte en liep weer terug naar haar plek achter de toonbank. Dan zat in zijn kantoor zuchtend papieren door te nemen, dus zette ze zich aan het werk. Toen ze bij het schoonmaken haar heup tegen de toonbank duwde, voelde ze het stuk papier in haar zak kraken en haalde ze papa's briefje weer tevoorschijn. Ze besefte dat hij haar niet voor seks waarschuwde, het lag voor de hand dat het daar te laat voor was. Maar waarvoor dan?

De handdoek die ze vasthield beschreef cirkels over de toonbank van koud, wit nepmarmer met grijze aderen. Ze moest terugdenken aan zichzelf toen ze een jaar of acht was en Bean en Rose haar links lieten liggen, want ze was een minder grappig speeltje gebleken doordat ze een eigen wil kreeg. Rose was aan haar queeste naar de Shakespeare-prins op het witte paard begonnen en Bean hield zich bezig met alles wat maar interessanter was dan Cordy, die zo onbruikbaar was dat de rest zich niet eens druk maakte om haar haar en dus rond rende met één staartje opzij en een losse bos haar die aan de andere kant tegen haar hals sloeg.

Zich zo in de steek gelaten voelen maakte haar eenzaam en bracht haar een beetje van haar stuk. Ze wierp zich op de boeken en imiteerde elk personage dat ze tegenkwam. Ze las een verhaal over een meisje dat in haar kast zat te lezen en chocolate chip-koekjes at, dus dat deed zij ook. Ze las zich een weg door *Nancy Drew and the Hardy Boys* en zocht overal naar aanwijzingen die ze opschreef in haar Harriet the Spy-boekje, al vond ze het feit dat ze tot geen enkele slotsom leidden een permanente teleurstelling. Ze probeerde van huis weg te lopen, daarmee ontelbare kinderen in ontelbare boeken imiterend, maar zij en haar koffertje bedrukt met een ouderwets plaatje van een meisje met een muts kwamen nooit verder dan de rododendrons voordat de moed haar in de schoenen zonk.

Hoe ze ook haar best deed om karaktertrekken uit die bladzijden te oogsten om zich die voor een uur, een dag, een week aan te meten, ze vond zichzelf nooit in die boeken. We denken dat we dat allemaal ons hele leven tot op zekere hoogte hebben gedaan: op zoek gaan naar het boek dat ons de sleutel tot onszelf geeft en laat kennismaken met een totaal gevormde persoonlijkheid als een geheel gemeubileerde kamer die je kunt huren. Alsof we naar binnen konden lopen, om ons heen konden kijken om tegen de grijze hospita achter ons te zeggen: 'Ik neem hem.'

Het idee van een goocheldoos kwam uit een boek over een jongen die echt kon toveren met zijn doos, waardoor hij het ene avontuur na het andere in merkwaardige werelden beleefde, geleid door een plastic toverstokje en voor gevaar behoed door een felgekleurde sjaal of een gordiaanse knoop van touw.

Thuis hadden we weinig op met nieuwe dingen. Dat hoorde bij de enigszins ondoordachte poging van onze ouders om aan de consumptiedrift te ontkomen, gesymboliseerd door het feit dat ze tegen televisie waren. Ons speelgoed bestond ook uit afleggertjes, puzzels met ontbrekende stukjes, blokken die nooit goed in elkaar pasten; onze poppen droegen geen merk, onze kleren werden door mama op de machine genaaid. Papa en mama begroetten Cordy's verzoek om een goocheldoos met scepsis, ervan overtuigd dat ze hem binnen de kortste keren zou verruilen voor de volgende innerlijke gril.

Maar dat deed ze niet. Ze smeekte en smeekte tot ze uiteindelijk op haar verjaardag werd beloond met een van de zeldzaamste geschenken bij ons thuis: iets in zijn oorspronkelijke plastic verpakking.

Het duurde niet lang voordat ze de trucjes onder de knie had. De doos was, net als het boek waaruit de fascinatie geboren was, samengesteld voor een klein kind. Ze volgde ons door het huis en klopte bij Rose aan, smekend om binnengelaten te worden, of ze diepte een rok die ze als cape gebruikte op uit de verkleeddoos en gaf een voorstelling voor ons in de kelder. En toen, een paar dagen later, was ze het weer vergeten. We moeten Cordy nageven dat de trucjes nogal slap waren; de kralen glipten van het koordje en rolden weg onder een van de oude banken (waar ze tot op de dag van vandaag nog liggen, denken we) en het toverstokje raakte zijn mooie witte puntje kwijt. Maar weldra had ze weer iets nieuws wat haar boeide: een pop met haar dat kon groeien zodat ze kon leren hoe ze een vlecht moest maken.

Abracadabra.

Dat was het natuurlijk. Tot op de dag van vandaag roept een van ons, wanneer Cordy belangstelling voor iets aan de dag legt, met draaiende ogen die vervloekte goocheldoos aan. 'O, daar gaat ze weer.' Dus in onze ogen was de baby de zoveelste goocheldoos als gevolg van weer een middagje lezen en chocoladekoekjes eten in de kast bij het licht van de zaklantaarn.

Maar dat was niet zo.

Toch?

Een tweetal studenten die in de zomer op de campus werkten kwamen langs om ijskoffie te bestellen. Toen ze zich van de toonbank verwijderden, ging Cordy naar de kassa om het geld in de lade te stoppen en haar vingers met de biljetten aarzelden even. Ze had nog nooit gestolen zoals Bean, maar als haar baas bijzonder chagrijnig was, voelde ze zich niet verheven boven het verkeerd aanslaan van de bestellingen om het verschil in haar zak te steken, vooral als dat het verschil betekende tussen een buskaartje kopen en deze stad al liftend achter zich laten.

Waarom had ze dit stadje eigenlijk verdedigd? Het was een valkuil. Papa klonk haar met zijn onpeilbare boodschappen met zijden boeien om haar enkels aan Barnwell vast. Mama bond haar handen met haar ziekte. En wij haakten elkaar pootje met ons verleden en maakten gehakt van de toekomst met onze ontelbare mislukkingen. Cordy was verstikt van woede en voelde een aandrang, een brandende jeuk om weg te gaan, om overal te zijn behalve hier.

Oxford in de zomer was anders dan Rose had gedacht. De Stad van de Dromende Spitsen, waar ze had verwacht studenten te zien die zich in toga naar college repten en professoren die ernstig de doelmatigheidsleer van Plato's Republiek bespraken, meters bier en serene campussen overschaduwd door gargouilles en strenge Britse tuinen, was druk en toeristisch en moderner dan ze had gehoopt. Door de mist van de jetlag vond ze al die bedrijvigheid uitputtend en overweldigend, en ze snapte voor het eerst het nut van een kalmerend kopje thee bij het ontbijt of een pint bier halverwege de ochtend.

Bij aankomst wierp ze zich in Jonathans armen. De stress van de vlucht, de maanden van afwezigheid, haar eigen hartslag... ze stortte volledig in toen ze hem zag. Haar lichaam, in de war van het slaapgebrek, van de felle zon waar duisternis had moeten heersen (En waar was die regen? Hoorde het niet constant te regenen in Engeland?) functioneerde op de automatische piloot.

Ze namen de trein naar Oxford en haar blik stuiterde van Jonathan naar het groene rustieke landschap dat in een flits voorbijschoot. Thuis had ze de voorsteden steeds verder van het stadscentrum zien groeien en werd de afstand tussen die kleine huizen en de uitgestrekte landerijen van Barney steeds kleiner, en iets vanbinnen sprong op en bad voor de groene ruimte die ze hier zag met die huizen van natuursteen waar de vooruitgang nog niet had toegeslagen, en de eenvoud van een kudde schapen.

Hoe winters is mijn wegzijn mij geweest van u! dacht Rose toen ze zijn warme lichaam naast het hare voelde en zijn warme droge hand in haar koude. Ze hadden zijn appartement bereikt, waren op bed gevallen en hadden elkaar herontdekt. Naderhand lag ze met haar hoofd op zijn borst en stond ze zichzelf toe zich klein, vrouwelijk en beschermd te voelen, met haar vingers uitgespreid over zijn kloppende hart. Ze dommelde in en hij wekte haar met de vriendelijke waarschuwing voor de risico's van slapen tijdens je eerste dag, en ze dommelde weer in.

Ze gingen gênant vroeg uit eten en Rose was nog duizelig van de uitputting en de nieuwigheid. Jonathan nam haar mee naar een café waar de balkenplafonds zo laag waren dat ze haar hoofd moest buigen om van de ene ruimte in de andere te komen en waar de trap naar de eerste verdieping meer iets van een kruipruimte had. 'De oudste pub van Engeland!' zei Jonathan, of misschien was het de oudste van Oxford. Het was niet eerlijk om in dat stadium haar bevattingsvermogen op de proef te stellen. Hij bestelde twee biertjes aan de bar en ze gingen naar boven. Ze namen tegenover elkaar plaats aan een gehavend tafeltje vol littekens dat zwart was verbrand tussen de kerven, en hielden elkaars handen vast. Ze was niet vergeten hoe hij eruitzag, maar nu ze tegenover hem zat besefte ze dat ze in haar herinnering de intensiteit en exacte diepte van zijn ogen kwijt was geraakt, de meetkundige hoek waarin zijn eeuwige kuif stond, het branden van zijn huid op de hare.

'Ik ben zo blij dat je hier bent,' zei hij. 'Je hebt geen idee hoe ik je heb gemist.'

Haar glimlach evenaarde de zijne en haar wangen liepen stilletjes rood aan. 'Ik jou nog meer. Die hele toestand zonder jou doormaken is heel moeilijk geweest.'

'Hoe is het met je moeder?' vroeg hij.

'Ze was iets beter, maar de bestraling heeft haar erg uitgeput. Ze lijkt er gewoon ellendig aan toe.'

Jonathan zuchtte. 'Dat vind ik heel erg.'

'Je zou toch denken dat ze tegenwoordig met een betere oplossing kunnen komen dan vergif.' Ze keek hem aan en glimlachte. 'Jij bent een geleerde. Maak jij haar maar beter.'

Hij hief hun handen op en vlocht zijn vingers door de hare zodat de palmen elkaar raakten. 'Je weet heel goed dat het mijn vakgebied niet is. Maar ik kan je verzekeren dat eraan gewerkt wordt.'

'Niet snel genoeg voor haar,' zei Rose.

Wel voor ons?

'Hoe is ze eraan toe, ik bedoel psychisch?'

'Ze slaapt veel en we lezen haar voor, en daar heeft ze het meest behoefte aan. Als Bean en Cordy...' Ze slikte de rest in.

'Als Bean en Cordy wat?'

'Nou, ik wilde zeggen als Bean en Cordy meer zouden doen, maar dat is niet eerlijk. Ze zijn zelfs reuze nuttig geweest, allebei. Tot mijn verrassing.'

'Mm.'

'Ik ben nog altijd vaker bij haar, maar zij hebben een baan. Dus dat begrijp ik geloof ik wel.' Rose voelde een scheutje schuldgevoel bij die beoordeling, maar ze was zo gewend kritiek op ons te hebben dat ze er niets aan kon doen.

'En hoe... vordert Cordy?'

Rose trok haar handen uit de zijne en nam een slokje bier. In zeker opzicht had ze er een hekel aan om met Jonathan over ons te praten. Hij was zo verrekte nuchter.

Haar aarzeling ontging hem niet. 'Eerlijk zeggen.'

'Lichamelijk mankeert haar niets, ze is zo gezond als een vis. Het is haar zelfs gelukt haar baan te houden. Maar...' Ze nam nog een slok. Jonathan krulde zijn hand om zijn eigen glas en ze was weer verrast door de schoonheid van zijn vingers, ze was er opnieuw verliefd op. 'Maar ik maak me zorgen over haar. Bij de dokter stelde ze heel weinig vragen, ze weet niet wie de vader is en het lijkt haar ook niet veel te kunnen schelen en dat baantje in het eetcafé is nu wel goed, maar met een baby kan ze daar niet van leven, en het is totaal oneerlijk om van papa en mama te verlangen haar te steunen omdat die zelf al genoeg problemen hebben.'

Jonathan knikte zwijgend.

'Ze is niet klaar voor een baby,' zei Rose.

'Ze is niet klaar voor een baby zoals jij die zou krijgen,' zei hij.

'Au.'

'Nee, serieus. Weet je, een van de dingen die me het liefst zijn in jou, is je vermogen om alles – tastbaar of ontastbaar – overzichtelijk te maken. Maar dat is de manier van Rose. Dat is niet de Cordy-manier.'

'Ik ben bang dat de Cordy-manier niet volstaat.'

'Cordy heeft het tot nu toe overleefd, onder omstandigheden waarvoor jij allang op de vlucht geslagen zou zijn. Het is duidelijk dat ze een manier heeft gevonden om voor zichzelf te zorgen.'

'Maar we hebben het niet over voor zichzelf zorgen. We hebben het over de zorg voor de baby. Ik maak me zorgen. Ik wil niet dat ze het moeilijk krijgt.'

'Precies,' glimlachte hij. Ze werd gek van zijn sereniteit in het zicht van de storm. Zijn vreedzaamheid maakte het haar onmogelijk ergens tegen tekeer te gaan. Ze schudde haar hoofd. 'En wat te denken van de schone Bianca?'

Toen Bean ons haar zonden opbiechtte, had ze om geheimhouding gesmeekt, maar Rose had het bij Jonathan niet voor zich kunnen houden. Dus ook hij wist van het hele groezelige verhaal, althans voor zover Bean het ons had verteld. 'Het gaat beter. Ze is heel betrokken bij St. Mark's. Ze doet vrijwilligersprojecten en gaat met dominee Aidan om. Ze lijkt wel bekeerd.'

'Er zijn geen atheïsten in vossenholen,' zei Jonathan.

Daar moest Rose even over nadenken en ze keek om zich heen. 'Ik zou graag denken dat het niets anders is. Maar dominee Aidan is een aantrekkelijke man...'

'Bean?' Spottend greep hij vol afschuw naar zijn hart. 'Stort zij zich in zoiets voor een man? Die verdenking choqueert me.'

'Neem het maar van mij aan,' zei ze. 'Al heb ik het gevoel dat haar een geweldige teleurstelling wacht wanneer ze erachter komt dat hij aanhanger is van de geen-seks-voor-het-huwelijk-stroming.'

'Ach, dat zal goed voor haar zijn,' zei Jonathan.

'Ook werkt ze om haar schulden af te betalen. Ik weet het niet, ik had gedacht dat ze zou gaan onderduiken, maar ze doet echt haar best om haar leven te beteren.'

'Dus misschien heeft ze wel echt berouw,' zei Jonathan.
'Misschien. Ik hoop het.'
Hij legde zijn handen over tafel op de hare, en glimlachte op een manier waaraan ze nooit weerstand kon bieden. O, ze wist wel dat hij niet de mooiste man ter wereld was, niet zo'n man die vrouwen op straat deed omkijken, maar voor haar was hij het enige licht aan het firmament. 'Zie je wel, ik heb je toch gezegd dat mensen kunnen veranderen. Zo moeilijk is het niet.'
Als Rose het niet zo druk had gehad met zich naar hem toe buigen om het bier op zijn lippen te proeven, om te zwelgen in het feit dat ze hem nu kon aanraken in plaats van zichzelf vast te houden wanneer zijn stem een oceaan over fluisterde, zou ze misschien een vraagteken bij dat idee hebben gezet. Veranderen was het moeilijkste wat er was.

18

Het was allemaal Beans idee. We waren vijftien, twaalf en negen. Natuurlijk hadden we nog geen van drieën een rijbewijs. Op een mooie dag, als we geen haast hadden, stopte onze vader wel eens aan de kant van de weg en liet hij Rose over een van de brede plattelandswegen buiten Barney rijden, die als dropveters vanuit de stad uitwaaierden. We waren aan alle kanten omringd door weilanden en de koeien keken ons mismoedig na toen we voorbijsnelden. Al was 'snelden' misschien niet het juiste woord omdat Rose nooit harder wilde dan veertig kilometer per uur. Jongens in sportwagens met een open dak raasden joelend voorbij, de muziek waarop hun handen op tien voor twee op het stuur bonkten, explodeerde naar buiten.

Maar Bean had nog haast nooit deze kans gekregen, een keer of drie misschien. Papa en mama waren de stad uit omdat onze vader een conferentie moest toespreken waar serieuze professoren ijverig aantekeningen zouden maken van elke parel die hij hun toewierp. En daarna zouden ze het op een drinken zetten aan de hotelbar, en volgegoten met wijn en verlepte bedoelingen naar hun kamer wankelen. Onze grootouders pasten op ons, maar Nana en Pop-Pop hadden al heel lang geleden de leeftijd bereikt waarop ze gelijk met ons naar bed gingen, en de heisa van de verandering in huis maakte ons te opgewonden om de slaap te kunnen vatten.

Rose lag in bed, verloren in de wereld van Schateiland, toen ze Bean en Cordy in de belendende kamer hoorde giechelen. Hun groeiende vriendschap beangstigde haar; ze verstijfde van angst te worden buitengesloten. Ze sloeg het laken terug dat schoon en wit in het licht van de leeslamp lag, zette haar voeten op de vloer en liep naar Beans kamer. De deur stond op een kier en een wig van licht viel op de vloer van de gang. Ze aarzelde met de hand op de knop voordat ze hem openduwde en naar binnen ging. De piepende scharnieren kondigden haar komst aan. Bean en Cordy waren bezig zich aan te kleden; hun lichaam was nog plat en iel in de T-shirts en spijkerbroeken die ze aantrokken.

'Kom mee,' zei Bean tegen Rose. 'We gaan naar de Deee-Lite.'

'Nu?' vroeg Rose. Wat ze zich ook had verbeeld dat we in ons schild voerden, dit was het zeker niet. 'Het duurt een uur om er lopend te komen.' De Deee-Lite was aan de andere kant van de stad, waar de huizen plaatsmaakten voor maïsvelden die er allemaal donker en leeg bij lagen in die tijd van het jaar.

Bean en Cordy keken elkaar aan en giechelden. Cordy deed haar schoenen aan. 'We nemen de auto,' zei ze en om de een of andere reden trof ons dat weer als hilarisch en moesten we zo hard lachen dat we bang waren dat Nana en Pop-Pop wakker zouden worden.

Natuurlijk probeerde Rose ons ervan af te brengen, maar die bewuste avond had iets, de frisse herfstlucht had iets van de vrijheid die we voelden nu papa en mama weg waren en onze grootouders nietsvermoedend in de kamer verderop in de gang lagen te slapen. De Deee-Lite zou de volgende week voor de winter dichtgaan (wat altijd gebeurde, het lag niet aan ons). We denken ook dat het iets te maken had met het feit dat we gedrieën met elkaar alleen waren, en maar één van ons noemenswaardige rijervaring had en helemaal niet in het donker, dat we allemaal veel te klein waren om de duisternis in te rijden, waar jongens met snelle auto's op zoek waren naar een snuifje gevaar om de eentonigheid van het bestaan te doorbreken. Inmiddels hebben we al ontelbare dingen gedaan die dwazer zijn dan wat we die avond deden, maar we schudden nog altijd ons hoofd.

Maar dat wisten we toen nog niet. Het enige wat wij wisten was dat we onstuimig en ondernemend waren, dat de avond van ons was en dat er macht school in ons drietal, de Weird Sisters, hand in hand.

Rose stond erop dat we allemaal een jack meenamen, als een soort talisman tegen de pure mallotigheid van wat we deden. En ze wist dat het krankzinnig stom was en helemaal niets voor haar, en misschien dat ze er juist daarom in toestemde mee te gaan.

Toen we allemaal aangekleed waren, liepen we naar de voordeur en op de houten vloer hielden we onze adem in omdat we zeker wisten dat het gekraak ons zou verraden, we deden de zware deur open en hoorden het piepen van de scharnieren van de hordeur, die na de zomer nog niet was verwijderd. Rose had de sleuteltjes, omdat we waren overeengekomen dat zij zou rijden. Ze had de auto eigenlijk nog nooit eerder gestart en liet de motor even hardvochtig gieren voordat ze haar hand van het contactsleuteltje haalde, het lichtknopje vond en de duisternis in reed.

Bean wilde voorin zitten en zocht de radiostations af naar een station dat absoluut verboden was, tot ze een liedje hoorde dat ze mooi vond, en we draaiden de raampjes omlaag en reden traag de stad uit met de muziek die om ons heen wervelde, en we hadden het gevoel alsof we aan een film meededen en dat dit de soundtrack van onze grote vlucht was. Overal om ons heen waren de huizen donker en stil, maar toen we langs de studentenflats reden, zagen we licht en hoorden we muziek en dat gaf ons vleugels en maakte dat we ons een deel van een wereld voelden waarin van alles gebeurde en drie meisjes naar buiten konden glippen om een eind te gaan rijden en alles zou goed komen, en we konden iedereen zijn, vooral Rose; we hoefden onszelf niet meer te zijn, maar een opwindend en onverschrokken persoon.

Telkens wanneer we dat liedje horen, moeten we weer aan die avond denken en hoe gelukkig we ons voelden. Bean keek van opzij naar Rose, wier handen het stuur omklemden en die haar voorhoofd fronste van concentratie terwijl het licht van de straatlantaarns over haar gezicht flitste, licht en donker, licht en donker. Achterin leunde Cordy achterover; ze zong het liedje mee en keek naar buiten.

Toen we de stad uit waren, stak Bean opeens haar hoofd naar buiten, werkte zich tot haar schouders de duisternis in en zette het wild op een huilen naar de maan. Ook Rose kreeg er een rolberoerte van schrik van. Daarna schoof Cordy naar de zijkant om haar hand vast te houden terwijl we tekeergingen tegen het verdwijnende licht en achter ons veranderde Roses mopperende kritiek in hilariteit en daarna lachten we met haar mee met al die duisternis om ons heen. Tussen de bebouwde kom en de Deee-Lite lag een kleine kilometer rustig grasland, maar we hadden het gevoel alsof de wereld, onze toekomst, ons blanco leven wagenwijd voor ons openlag.

Het voelde onnatuurlijk en alledaags om onze duizelige hoogte te verlaten en ons op de parkeerplaats van de Deee-Lite te bevinden, waar de gezinnen allang naar huis waren gegaan en het plaveisel een plek was geworden waar romances werden opgepord en gedoofd, waar geruchten de wereld in werden geholpen en vriendschappen vernietigd of gesmeed, waar dit super-Amerikaanse bestaan buiten Barney en de Coop en onze tv-arme wereld zijn web had gesponnen. En hoewel we alle drie op onze eigen manier deel van die wereld met al zijn glanzende idealisme wilde uitmaken – Bean met haar tienertijdschriften, Rose met haar romances en Cordy met haar curieuze dromen – beseften we dat we zo veel meer konden zijn dan dat, namelijk zoals we die avond waren.

Het ijsje was volgens ons alleen belangrijk voor Cordy. Zij kreeg een gedraaide hoorn besprenkeld met strooisel, Bean nam een bananasplit en Rose koos natuurlijk vanille en betaalde voor ons alle drie van haar toelage. Zij gaf meer geld uit dan wie ook en toch leek ze altijd het meeste te hebben. De zuinige Rose telde de munten voorzichtig uit alsof ze stukjes van zichzelf aan de ongeïnteresseerde kassier afstond, maar aan de andere kant weigerde ze ons nooit iets wat we vroegen.

We gaven Cordy een grote hoorn, iets wat papa en mama altijd weigerden op grond van het feit dat ze er buikpijn van zou krijgen (en we mogen er wel op wijzen dat ze het volkomen bij het rechte eind hadden). Maar ze at dat verrekte ding toch helemaal op, zodat haar mond onder de snoepkorreltjes en opgedroogd softijs zat en haar handen kleefden en naar melk roken. Rose en Bean zaten te praten en te lachen, terwijl Cordy rondjes holde om een van de tafeltjes op het terras – zo'n plastic geval met een schuine parasol – en zichzelf met de seconde misselijker maakte.

Misschien dat de maan vol was. Wanneer we eraan terugdenken was hij in elk geval reuze helder: de beelden komen in scherp reliëf, perfect als in een museum, verlicht als een vitrine. En ook dat kan iets te maken hebben gehad met onze stemming, de manier waarop zelfs Rose ijskoud met ons meekwam en lachte toen we bijna een eind aan ons leven maakten door uit het raampje te hangen, en ze fluisterde gekscherend met Bean over de jongens die langs slopen met hun losse heupen en opgekrulde lippen. Cordy ging ruggelings op een van de tafeltjes liggen met haar hoofd over de rand en volgde met haar ogen Bean die naar de grijze vuilniscontainer slenterde en schandalig dicht bij een stel jongens kwam die rokend naar de parade keken. Rose lachte stiekem achter haar hand toen Bean met haar niet-aanwezige heupen wiegde en natuurlijk begrijp je wel dat de ogen van de zwijgende jongens haar volgden, zoals dat nog jaren zou gebeuren.

We waren blij dat we weer in de auto zaten voor de terugreis. Kennelijk was het weggaan het gevaarlijkst en naar huis gaan een eenvoudige klus. Dus misschien was dat de reden dat Rose de sleuteltjes aan Bean gaf. Of misschien was het omdat we ons zo intiem voelden met elkaar, vol en slaperig en half misselijk van het ijs, ons kleine zusje rende als een losgeslagen gazelle met wapperende haren in de duisternis om ons heen terwijl wij een ander meisje speelden dan we waren. En misschien omdat we er al ontelbare malen waren geweest en die weg al ontelbare malen vaker hadden gereden, we kenden elke centimeter van de omheiningen en het plaveisel, elk polletje achtergebleven gras, en Barney had ons altijd een veilig en behouden gevoel gegeven.

Maar wat de reden ook mocht zijn, Rose deed het, leunde achterover in de passagiersstoel, zei wat Bean moest doen, keek hoe ze het deed en we voelden ons niet onveilig, zelfs toen nog niet. Achterin lag Cordy met haar handen op haar buik zacht te kreunen en Rose draaide de radio zacht.

Eerst drukte Bean te hard op het gaspedaal en reden we schokkend en sidderend het parkeerterrein af, en vervolgens kwam ze met piepende banden tot stilstand aan de rand om naar links en naar rechts te kijken. Een motorrijder kwam wild in de wind naast ons, met het geluid van piepend rubber op het wegdek en de rufterige toeren van de tweewieler, Bean haalde haar voet van de rem waardoor de auto de weg op reed. Roses adem stokte even en ze greep zich vast aan de rand van haar stoel, maar Bean zette haar voet stevig op het gas en trok op.

Het plezier in het rijden wordt minder naarmate je het vaker doet, maar die avond was het nog vers, fris en vrij en we snelden onbezonnen hard over de weg zodat Bean amper het silhouet van het hert zag dat over de omheining van het weiland op de weg sprong.

Rose zag het. Ze zweert dat ze het zag, een fractie van een seconde eerder dan Bean, maar ze had niet eens de tijd om haar mond te openen voor een schreeuw, zo snel ging het allemaal, en vervolgens de doffe dreun van de aanrijding, het gieren van de remmen en het slingeren van de auto voordat hij tegen een hekpaal tot stilstand kwam. Cordy gleed van de achterbank, belandde op de hobbel op de vloer en stootte gemeen haar hoofd tegen de portierkruk. Ze moest natuurlijk huilen, maar toen Bean en Rose uitstapten en schreeuwend in het donker verdwenen, hees ze zich overeind en kwam ze achter ons aan met één glibberig traanspoortje dat door het ijs op haar wang liep, waarmee ze er deerniswekkend verward uitzag. Toen we daar zo stonden, beseften we opeens dat we niet konden overzien hoezeer de nesten waarin we ons hadden gewerkt niet te overzien waren. Dit was het ergste wat we ooit hadden uitgespookt. Zelfs papa en mama, die niet bij machte waren consequent kamerarrest of zwijgplicht of wat voor straf ook zwaarder dan een strenge terechtwijzing op te leggen, zouden iets moeten doen.

'Ik reed,' zei Rose. O, die Rose, die nog verstandig bleef in het aangezicht van een ramp, en denk niet dat we haar niet dankbaar zijn. Maar Bean hoorde het niet eens; die stond midden op de weg met de handen van afschuw tegen haar mond gedrukt. Het hert lag vlak naast de dikke gele strepen midden op de weg, alsof het de verkeerstekens gehoorzaamde, HIER NIET INHALEN. Het was een hinde, ze had nog steeds de volle roomboterkleur van de zomer en een witte vlek op haar hals. Telkens wanneer ze haar kop optilde en vergeefs haar lichaam probeerde te bewegen, lichtte die witte vlek als een ster op in het licht van de koplampen.

Rose probeerde te voorkomen dat Cordy het zag, maar die maakte zich uit haar stevige greep los en liep de weg op. Ze stak haar hand uit naar Bean, die nog steeds achter haar handen stond te hijgen, naar de doodsstrijd van het hert keek en het zachte kreunen, een bede om hulp hoorde. Bean wilde niet aangeraakt worden en wendde zich van Cordy af, maar haar ogen keken niet weg van die van het hert. Ze had een poot gebroken en er lag bloed op het wegdek.

Wie zal zeggen hoe lang we in shock van de botsing en de suiker op die weg stonden tot er een patrouillewagen langskwam. We kenden de politieman, agent Franklin. Hij ontbeet in de cafetaria naast de boekwinkel en wanneer hij ons voorbijliep op straat, haalde hij een kwartje uit ons oor en maakte hij ons aan het lachen. Hij was jong en we vroegen hem altijd of we zijn pet op mochten zetten, deels om te lachen omdat de rand van de pet over ons voorhoofd zakte, deels om het kwetsbare roze van zijn hoofdhuid onder zijn stekeltjeshaar te zien.

Het zwaailicht van zijn auto gaf de stille landweg iets van een kermis, blauw en rood wervelden om ons heen. Hij keek naar ons, naar de auto, naar de lege plaatsen waar onze ouders hoorden te zitten en daarna keek hij naar het hert, de witte vlek werd rood, het was niet vast te stellen of dat van het licht van de patrouillewagen kwam of van het bloed. Zonder een woord te zeggen liep hij terug naar zijn auto. Zijn hakken klikklakten zwaar over het wegdek en hij keerde terug met een jachtgeweer. We hoorden het zware pompen van de loop toen hij hem doorlaadde. We zagen hem alle drie zijn geweer richten. Hij keek over de kolf naar ons en zei schor: 'Nu moeten jullie de andere kant op kijken.' En dat deden we.

Hij moet een goede schutter zijn geweest, want even hoorden we nog het krabbelen van de hindenhoeven op de weg, daarna een scherpe explosie die telkens weer in de duisternis nagalmde en waarvan we suizebolden, en daarna niets meer. Cordy holde naar de berm, greep zich vast aan het scherpe prikkeldraad en braakte haar ijs het weiland in.

Zoiets hebben we nooit meer uitgehaald. O, nee.

We moeten dikwijls aan die avond denken, maar wat er dan bovenkomt is niet het vreselijke einde maar hoe vrij en gelukkig we ons samen voelden, en dat we het gevoel hadden dat we alles konden maken, dat we de hele wereld aankonden zonder ons iets van de gevolgen aan te trekken. We denken aan de geopende raampjes, de wind die hard op onze huid blies, het brullen in de nacht, de klanken van het liedje die wedijverden met het razen van de wind en de banden op de weg, zoals Rose pal stond voor ons en ons beschermde, en we herinneren ons de gelofte die we aflegden om nooit van ons leven meer enig wezen pijn te doen. En we vragen ons af waar die meisjes gebleven zijn, of ze samen met die hinde op de weg zijn gestorven, of dat ze toch wel verdwenen zouden zijn.

19

'Ik weet best,' zei papa terwijl hij de maïskorrels uit zijn baard veegde alsof hij vogels het nest uitzette, 'dat onwettigheid niet meer het stigma van vroeger draagt. Maar het lijkt mij een kapitale vergissing om een kind zonder vader op de wereld te zetten.'

'Mijn kind heeft een vader,' zei Cordy. 'Het komt niet volgroeid uit mijn hoofd.' Ze zaten met zijn tweeën aan tafel. Mama had vergeefs strijd geleverd met wat soep en verse tomaat, zich verontschuldigd en was naar bed gegaan, en Bean was een avondje uit.

'Hoezo vader? Je hebt hem nog niet eens genoemd.'

'Ik ben ook een bastaard; ik hou van bastaards. Ik ben als bastaard geboren, als bastaard grootgebracht, een bastaard naar de geest, een bastaard in moed, en in alles onwettelijk,' zei Cordy, wat een flagrante onwaarheid was, maar we waren altijd dol op die versregel geweest.

'En de vader heeft zijn verantwoordelijkheid,' zei onze vader alsof ze niets had gezegd. 'Jij mag dan het gevoel hebben dat je het kind emotioneel kunt geven wat het nodig heeft, maar hoe zit het financieel? Daarop moet hij op zijn minst aanspreekbaar zijn.'

'Ik wil zijn geld niet,' zei Cordy.

'Willen en nodig hebben zijn twee verschillende dingen, Cordelia. *Ik ben een dwaashoofd en een arme bloed.*' Hij legde zijn vork en mes dwars op het bord met de handvatten op vier uur. Cordy, beroepsblind, vroeg zich af of dat een teken was om af te ruimen, maar bleef zitten.

'Ik ben geen kind meer, pappie,' zei ze. Daarmee steunde en onderstreepte zij haar standpunt met één zin.

Papa gromde slechts. 'Weet je zelf wel wie de vader is?'

Cordy dacht aan de schilder. Hij had weinig met haar gepraat, nog minder gevraagd en uiteindelijk was ze bij hem in bed gekropen. Het was een van de weinige keren dat ze bij het delen van haar lichaam nog het gevoel had dat ze er de baas over was. Waarom voelde het als verraad als ze zijn naam zou noemen? 'Dat doet er niet toe,' zei Cordy.

Papa sloeg met zijn hand op tafel. Het bestek sprong op en kletterde weer terug op het porselein. 'Godverdomme, Cordy, wees eens niet zo onverantwoordelijk.'

Cordy keek hem aan, twee spiegels tegenover elkaar. '*Mijn vader spreekt ineens zo bars!*' zei ze. O, Miranda, papa's ondergang. Shakespeare zit vol vaders die hun dochter niet willen loslaten, die hen willen beschermen, jong houden, maagdelijk, van henzelf. Maar niets doet papa's hart zo smelten als Prospero en Miranda, de verlossing uit de gevangenis van Eden. Hij keek haar afwachtend aan en Cordy's hart maakte een sprongetje. Het was voor het eerst sinds ze ons had verteld dat ze zwanger was, dat ze het gevoel had dat ze misschien echt tot hem doordrong.

'Ik heb ontelbare fouten gemaakt,' zei Cordy, kijkend naar het tafelblad. 'Ik ben een kind geweest. Ik heb je laten... Ik heb je gesmeekt me te ondersteunen.' Ze zweeg en keek hem aan, speurend in zijn donkere ogen naar een teken om door te gaan. Hij knikte en Cordy knikte ook en vervolgde haar verhaal.

'Ik ben zeven jaar op de vlucht geweest in een poging iets bijzonders, een belangrijk iemand te worden. Ik ben voor mannen gevallen, alleen maar om me door hen te laten kwetsen, en degenen die me echt wilden helpen heb ik omzeild.' Ze balde haar vuisten, ontspande haar vingers weer en legde haar handen plat op tafel. 'Maar ik ben thuisgekomen omdat ik klaar was. Niet omdat het me was gevraagd, maar omdat ik het beu was in een kringetje rond te draaien. Dus is de baby geen nieuwe bladzijde. Hij hoort bij een bladzijde die ik al heb omgeslagen.' Ze keek hem weer aan, ze was uitgesproken. Hij zat met de armen gekruist voor zijn borst en zijn bril was omlaag geschoven zodat hij haar aankeek over de rand, alsof hij zijn studenten toesprak.

Papa bleef een hele poos zwijgen. Tijdens college deed hij vaak hetzelfde, dan luisterde hij naar het commentaar van een student en bleef hij zwijgen, hield het als kristal in zijn geest en liet zijn licht er van verschillende kanten in schijnen voordat hij antwoord gaf. Het duurde een tijdje voor zijn studenten eraan gewend waren, aan die schijnbaar ongemakkelijke stiltes, maar langzamerhand waren ze die gaan waarderen en beschouwden ze het als een compliment wanneer hun woorden zo zorgvuldig werden gewogen door die Grootheid die hun ideeën in één verbale klap teniet kon doen. 'Je kunt geen kind onderhouden met wat je bij de Beanery verdient,' zei hij. 'En je hebt geen verzekering.'

Cordy knikte. 'Ik weet het. Daar werk ik aan.'

'En blijf je hier wonen?'

'Niet per se. Boven de Beanery is een appartement. Dan verhuurt het meestal aan studenten, maar hij heeft het me al aangeboden.'

'Mama wil dat je hier blijft wonen. Volgens mij wil ze graag een baby in de buurt, maar ik weet niet of dat wel zo goed voor haar is. Baby's... Ze laten je zo weinig slaap.'

'Tegen die tijd zijn de behandelingen achter de rug,' zei Cordy. 'En misschien knapt ze er wel van op. Volgens mij verheugt ze zich erop, maar ik heb nog niets besloten.'

Hij stond op, ruimde zijn servies en bestek af, spoelde ze langzaam af en zette ze in de vaatwasser. Hij zette zijn handen op de rand van de gootsteen en staarde naar buiten waar het laatste bleke glimmertje licht hem nog iets deed onderscheiden voordat het glas door de duisternis een spiegel werd. 'Waarom maak je het jezelf zo moeilijk, Cordelia? Waarom kunnen meisjes nooit de weg van de minste weerstand kiezen?'

'Ik weet het,' zei Cordelia verdrietig.

Toen Cordy die nacht het gesprek – meer een woordenwisseling – nog eens de revue liet passeren, liep ze weer rood aan van boosheid. Ze wreef nijdig over de rode vlekken van schaamte en probeerde zichzelf ervan te weerhouden hardop te zeggen wat haar nu zo kinderlijk voorkwam. Een appartement boven de Beanery. Een bladzijde die ze al had omgeslagen.

Hoe kwam ze toch aan de kracht om zichzelf zo jong en dwaas te laten klinken? Die woorden klonken nu zo verkeerd, de woorden die zo sterk hadden geklonken in haar hoofd en haar hart, tuimelden nu over haar lippen als rijmpjes bij het touwtjespringen. Hij had gelijk. Ze kon dit niet aan. Ze kon niet voor een kind zorgen als ze zelf nog zo'n kind was.

Ze keek er nauwelijks van op toen ze een auto op de oprit hoorde stoppen en vervolgens een gedempte klop op de deur van het slapende huis. Ze hees zich uit de stoel bij het raam en deed de voordeur open, waar ze Max zag staan, de vriend die haar midden in de nacht had afgezet toen ze weer was thuisgekomen. Zijn haar hing in vette slierten over zijn voorhoofd en hij droeg een T-shirt dat onder de gaten zat op een overhemd met lange mouwen en een haveloos cargoshort. Cordy had het gevoel dat ze hem in geen jaren had gezien en voelde zich onverklaarbaar opgelucht toen ze hem zag.

'Cordy,' zei hij met een rukje van zijn hoofd. 'Ik kan wel een plek voor de nacht gebruiken.'

Ze aarzelde in de deuropening waar de warme nacht haar omhelsde. Max moest onder de douche, want ze kon de reis aan hem ruiken: de ongewassen kleren en de geur van de benzine die hij op zijn schoenen had gemorst bij de laatste keer tanken, en zijn kegel van koffie en sigaretten. Ze werd bestormd door zo veel herinneringen dat ze zich aan de deurkruk moest vasthouden om te voorkomen dat ze een stap naar achteren zette. Daar hoorde ze te zijn. Onderweg. Vrij. Waar niemand haar veroordeelde en niemand vragen stelde en niemand ooit aan morgen dacht.

'Ik kan wel een lift gebruiken,' antwoordde ze.

Bean was blij dat ze instinctief een paar goede setjes kleren had achtergehouden voor de consignatiewinkel, ook al betekende dat des te meer uren in de bibliotheek om haar schulden af te betalen. Die dag had ze iets belangrijks te doen en dat ging niet zonder het pantser van een goede verzorging.

Ze kleedde zich met zorg, zoals ze altijd in New York had gedaan en steeds minder vaak sinds ze hier was en de schillen kunstmatigheid die ze zich had aangemeten dagelijks van zich af pelde. Ze kamde haar haren glad, gebruikte elk borsteltje in haar make-updoos en knikte zichzelf in de spiegel uiteindelijk tevreden toe.

Het was treurig om te zien hoe gretig Edward uit zijn stoel opsprong toen ze had aangeklopt en hem door het raam aan de voorkant gadesloeg. Ze had opeens hartgrondig met hem te doen, wat moest het vreselijk zijn om het zo lang zonder Lila en de kinderen uit te houden, wat moest het erg zijn om je jeugd en je uiterlijk naar het rijk van de herinnering verbannen te zien worden, en hoe hij zijn best deed om aan normen te voldoen die hij lang geleden had aangenomen – welke boeken je moest lezen, welke wijn je moest drinken, naar welke muziek je moest luisteren – terwijl hij het allemaal overboord had kunnen zetten om te zijn wie hij wilde zijn.

'Ik hoopte al dat je vanavond langs zou komen,' zei hij, terwijl hij zijn armen naar haar uitstrekte. 'Het is erg lang geleden.' Hij wilde haar kussen, maar ze deed een stapje opzij en zijn mond streek slechts langs haar zwaar geparfumeerde haar.

'Ik kan niet blijven, Edward. Ik kom alleen langs om te zeggen dat het me spijt.'

'Niets om spijt van te hebben,' zei hij. Hij maakte weer aanstalten om haar te zoenen; hij had een zware wijnkegel en ze liet hem dichtbij komen om zijn warmte nog één keer te voelen voordat ze weer een stap opzij deed.

'Wat is er?' vroeg hij.

Bean sloeg haar handen voor haar middel ineen. 'Ik kan dit niet meer, Edward. We moeten er een punt achter zetten.'

Hij keek op, eerst verrast en daarna geschokt. Hij nam haar hand in de zijne. 'Doe niet zo gek. We hoeven er geen punt achter te zetten. We zullen alleen wat voorzichtiger moeten zijn, natuurlijk...' Zijn glimlach maakte plaats voor een wellustig lachje en haar stemming kelderde. Alleen al de gedachte aan seks met hem boezemde haar inmiddels weerzin in, en het vooruitzicht om iets achter Lila's rug om te doen en hem met haar smaak nog op zijn lippen weer terug te sturen naar zijn kinderen, maakte dat ze wel kon janken.

'Nee, Edward. Het is voorbij. We hadden het überhaupt nooit mogen doen. Mijn god, als ik aan Lila denk, moet ik gewoon...' Ze dacht aan de foto van Lila op de koelkast en voelde zich misselijk en boos worden. Ze keerde zich af en keek naar de witte muur achter de deur.

'Ik wil het niet over Lila hebben.'

'Wil jij het niet over haar hebben!?' schreeuwde Bean bijna terwijl ze zich weer naar hem omdraaide. Ze wachtte even en herstelde zich. 'We moeten het over haar hebben. Jullie zijn getrouwd. En ze houdt van je. Ik kan me niet voorstellen waarom, maar het is zo. En jij zou God op je blote knieën moeten danken dat ze je verdraagt, dat je iemand hebt die voldoende van je houdt om je bullshit te dulden tot de dood jullie scheidt. We zouden allemaal zo moeten boffen.'

Edward zette grote ogen op en was sprakeloos. Beans handen zweetten en ze voelde hoe ze hijgde alsof ze net een rondje hardgelopen had.

'Het ga je goed, Edward,' zei ze, en ze draaide zich op haar (couture)hakken om en liep naar buiten met het gevoel dat ze misschien voor het eerst van haar leven iets goeds had gedaan.

Terwijl Cordy haar spullen pakte, had Max gedoucht en de koelkast zo'n beetje half leeg gegeten en daarna waren ze vertrokken. Cordy reed en haar buik streek tegen de stuurhoes van namaakbont.

Ze brachten de nacht door in een verlaten, anoniem huis. Cordy sliep op een stukgeslapen divan waarvan de veren dwingend in haar rug porden. Toen ze even vroeg als altijd voor haar werk wakker werd, zwierf ze door het huis dat niet verschilde van de honderd andere waarin ze eerder had geslapen. Op een zeker moment zou het worden geërfd door het overlijden van een ouder en worden gekocht door een slapjanus met slechts heel beperkte voornemens om het interieur te moderniseren. Maar vervolgens begon het meubilair vervuld te raken van de lichamen van vrienden die er slechts de nacht doorbrachten en diende de koelkast alleen voor bier in plaats van voedsel. De veranda achter de horren lag bezaaid met de peukjes van gedraaide sigaretten en het huis werd een wijkplaats voor de nacht in plaats van een thuis en het was gewoon niet meer de moeite waard er je best voor te doen. En al was Cordy best keer op keer dankbaar geweest dat dit soort huizen er waren, ze bezorgden haar altijd een beetje een grauw en leeg gevoel, alsof ze een verdwaald miauwend babypoesje in de steek liet.

En vervolgens reden ze naar een festival in een park heel ver van de wereld die ze kende, weer een van de ontelbare pogingen om Woodstock te evenaren met een cast die te bedeesd was om een effectieve revival te bewerkstelligen. Cordy zat met Max en een paar vrienden van hem in een tent en deed haar uiterste best om zich te herinneren waaraan ze nou zo'n hekel had in Barney dat ze zich gedwongen voelde om hier te zijn. Nu had ze haar dienst in de Beanery moeten draaien, bedacht ze, en het idee van het eetcafé deed haar smachten van verlangen: de geur van koffie, het gekletter van bestek, de manier waarop het geroezemoes gedurende de dag aanzwol en wegzakte, van de slaperige vroege vogels tot het uitbundige lunchpubliek en het gemompel van de achterblijvers 's middags. Was ze uiteindelijk krankzinnig verliefd geworden... op een eetcafé?

Cordy leunde zuchtend achterover tegen een stel rugzakken in de hoek met haar hand op haar buik, die ze langzaam streelde. Hoeveel ze ook van de Beanery hield, hij was niet meer van haar. Dat had ze verknald door weg te blijven. Ze wierp een blik op Max, die zijn ogen niet van haar buik kon houden.

'Je bent zwanger,' merkte Max op.

Die briljante gedachte had hem een dag observatie gekost.

'Dat gebeurt wel vaker,' zei Cordy.

'Mij niet,' zei Max vaag. Cordy vroeg zich af of hij het letterlijk bedoelde, of dat hij gewoon nooit het genoegen had gesmaakt iemand zwanger te maken.

'Dus heb je je hielen weer gelicht?' vroeg hij. Een jongen, het was eigenlijk nog een jongen – een slungel met bloeddoorlopen ogen en hier en daar wat stoppels op zijn wangen – struikelde de tent in, zeeg ineen op een van de slaapzakken achterin en viel prompt in slaap met één been zonder plichtplegingen over Cordy's dijen als een ongehoorzaam schoothondje.

Die woorden had ze al een poos niet gehoord. Mensen hadden allerlei namen voor die wereld, waar je de stad uit rolde als tuimelkruid, de muziek achterna, je dromen achterna, je minnaars achterna en de sterren achterna. Maar Max sprak altijd van 'je hielen lichten', waarmee hij zijn neiging blootgaf om plaatsen te verlaten wegens geringe vergrijpen zoals het niet betalen van zijn hotelrekening.

'Ik weet het niet,' zei Cordy. Opeens voelde de tent benauwd en warm, het zonlicht zette door het rode nylon de ingevallen wangen van Max in een griezelige gloed van aderen en bloed. 'Ik heb behoefte aan...' Ze schoof het been van de jongen ruw van zich af, stond op en deed de tentflap open om de frisse lucht in te gaan.

Het podium was heel ver weg, voorbij een groepje bomen dat de wc's en douches van het kampeerterrein aan het oog onttrok, en de muziek was slechts een dof geraas van gestamp en geschreeuw. Een groepje mensen speelde met een *hacky sack* bij een groepje tenten en kampeerstoelen. Een jonge vrouw bij een gebutste jeep spoelde de was onder een kraan. Haar blonde dreadlocks vielen slordig op haar rug en zagen er in het afnemende namiddaglicht dik en vies uit. Achter haar wankelde een kleuter onvast om een kapotte kampeerstoel. Cordy balde haar vuist en ontspande hem weer.

De vrouw keek op naar Cordy; haar gezicht droeg het masker van een twintig jaar oudere vrouw. Cordy's hand ging onwillekeurig naar haar eigen hals en streelde zachtjes over haar botten. Ze kon het. Ze kon een kind grootbrengen nadat ze haar hielen had gelicht, grootbrengen onderweg, bands en kampvuren onder de sterren in de woestijn. Het zou met een open en vrije geest opgroeien, als een blad op de wind.

En zij zou er dan uitzien als die vrouw, ongebonden en uitgeput. En de baby zou nooit de landkaart van een slaapkamerplafond leren kennen zoals zij het hare kende. En haar melk zou opdrogen door de schrale en inconsequente voeding van een zwerver. En Cordy zou Dans warme en kalmerende armen niet meer om zich heen voelen en wij zouden ons nichtje of neefje niet kennen, en papa zou geen sonnetten mompelen tegen zijn kleinkind en de baby zou nooit weten wat het betekende om Barnwell zo te haten dat ze niet anders kon dan ernaar terugkeren.

De band was klaar met een nummer, de menigte juichte. De spelers met de hacky sack staakten hun spel en slenterden terug naar het podium en Cordy liep hen achterna, meegezogen in hun kielzog. Het was een uitgestrekt veld, aan weerskanten afgezet met een keurige gemeentelijke omheining en daarbinnen was het wervelende gekrioel van mensen, van zo veel bewegende lichamen. *Dit zo groot en machtig leger.*

Op dat veld lag haar verleden, in een waas van beeld en geluid, een vloed van ervaringen die allemaal bedoeld waren de wereld buiten te sluiten, niet om die te omhelzen. In haar lichaam wachtte haar toekomst, haar gezin, alles wat haar aan banden zou leggen. Haar maag draaide zich een beetje om van het schuldgevoel bij de gedachte aan ons, die ons thuis afvroegen waar ze was en het ergste vreesden, namelijk de waarheid.

Maar als ze nu direct terugging – als ze iemand kon vinden die de hele nacht met haar in de auto wilde zitten – zouden we haar misschien vergeven. Misschien zouden we het vergeten. Misschien zouden we het begrijpen.

Misschien zouden we geloven dat de verandering deze keer menens was.

Cordy haastte zich terug naar de tent om haar spullen te pakken.

Ze kon niet weten dat wij op dat moment amper aan haar dachten.

20

Toen Bean van haar werk thuiskwam, wachtte papa bij de voordeur als een hond die smeekt om te worden uitgelaten. Hij en mama hadden al lang geleden de gewoonte aangenomen voor het eten een wandeling te maken en dat was de enige vaste gewoonte waar we haar op konden aanspreken. Als hij soms laat in de middag uit zijn werk thuiskwam, liet zij haar voorbereidingen voor het eten in de steek (plus ons, toen we eenmaal de leeftijd hadden) en bewandelden ze met zijn tweeën de trottoirs van de stad, en al kon mama nu niet meer mee, hij hield vast aan zijn traditie.

'Je moeder slaapt,' zei hij bij wijze van begroeting en hij liep naar buiten de afkoelende avondlucht in.

Maar toen Bean naar boven ging om zich te verkleden, hoorde ze een merkwaardig raspend geluid in de slaapkamer van onze ouders. Haar hakken roffelden over de vloer van de hal toen ze naar de deur holde en hem opende. Mama sliep helemaal niet. Ze lag merkwaardig krom, alsof ze was gestoord toen ze uit bed wilde stappen, met haar schouders naar achteren, één gestrekt been boven de vloer. Ze lag op een gebogen arm te sidderen van de inspanning en haar ogen stonden wild toen ze haar andere hand naar Bean uitstrekte.

'Mam!' riep Bean uit en ze stormde naar haar toe. 'Wat is er in godsnaam aan de hand?' Ze zocht naar bloed, naar braaksel, naar wat dan ook, maar ze hoorde alleen maar het gevaarlijke raspen van mama's ademhaling en zag alleen maar de spastisch trekkende bewegingen van haar ledematen. Bean duwde haar achterover in de kussens en trok de gebogen arm onder haar vandaan. Mama hapte naar lucht en probeerde weer rechtop te gaan zitten.

'Jezus,' zei Bean. 'Rose!' gilde ze. Haar stem weergalmde in het lege huis. Ze deed haar mond open om opnieuw Rose te roepen en besefte haar vergissing. Rose was er niet. Rose zou haar redding niet zijn. Deze keer niet.

Ze griste de telefoon van het nachtkastje en toetste een nummer in. Mama's ademhaling ging langzamer, maar was nog steeds ruw en gierend, ze had haar ogen wijd opengesperd en de wallen eronder staken schokkend donker af tegen haar bleke huid.

'Ik moet een ambulance hebben!' riep Bean in de hoorn toen er iemand opnam. Ze holde naar het raam en schoof het open. 'Papa!' riep ze. Ver kon hij nog niet gelopen zijn. En daarna riep ze nog een keer, half in de telefoon en half in het donker, terwijl mama achter haar lag te sidderen: 'Er moet een ambulance komen!'

Bean was des duivels.

Hoe was het mogelijk dat Rose er net nu niet was. Dit was absoluut voor honderd procent een Rose-noodgeval. Dit was helemaal het podium waarop Rose kon schitteren. Waar ze direct op haar martelaarskruis kon klimmen om te vertellen hoe ze mama's leven had gered, en was het geen geluk bij een ongeluk dat zij ter plaatse was?

En waar was Cordy verdomme naartoe? Niemand had haar sinds een paar avonden geleden meer gezien, toen papa op een haveloze vluchteling was gestuit die zichzelf bediende van het restje kip dat hij rechtstreeks van het bord uit de koelkast stond op te eten. Had ze eindelijk besloten dat we gelijk hadden, dat ze niet aan het grootbrengen van een kind toe was en was ze vertrokken op dezelfde wind die haar naar huis had geblazen?

Het volgende toont aan hoezeer Bean van haar stuk was gebracht: ze zag niet eens hoe aantrekkelijk de dokter was die naast haar op een stoel in de wachtkamer zat. Ze keurde zelfs zijn haar dat perfect in de war zat geen blik waardig, tuitte niet eens verleidelijk haar lippen bij het zien van zijn stralend witte tanden, zag niet eens hoe zijn brede handen zijn witte jas gladstreken toen hij plaatsnam.

Of misschien was het een aanwijzing hoezeer ze uiteindelijk toch nog op de een of andere manier was veranderd.

Er was sprake van een bloedpropje in mama's arm of misschien haar been, en verergerd door de gedwongen passiviteit van haar bedrust, door de chemotherapie en door de bestraling was het losgeschoten en naar de longen gereisd. Misschien dat de artsen onze ouders hadden gewaarschuwd dat daarvoor gewaakt moest worden, maar omdat papa's geest eeuwig toefde in het boek in zijn hand en die van mama eeuwig... nou ja, elders was, hadden ze ons niets gezegd. En al hielden ze bij hoog en bij laag vol dat de embolie bijna niet te voorspellen was geweest, hadden wij het niet moeten weten?

Maar we zouden het hoe dan ook niet gehoord hebben, toch? Omdat we allemaal zo verstrikt waren in onze eigen trauma's, waren we niemand tot nut. Zelfs mama niet.

Dus was het via haar aderen naar haar longen gekropen, waardoor ze zo radeloos had liggen gieren. En het kwam weer goed, het kwam weer goed, herhaalde de knappe dokter voortdurend en Bean knikte vriendelijk telkens wanneer hij dat zei, maar ze gingen haar toch een poosje houden. Wij mochten naar huis en morgen tijdens bezoekuur terugkomen.

Maar papa nestelde zich natuurlijk in een ongemakkelijke stoel in mama's kamer, dus ging Bean alleen naar huis.

Waar Cordy zat te wachten.

'Godallejezus, Bean, wat is er aan de hand?' vroeg ze toen die binnenkwam en de deur met een klap achter zich dichtsloeg. 'Waar is iedereen?'

'Waar heb jij in godsnaam gezeten?' vroeg Bean. Ze stevende naar de koelkast en rukte de deur open. Cordy had opgekruld op de bank gelegen, maar nu volgde ze Bean naar de keuken.

Cordy aarzelde. 'Ik ben gewoon... uit geweest. Met een paar vrienden.'

'Uitgaan is een kwestie van uren, Cordy. Niet van dagen. Wat heb je gedaan? Ben je ervandoor gegaan en ben je vervolgens weer laf geworden?'

Cordy verstrakte. 'Ik ben niet...' begon ze, maar ze kon haar zin niet afmaken.

'Nou, je hebt je verdwijntruc geweldig getimed. Mama ligt in het ziekenhuis.' Bean fladderde onmachtig met haar vingers naar het voedsel voor haar neus en deed de deur weer dicht.

'Wat is er?' vroeg Cordy, en haar stem brak een beetje. Dit tijdstip had zij uitgekozen om te vertrekken. Uitstekend werk, zoals gewoonlijk.

'Ze heeft longembolie gehad. Geweldige verpleegsters zijn wij, we hebben het op de een of andere manier helemaal niet zien aankomen totdat ze vanavond bijna stikte. Dus goed van ons, hè? Hoe was je uitstapje?' Bean pakte een kan met ijsthee en schonk een glas voor zichzelf in.

'Komt het weer goed?'

'Nee, ik heb haar in het mortuarium gelaten. Ze komt er weer bovenop, malloot die je bent. Papa is bij haar en ik ga morgen weer.'

'Dan ga ik mee,' zei Cordy.

'Sloof je niet uit,' zei Bean, en ze zette het glas met zo'n klap op tafel dat de inhoud bijna over de rand gutste en zich als een vloedgolf weer terugtrok.

'Ik ben blij dat jij thuis was.'

'O, ik ook. Het was te gek. Ik bof maar.' Bean wendde zich een ogenblik tot de kastjes, nam een slok en draaide zich vervolgens weer zo vlug naar Cordy om dat de vloeistof over het lijfje van haar jurk spatte, zodat er een donkere vlek op een felrode papaver ontstond. 'Waar heb je in godsnaam gezeten, Cordy? Je kunt er niet zomaar vandoor gaan zonder het tegen iemand te zeggen. Stel dat ik niet thuis was geweest?'

'Dan was er wel iemand anders geweest,' zei Cordy, die de mouwen van haar sweatshirt over haar handen trok.

'Wie dan? Papa maakte een avondwandeling en Rose zit in Engeland! We kunnen je niet blijven dekken, Cordy. Niemand die de rest van je leven achter je aan blijft sjouwen!'

Cordy trok zich terug in de stof die haar als een schildpad bedekte en beet terug: 'Krijg ik nou advies van jou, Bean? Als jij niet thuis was geweest, waar had je dan gezeten? In bed met je getrouwde minnaar? Moet ik je soms een medaille geven dat je hem niet lag te neuken toen mama hulp nodig had?'

'Ik heb het uitgemaakt,' zei Bean koud.

'Dan zou het gewoon iemand anders zijn geweest,' zei Cordy kalm en ze verstijfden even: Bean omdat het zo waar was en Cordy omdat ze nog nooit zoiets wreeds had gezegd.

'Jij moet nodig een moreel oordeel vellen,' zei Bean terwijl ze haar glas in de gootsteen zette. 'En nu heb ik het oneindige genoegen Rose te bellen om te vertellen wat er is gebeurd. Behalve als jij het wilt doen.'

Cordy friemelde aan de mouwen van haar sweatshirt. 'Als je dat wilt.'

'Doe niet zo idioot, je was er niet eens bij,' zei Bean en ze verdween om Rose te bellen.

Toen de telefoon overging met die rare dubbele beltoon waar Rose nooit aan zou wennen, schrok ze wakker. Jonathan draaide zich slaperig om en nam op. 'Hallo?' zei hij en Rose hoorde het mompelende stemgeluid van Bean. 'Nee, dat is niet erg. Is alles in orde?' Stilte. 'Ze is hier. Wacht even.'

'Wat is er?' vroeg Rose toen ze de hoorn had gegrepen.

'Ook prettig om jouw stem te horen,' zei Bean droog. De hare klonk blikkerig. 'Ik merk dat je manieren er in Engeland niet op vooruit zijn gegaan.'

'Hou je kop, Bean, het is hier vijf uur 's morgens; je zou niet bellen als er niets aan de hand was. Is er iets met mama?' Rose was al uit bed en zocht haar kleren die ze her en der op de grond had laten liggen, wat niets voor haar was. Het snoer van de telefoon schraapte over Jonathans neus en hij trok eraan zodat Rose weer in bed moest komen.

Bean slaakte een luide zucht, alsof Rose háár slaap had onderbroken. 'Ja, mama is opgenomen.'

'Wat?' piepte Rose. Jonathan boog zich naar haar toe en legde een hand op haar blote dij. De warmte van zijn naakte huid was een schok. 'Ik ben amper een paar dagen weg en ze ligt al in het ziekenhuis? Wat is er gebeurd?'

Bean legde het rustig uit. Rose hyperventileerde zowat, ze knarste haar tanden terwijl haar vingers in de lakens klauwden. Waarom gebeurde dat terwijl zij hier zat? Zij had die crisis het hoofd moeten bieden. Zij had wel geweten wat haar te doen stond, wie ze moest bellen om hulp en hoe ze met de artsen moest praten. Er was geen sprake van dat Bean en Cordy het ook maar half zo goed zouden doen.

'Wat is het nummer van het ziekenhuis?' vroeg ze. Ze knipte met haar vingers naar Jonathan, die zich omwentelde en weer terugrolde met een blocnote en een pen, waarop ze het nummer schreef. 'Oké, bel maar als er iets verandert.' Ze liep naar Jonathans kant van het bed om neer te leggen en daarna wilde ze weer een nummer intoetsen, maar Jonathan legde een hand op haar pols.

'Ze is toch in orde?'

'Dat zegt Bean, maar ik wil het van de dokter zelf horen. Mag ik alsjeblieft bellen?'

'Nee,' zei Jonathan. Hij hield zijn hand op de hare, pakte met de andere de hoorn uit haar hand en legde hem weer neer. Hij trok haar omlaag zodat ze op de rand van het bed moest gaan zitten. 'Het is daar midden in de nacht. Laat ze slapen. De dokter kun je morgen ook spreken.'

Rose keek hem aan; zijn haar zat in de war van de slaap en zijn ogen stonden moe. 'Maar stel dat...'

Jonathan glimlachte, nam haar handen in de zijne om ze om de beurt te kussen. 'Je kunt niet alles op vijfduizend kilometer afstand in de hand houden, Rose. Laat hen dat maar doen.'

'Ik kan niet slapen als ik daar niemand kan spreken.'

'Dan blijven we samen wakker,' zei hij. Hij trok haar naast zich, sloeg een arm om haar lichaam en kuste zacht haar voorhoofd terwijl het ochtend werd en de oude stad zich roerde.

Toen Bean en Cordy de volgende morgen wakker werden, voelde het huis als een lege huls waarin ze rondstommelden en elkaar voortdurend in de weg liepen, ondanks de ruimte waaraan ze niet gewend waren.

Bean moest de bibliotheek openstellen, dus moest Cordy alleen naar het ziekenhuis. Ze zette Bean af bij haar werk en reed in haar eentje verder met de ramen open terwijl de radio vergeefs zijn best deed tegen het geraas van de wind. Haar vlucht met Max leek alweer een eeuwigheid geleden en het gezoef van de wielen op de weg riep geen zwerflust meer in haar op.

Je zou zeggen dat Rose het sterkste morele kompas van ons allemaal had, maar volgens ons komt die eer aan Cordy toe. Roses opvattingen zijn kil en hard en herbergen weinig mededogen voor de mensheid, maar Cordy kan zowel goed van kwaad onderscheiden als begrijpen dat die twee niet onbuigzaam zijn, dat mensen compromissen sluiten omwille van oorlog, liefde en pijn en dat ze domweg doen wat ze moeten doen.

'Ik kom voor mijn moeder,' zei Cordy aan de balie. Ze liet haar legitimatie zien en zette een handtekening.

'Tweede verdieping west,' zei de receptioniste. Cordy klemde de aangeboden bezoekersbadge aan haar shirt en stapte in de lift.

Juist vanwege haar medeleven voelde Cordy zich heel schuldig dat ze hem was gesmeerd. O, ze had zich dapper geweerd tegenover Bean, en al wist ze dat het allemaal vreselijk, afschuwelijk toevallig was dat haar vlucht en mama's ongelukje samengevallen waren, ze kon de treurigheid niet van zich afschudden.

Het daglicht na haar dwaze vlucht smoorde de romantiek en wiste de glamour, zodat ze de kern van haar onverantwoordelijke gedrag zag. En meer nog dan papa's brieven maakte dat haar vastbeslotener dan ooit om te blijven, wortel te schieten en niet meer onderweg te zijn. Niet dat er iets mis was aan het leven dat ze had geleid, maar omdat het tijd was de redenen onder ogen te zien waarom ze zo had geleefd.

'Goeiemorgen,' zei ze en ze gaf mama een kus op haar voorhoofd. 'Hoe is het?'

'Beter,' zei ze, hoewel haar stem nog schor klonk en haar ogen moe stonden. 'Waar is Bean?'

'Aan het werk,' zei Cordy.

'De dokter komt zo langs. Ik had gehoopt dat zij er zou zijn om met hem te praten omdat Rose er niet is,' zei mama. Ze wierp een blik op onze vader, maar die was verdiept in zijn boek, streek peinzend over zijn baard en haalde zijn vingers door de peper-en-zoutkleurige haren.

'Dat kan ik wel,' zei Cordy. Ze haalde na wat rommelen een ingebonden boekje en een pen uit haar tas. Ze hield die omhoog en glimlachte. 'Zie je wel? Helemaal klaar voor college.'

Papa sputterde achter zijn boek.

'Waar ben je geweest, Cordy?' vroeg mama, terwijl ze haar hand uitstak. Cordy liep naar haar toe om hem te pakken.

'Ik moest een poosje weg,' zei ze. 'Maar ik ben weer terug. Hier ben ik beter af.'

Toen Jonathan eenmaal naar zijn werk was, bleek wachten een marteling. Rose scharrelde wat rond in zijn appartementje om op te ruimen. Ze pakte haar boek en legde het weer neer, berekende het tijdsverschil en wachtte tot het laat genoeg was om te bellen. Toen ze het deed, nam papa op.

'Rosalind!' zei hij en zijn stem verried weer die verrassing alsof hij haar bestaan volledig was vergeten. '*Welk nieuws uit Oxford? Feesten en toernooien?*'

'Het gaat hier prima, papa. Bean heeft me gebeld. Hoe is het met mama? Ik heb de luchtvaartmaatschappij gebeld en ik kan vanavond terugvliegen.'

'Doe niet zo raar. Je moeder maakt het goed. We hebben net de dokter gesproken en morgen mag ze weer naar huis. Hij gaf ons een heleboel informatie, maar dat heeft Cordelia goed in de hand.'

'Cordy?' vroeg Rose, die de schrik in haar stem niet kon bedwingen.

'*Neen, heren, staar niet zo, het is de waarheid*. Bianca werkt, maar zij is vanavond weer thuis en Cordelia zal heel goed voor ons zorgen. Hoe is het met Jonathan?'

'Goed,' zei Rose. Dit was krankjorum. Bedoelde hij nou echt dat Bean – en Córdy nota bene – de zaken thuis in de hand hadden? 'Het is geen probleem, pap, ik heb nog niet eens goed en wel uitgepakt.'

'Kom tot bedaren, Rosalind. We maken het prima. *Zo eindigt steeds het liedje. Na de luimige ommekeer heeft de man zijn merrie weer.* Je moeder en ik stellen je betrokkenheid erg op prijs, maar ze verkeert niet in levensgevaar – dat hebben we aan Bianca te danken – en wij vinden het prettiger als je bij Jonathan blijft.'

Rose wilde weer protesteren, ze opende haar mond zelfs, maar vervolgens knikte ze. 'Goed,' zei ze, haar vastberadenheid bekoelde wat. 'Mag ik Cordy even?'

'Halló,' zei Cordy. 'We maken het goed. Maak je geen zorgen.'

'Hoe weet je dat ik me zorgen maak?'

'Omdat ik je langer ken dan vandaag,' zei Cordy. 'Ik heb met de dokter gesproken en alles opgeschreven. Daar mag je je druk over maken wanneer je weer terug bent.'

'Weet je zeker dat jullie me niet nodig hebben?' vroeg Rose, en al probeerde ze vastbesloten en verantwoordelijk over te komen, haar stem klonk toch hoog en jammerend. Ze schraapte haar keel.

'We redden ons prima. Ik moet ophangen. De telefoon zit vast aan het bed en de zuster probeert erbij te komen. Goed? Veel plezier! Stuur maar een kaart!' Er klonk wat gekletter en gemompel toen Cordy probeerde neer te leggen en daarna werd de verbinding verbroken.

Aan de andere kant legde Rose met een klap neer, maar hield haar hand op de hoorn alsof ze verwachtte – hoopte – dat hij weer zou overgaan. Het bleef frustrerend stil.

Dus dat was dat. Ze was vervangen. Bean en Cordy zouden degenen zijn die alles regelden. Ze dacht eraan hoe ze de huiskamer veegde, boekenleggers in boeken deed om de ruggen te sparen, de lampenkap afstofte en iedereen naar buiten duwde om op tijd in de kerk te zijn. Blijkbaar hadden wij het van meet af aan al zonder haar kunnen stellen.

Ze deed wat spullen in een rugzak en verliet de kleine ruimte zonder doel. Het was bijna twaalf uur en op straat wemelde het van de toeristen. Voor haar passeerde een groep op een rondleiding. De gids hield een parasol omhoog als een lantaarn. Achter de menigte liepen twee vrouwen op pumps met moeite over de kinderhoofdjes. De puntjes van hun schoenen gleden in de uitgesleten ruimte tussen de stenen. Rose keek omlaag naar haar verstandige, zware wandelschoenen en liep vlug door.

Ze was dus nutteloos. Wij hadden haar alleen nodig als we te lui waren om iets te doen wat we makkelijk zelf konden.

Hadden we maar met haar kunnen praten om haar gerust te stellen, om te vertellen dat we het al die jaren niet zonder haar hadden kunnen stellen; nu pas, na alles wat we hadden doorgemaakt, nadat we hadden gezien hoe zij de boel runde, konden we haar plaats innemen om de teugels over te nemen en ons aandeel te leveren. Dat het waar was wat Jonathan had gezegd, dat mensen kunnen veranderen.

Dat de tijd misschien rijp was dat ook zij veranderde.

Of misschien zou ze daar zelf wel achter komen.

Rose doorkruiste de ene straat na de andere, liep door slingerende stegen, door een piepklein woonwijkje achter de universiteitsgebouwen waar ze nijdig de trottoirs volgde. Mensen passeerden als in een waas. Ze sloeg geen acht op de kiosken en de koppen die met een dikke viltstift op vellen papier waren geschreven, in telkens weer dat geheimzinnig keurige handschrift, en die haar tegemoet schreeuwden.

Via een smal steegje kwam ze uit op High Street, die verzadigd was van de mensen. Ze baande zich met moeite een weg door het verkeer. De trottoirs waren verstopt door een kettingbotsing van naties die aan verschillende kanten van de weg reden, dus ook liepen. Haar voeten roffelden een gestaag ritme terwijl ze de zaken overdacht. Als zij thuis was geweest, als Jonathan die baan niet in de schoot was geworpen, als... als... als...

Voor de Carfax Tower met zijn trap van negenennegentig treden bleef ze staan. Voor haar draafde een groepje schoolkinderen achter een kleine gids van de National Trust aan naar binnen. Zij had ook een kaartje gekocht en stapte de duisternis in. Pas toen ze aan de beklimming begon, voelde ze haar hart in haar borst tekeergaan en direct mat ze zich de afgemeten ademhaling aan die het bonken in haar hoofd bedwong. Ver boven haar kwamen de kinderen tevoorschijn op het dak; ver boven het verkeersgeraas en het gesnater in ontelbare talen hoorde ze hen naar elkaar roepen en elkaar plagen terwijl ze duizelig over de balustrade leunden.

Stel dat ze het dak niet zou halen? Stel dat ze buiten kennis raakte? Ze had Jonathans nummer van zijn werk niet eens bij zich en dan zouden ze hem pas kunnen bereiken wanneer hij thuiskwam...

Op dat moment had ze een hekel aan zichzelf. Een paar haveloze en vermoeide rugzaktoeristen manoeuvreerden langs haar. Ze had een hekel aan haar lichaam omdat het zo kwetsbaar was, om de wijze waarop het uiting gaf aan haar angsten en zorgelijkheid via het jachtige ritme van haar hart. Ze had een hekel aan zichzelf omdat ze niet beter haar best deed om niet te vechten tegen onze genen om sterk en strak te worden zoals Bean. Ze had een hekel aan zichzelf omdat ze zich in die beeldschone stad bevond waar de wereld om haar heen wervelde en de energie door haar aderen stuwde en haar liet huiveren, terwijl ze haar benen stokstijf liet staan. Ze moest weer denken aan haar gesprek met mama, die zachte melancholie in haar ogen om wat had kunnen zijn, o, als ze maar een andere keuze had gemaakt. Rose bespeurde ontelbare van zulke momenten in haar eigen leven, ontelbare andere afslagen die ze had kunnen nemen, ontelbare momenten waarop ze op het gas in plaats van de rem had kunnen trappen.

En waarom zou dit niet het beste moment zijn, Rose? Waarom zou dit niet jouw moment kunnen zijn, zoals Cordy die de weg naar huis koos in plaats van de andere kant op, of Bean die een punt achter haar verhouding met Edward zette?

Waarom kun je het niet loslaten?

Stel dat er geen stel dat is?

In het donker hervatte ze haar klim naar boven. De stenen muren om haar heen voelden koel en klam aan, haar voetstappen weergalmden in de leegte – de leerlingen waren allemaal schreeuwend van blijdschap al boven voordat zij de moed had gevat om naar binnen te gaan – en haar bovenbenen trilden van de inspanning. Ze zette door, bleef diep ademhalen, en telde drie treden op elke in- en elke uitademing.

En toen was ze opeens verrukt en uitgeput in de open lucht, de geluiden van de straat beneden kwamen vaag omhoog, de wind blies harder en ze draaide zich met een ruk om naar de poort die ze had bedwongen. Ze beklom de brede treden van het hoogste punt en zag uit over haar domein. Beneden ronkten bussen en auto's op dezelfde drukke straten, voetgangers schreden zigzaggend voort, fietsers snelden voorbij. In de verte tekenden zich de spitsen af van de universiteitsgebouwen, de schuine daken van natuursteen, de vriendelijke glooiing van de heuvels in de verte die net zo groen waren als ze het zich herinnerde. Haar adem stokte, haar keel voelde rauw en ze lachte.

O, waren we daar maar bij haar geweest, al was het alleen maar om de glimlach op haar gezicht te zien, om haar te zien uitkijken op wat ze had veroverd, om het pure genoegen van haar lichaam te zien afstralen met die armen bezaaid met zweetdruppeltjes. Maar áls we erbij waren geweest, had dat het moment tenietgedaan. Dan zou ze alleen maar geklommen hebben onder dwang van ons. Of om ons in de gaten te houden. Of misschien was ze wel beneden gebleven terwijl wij wegholden om iets geks te doen. Rose, ons anker. Tot op dat moment hadden we nooit beseft hoeveel Rose voor ons had opgegeven en het was aan haar om te bukken en de kluisters los te maken die haar benen aan de grond hielden om vrij de hemel in te zweven.

De stad tooide zich met een wolkeloos blauwe middaghemel. Beneden kwam Rose bedekt met een laagje zweet uit de toren tevoorschijn en dook meteen een pub in waar ze een broodje Coronation Chicken bestelde en een flesje cider en naar de voorbijgangers keek. Toen ze klaar was met eten, bewonderde ze het kwartliterglaasje met zijn perfecte miniatuurproporties. Ze kon niet verklaren waarom ze er zo van gecharmeerd was, waarom het haar zo aantrok en ze kon zeker niet verklaren wat ze deed. Rose bracht het glaasje naar haar mond, dronk de laatste druppels en liet het in haar tas glijden. Toen ze met haar rugzak als een baby in haar armen om haar buit te beschermen de pub verliet, ging haar hart als een bezetene tekeer. Maar dit was niet de wilde hartslag van de angst, dit was een merkwaardig uitbundig gevoel, de opwinding van een achtbaan, en toen ze zich weg spoedde van de pub en het glas zachtjes in haar tas schudde, kon ze zich niet inhouden, lachte ze hardop en zond haar blijdschap mee op de stevige bries.

Knerpend liep ze over een grindpad en zag een verzameling mensen op het onwaarschijnlijk groene gras trage bewegingen uitvoeren alsof hun ledematen door honing bewogen. Rose zag dat het een tai chi-les was en ze moest weer denken aan het broze gevoel van vrede dat ze ondervond toen ze net met yoga was begonnen. De lerares was in het wit gekleed, de wijde pijpen van haar broek fladderden op de bries toen ze haar benen in een berekende beweging wijd uit elkaar zette, haar armen in een fraaie boog omhoog en over elkaar bracht en heel even zo bleef staan.

Het was het mooiste wat Rose ooit had gezien.

Alsof haar lichaam niet langer van haar was, merkte ze hoe ze naar de groep getrokken werd en toen ze achter de laatste rij stond, liet ze haar rugzak vallen, schopte ze haar sandalen uit en voegde ze zich vlekkeloos in de bewegingen. Ver weg klonk het zachte geraas van het verkeer en het geroezemoes van mensen. Hier waren alleen de wind en de zon op haar blote armen en het rustige geluid van haar eigen ademhaling. Ze bewogen zich gezamenlijk en de bewegingen van de leerlingen waren amper te onderscheiden van die van de lerares. Rose voelde haar beenspieren oprekken en het lichte trillen van haar schouderspieren toen ze haar armen strekte, opkeek naar het weidse uitspansel en voor het eerst sinds heel, heel lang het gevoel had dat ze kon vliegen.

21

In *Eind goed, al goed* toont Helena, door de koning te genezen met een van de drankjes van haar overleden vader, dat zij minstens zijn talent heeft geërfd. Althans zijn voorraad drankjes. Zat het papa dwars dat geen van ons het zijne had geërfd? Dat geen van ons na al die verhaaltjes voor het slapengaan, die slecht vermomde intriges, die echte toneelstukken toen we groter werden, de amateurdramatiek, de Pelgrimsreis, de opgehangen briefjes, de verplichte voordrachten, onze naamgeving, net zoals hij voor de Bard was gevallen?

Daar zijn we eigenlijk wel dankbaar voor. Met zijn naam in zijn voetsporen treden zou niet alleen dwaasheid zijn en vaak tot pijnlijke situaties leiden, maar ook willen we zo'n soort manie niet. En toch hebben we het druppelsgewijs geërfd. Die ene obsessie is dun over ons uitgesmeerd. Roses voorliefde voor orde. Beans die voor aandacht. Die van Cordy voor betekenis. Zijn we ieder op onze manier niet net zo aan onze queeste geklonken als hij aan de zijne? En zijn wij dan niet de dwazen in deze situatie, omdat zijn queeste tenminste de belofte van een zeker geldelijk gewin draagt?

Bean klikte over de treden van kiezelbeton naar de voordeur van mevrouw Landrige. Aan het einde van een werkdag rook ze de bedompte geur van boeken in haar kleren en haar handen waren droog geworden van het aanraken van zo veel papier, hoeveel lotion ze ook gebruikte. Aanvankelijk had de stilte haar een claustrofobisch gevoel gegeven. Toen ze naar New York was verhuisd, was ze zich constant bewust geweest van het lawaai. Zelfs met de ramen dicht bleef de stad buiten nog gonzen. Gesprekken, auto's, sirenes en botsingen, claxons, bouwwerkzaamheden. Maandenlang sliep ze slecht, tot het geluid een deel van haar werd, tot ze bewust moest luisteren om de kakofonie te horen. En nu, terug in niemandsland, kwam de stilte haar buitenaards voor.

De stilte die haar omringde dwong haar bepaalde zaken onder ogen te zien en de geschiedenis die ze zelf had geschreven door te bladeren. Ze was er niet veel mee opgeschoten, alleen kon ze de golf van pijn die volgde wanneer ze zich iets herinnerde ermee tot bedaren brengen.

'Kom binnen!' riep mevrouw Landrige toen ze had aangebeld. Bean glimlachte. Dit was de veiligheid van een kleine stad; de open uitnodiging aan allen, geen sloten, geen getraliede ramen, geen alarmsystemen.

Bean ging naar binnen. Toen we klein waren, zochten we haar nooit thuis op. Zoals schoolkinderen naar hun onderwijzers kijken, namen we aan dat ze met een knipoog oploste en weer verscheen als een tv-beeld wanneer we haar in de kerk zagen, of wanneer we weer boeken gingen lenen.

Binnen was het schemerdonker en warm. Mevrouw Landrige zat in een zware leunstoel die even zacht en vol was als zij broos en mager. Haar voeten rustten op een poef en naast de leuning stond een looprek. Over het metalen stuur hing een rieten fietsmandje opgetuigd met plastic bloemen en in het mandje zag Bean een keurig gevouwen krant.

'Bianca,' zei mevrouw Landrige. 'Ik ben zo blij dat je kon komen. Je zult het me niet kwalijk nemen als ik niet opsta.' Ze glimlachte flauwtjes, haar wangen leken op verschrompelde appeltjes.

'Hoe gaat het met u?' vroeg Bean. Mevrouw Landrige droeg als altijd een jurk, maar had de panty verruild voor pantoffels. Haar kapsel was verzorgd en ze had lipstick op die de rimpels om haar lippen vulde.

De oude vrouw maakte een achteloos gebaar. 'Oud,' zei ze. 'Haal eens wat limonade voor ons uit de keuken. Daar liggen ook nog een paar koekjes. Doctor Crandall heeft ze gebracht, dus ik kan je niet garanderen dat ze niet vergiftigd zijn, maar we kunnen ze proberen.'

Bean deed wat haar gevraagd was en liep weer door de gang naar de keuken. Er stond geen vaat in de gootsteen, maar op het aanrecht stonden schone glazen en borden en wat boodschappen. Boven de deur tikte een koekoeksklok in nerveuze afwachting van zijn grote ogenblik. Bean pakte een glazen kan uit de deur van de koelkast en schonk twee glazen vol, pakte het bord met koekjes en bracht alles naar de huiskamer.

'Dank je wel. Ik kan je zeggen dat die nieuwe heup goed klote is,' zei mevrouw Landrige.

Bean, gechoqueerd door haar grove taal, lachte verrast. 'U krijgt het ervan op uw heupen,' zei ze.

'Ook dat. Zo, zet hier maar neer zodat ik erbij kan.' Ze boog zich naar voren, haar gezicht vertrok een beetje en ze nam het koekje en het glas dat Bean haar voorhield aan. 'Dank je wel. Onderzettertje, alsjeblieft,' zei ze toen Bean haar glas op het tafeltje zette en Beans hand schoot automatisch uit en redde het voordat er druppels water op het hout konden zakken. 'Welnu,' zei mevrouw Landrige toen ze allebei zaten, Bean op de rand van een leunstoel die haar dreigde te verzwelgen. 'Je zult je misschien afvragen waarom ik je hier vandaag heb laten komen.' Ze zei het zonder een spoor van ironie, alsof ze de president was die een lid van zijn kabinet op audiëntie had.

'Ja,' zei Bean. Ze nam een hap van het koekje en legde het gracieus neer. Het was niet giftig, maar helaas ook niet lekker.

'Ik kom niet meer terug in de bibliotheek,' zei mevrouw Landrige. Ze stak haar hand op, al liet Bean geen woord van protest horen. 'Ik heb besloten dat het tijd is om met pensioen te gaan. Het herstel van deze operatie gaat maanden duren en ik heb er geen belangstelling meer voor om de korte tijd die me nog is gegeven achter een bureau door te brengen.'

'Wat jammer om dat te horen,' zei Bean, niet goed wetend hoe ze moest reageren. 'Of ik ben blij voor u. Ik weet niet precies welke van de twee gepast is.'

'Een beetje van beide denk ik. Maar dat is niet de reden dat je hier bent. Je bent hier omdat ik wil dat jij het van me overneemt. Jij wordt Barnwells nieuwe vaste bibliothecaresse.'

Bean verslikte zich bijna in haar limonade. Deze baan was een lapmiddel, iets tijdelijks. Ze was niet van plan mevrouw Landrige te worden, wier enige liefde niet haar reeds lang overleden man gold, maar dat bejaarde gebouwtje en alle wonderen dat het herbergde. Tenslotte ging Bean naar San Francisco, of zoiets. Toch? 'Dat kan ik niet doen,' zei ze.

'Onzin,' zei mevrouw Landrige. Ze nam een slokje limonade met haar pink in de lucht en liet een lichte lipstickafdruk op het glas achter. 'Je doet het geweldig, dat hoor ik van iedereen.'

Ha, de spionnen van mevrouw Landrige. Onder de plaatselijke bevolking was een geheim nooit langer veilig dan de tijd die het de caissières bij de Barnwell Market kostte om je boodschappen aan te slaan. 'Maar ik heb er niet de juiste papieren voor. Ze nemen me nooit aan.'

Mevrouw Landrige boog zich naar voren om haar glas, dat nog halfvol was, precies in het midden van de onderzetter te plaatsen. 'Die koekjes zijn niet te eten,' zei ze effen, terwijl ze nog een hapje nam. 'Maak je niet druk om de raad van bestuur. Uiteindelijk zul je natuurlijk je master wel moeten halen, maar ze nemen in dienst wie ik wil. En dat ben jij.'

'Maar ik was niet van plan te blijven,' zei Bean zwakjes.

Mevrouw Landrige kneep haar ogen samen en keek haar lang en strak aan. Bean keek ongemakkelijk om zich heen. Op de schoorsteenmantel stond een foto van een stel dat na de huwelijksvoltrekking tevoorschijn kwam uit St. Mark's. Het was een oude, verbleekte foto en het gezicht van de bruid was net zo wit als haar japon. Waren dat mevrouw Landrige en de geheimzinnige meneer Landrige? Ze wilde opstaan om beter te kijken, maar de blik van mevrouw Landrige hield haar aan haar stoel gekluisterd als een insect met een speld op de kartonnen uitstalling die ze een keer voor de wetenschapstentoonstelling van Coop had gemaakt. 'Terug naar New York?' vroeg mevrouw Landrige uiteindelijk.

'Misschien. Of misschien naar Californië. Maar niet in Barnwell, ik was niet van plan in Barnwell te blijven.'

Er viel weer een lange stilte. 'Jij gaat niet terug naar New York,' zei mevrouw Landrige tot slot. 'Vroeger was het misschien een behoefte van je om erheen te gaan, maar je gaat niet meer terug. Dat zag ik zodra je weer een voet in de bibliotheek had gezet. Je bent er niet gelukkig geweest en iets heeft je zo hard gebeten dat je terug naar huis moest. Wil je weer terug om opnieuw te worden gebeten?' Haar stem had een scherp randje gekregen dat we nog nooit eerder hadden gehoord, gewend als we waren aan haar gedempte bibliotheekstem. Hij sneed hard en scherp over Beans huid.

'Ik ben er gelukkig geweest,' zei Bean en ze kon wel janken. De waarheid deed haar wreed en koud de ogen neerslaan.

'Als je daar gelukkig was geweest, was je niet teruggekomen,' zei mevrouw Landrige. Bean keek haar weer aan en zag dat haar ogen zacht stonden, al klonk haar stem nog hard.

Een traan welde op en viel dik en doorzichtig op Beans hand.

'Dus wat zal het worden, Bianca? Ga je weer terug naar een plek waar je beschadigd bent? Of blijf je op een plek die van je houdt en bouw je een bestaan voor jezelf op?'

Er is niets wat niet mooi is aan brood. De manier waarop het ontstaat vanuit nietige korrels, van schalen op het aanrecht, van gist die drassige eilandjes vormt in een maatbeker. De wijze waarop het een kamer vult, een huis, een gebouw, met de unieke geuren van elke fase van het proces. De wijze waarop het deeg opzwelt als het zich overgeeft aan een ferme vuist, en weer samentrekt, en weer opzwelt; de wijze waarop het zich uitrekt en uitzet na het kneden, het warme, soepele gevoel op de huid. De aanblik van een warme rol deeg op tafel, de smaak, zoetzuur en gistachtig op de tong.

Wanneer Cordy 's nachts de slaap niet kon vatten, kwam ze haar bed uit en liep ze in haar nachtjapon door de gangen (*Noch aard noch hemel kende rust vannacht*) naar de keuken als een luchtgeest en daar haalde ze schalen, de meelzeef en de ingrediënten tevoorschijn en terwijl ze zo rondscharrelde, liet ze de boter zacht worden op de vensterbank. Ze maakte het deeg en kneedde op het ritme van het tikken van de klok, het enige geluid in de drukkende stilte van de nacht. Ze trok zich terug in de huiskamer om op de bank te liggen lezen tot ze in slaap viel en weer wakker werd, als het ware gewekt door het brood zelf om het nog één keer omlaag te kneden en daarna weer in te dommelen. Die zomer werden we 's morgens, bijna dagelijks leek het wel, wakker van de geur van deeg die als onzichtbare rook door het huis dreef.

Ze kon overal brood van maken, van elk recept, en dankzij de mirakelse keuken van mama, waar de kastjes opengingen en alles over haar uitstortten wat ze nodig had – krenten, amandelen, tarwezemelen en cognac – bleef ze goed voorzien. Na het eten troffen we haar in de huiskamer, lezend in een van de kookboeken van de plank in de voorraadkamer, met bladzijden vol spatten als moedervlekken, aangekoekt meel en sausvlekken.

Die ochtend verscheen Cordy in de Beanery met een mandje vol broden bedekt met theedoeken. Ze waren nog warm, zo Europees. Drie broden: alle drie gevlochten. Ze was steeds meer geboeid geraakt door de aanblik van brood, ze leerde de bovenkant met eigeel in te kwasten voor meer kleur, experimenteerde met de plaatsing van het deeg in het blik om precies de juiste vorm te krijgen en gebruikte koekvormpjes om een patroon boven op de kruin te maken. Maar gevlochten brood vond ze het mooist; ze leerde de strengen gelijk te maken en zo samen te binden dat ze wel versmolten maar na het bakken toch duidelijk te onderscheiden bleven. Die dag had ze een Santa Lucia gebakken met een kleverige, geglazuurde kroon; lange chocoladebroden die zo donker waren als pompernikkel en licht en zoet Hawaïaans brood, waarvan het geheim school in de aardappelsnippers in het deeg en de gemalen macadamianoten op elke streng.

Binnen in de Beanery rook het al heerlijk naar koffie en toen ze de theedoek terugsloeg, ademde ze het gecombineerde aroma in dat zich in de lucht net als het deeg verstrengelde. 'Dat ruikt verdomd goed,' zei Dan, die uit zijn kantoor kwam.

Cordy schrok. 'Je maakt me bang. Ik dacht dat Ian vandaag zou komen.'

'Ian,' zei Dan met een achteloos gebaar. 'Die is 's morgens niet zo betrouwbaar. Heb jij die gebakken?'

'Ja. Wil je er wat van?'

'Wat dacht je? Ga je gang maar.' Hij pakte twee bekers als soepkommen, schonk koffie in de zijne en hing een theezakje in de hare. 'Wat zijn het?'

Cordy haalde een broodplank, borden, een gekarteld mes en wees met het lemmet naar elk brood om het te benoemen. 'De laatste tijd bak ik vaak,' zei ze. 'Nesteldrang denk ik.'

Dan knikte. Ze hadden elkaar zo weinig gesproken sinds die bewuste middag in de keuken, en die gesprekken voelden zwaar van leegheid. Ze zette een bord met drie dunne plakjes voor zijn neus en hij brak om beurten van elk een stukje af om de smaak op zijn tong te proeven.

'Ze smaken ongelooflijk.' Dan klopte op zijn buik. 'Dit was vroeger een bierbuik,' zei hij. 'Nu is het alleen maar een buik.'

'Dan?'

Hij keek op en hun ogen lieten elkaar niet los. Hij zei niets.

'Het spijt me als ik wreed tegen je deed, die keer in de auto. Ik was zo...'

'Cordy,' zei hij zacht en sussend. 'Het is al goed.'

'Nee. Dat is het niet. Ik was gewoon bang en daarom snauwde ik je af en dat spijt me. Je had gelijk. Ik heb geen plan. Ik wilde alleen... Nou, ik wist wat mijn vader zou zeggen en ik dacht dat het minder pijn zou doen als ik het zelf als eerste zei.'

'Dus je hebt het verteld.'

Cordy knikte. 'Reactie zoals verwacht. Maar hij draait wel bij denk ik, vooral vanwege mama. Volgens mij is het op een curieuze manier belangrijk voor haar, omdat ze ziek is, weet je wel.'

'Ja, pas ben ik Bean nog tegen het lijf gelopen in de bibliotheek. We hebben het er even over gehad.' Als Cordy dat als verraad beschouwde, liet ze het niet merken. 'Bean, man. Had je ooit gedacht dat zij nog eens bibliothecaresse zou worden?'

'In geen miljard jaar,' zei Cordy, en ze lachten naar elkaar. Bean zou hun dit grapje ten koste van haar geheel vergeven hebben, omdat het de band tussen hen weer aanhaalde.

'Je weet toch dat het mij niet uitmaakt, hè?' vroeg Dan. Hij legde zijn hand op de hare. Die voelde warm en kalmerend.

'Wat niet?'

'De baby. Ik bedoel, ik zie het dus zo. Ik zou geen moeite hebben met een vriendin met een kind, begrijp je? Wat is er zo anders aan de omgang met een vrouw die zwanger is?'

Cordy kon talloze verschillen opnoemen. Hormonen, seks, borstvoeding, de constant zichtbare herinnering aan de aanwezigheid van een andere man in haar lichaam... Maar aan de andere kant, nee, er was helemaal geen verschil.

'Weet je dat ik verliefd op Bean was? Op school?' Hij schudde zijn hoofd en er viel een lok over zijn ogen. Hij schoof hem terug. 'Dat duurde ongeveer vijf minuten. Volgens mij kwam het omdat ze mij onder tafel kon drinken. Maar zij... Bean is gewoon puur, snap je? Pure wilskracht. Met scherpe kantjes, alsof je je zult snijden als je te dichtbij komt.' Hij zweeg.

'Maar jij bent anders, Cordy. Ik bedoel, nadat jij in Barney bent teruggekomen, begreep ik helemaal waarom Bean zo'n complex over jou had.'

'Over mij?'

Zijn wenkbrauwen schoten omhoog. 'Totaal. Alsof jij alles wat zij kon beter kon. Ze vond het vreselijk. En je weet dat mensen gek zijn op Bean. Maar niet zo dol als ze op jou zijn. Bean is een wervelwind, ze knalt je omver omdat er gewoon zo veel Bean is. Maar jij, jij bent net een stille meteoor. Jij komt binnen, je slaat een krater en je doet er niet eens je best voor. Ik observeerde je wel eens op de campus en dan was je net een sprookjesprinses. Alsof je voeten de grond nooit raakten.'

De bel van de voordeur rinkelde. Dan sprong van zijn kruk. Zijn jukbeenderen waren hoogrood en zijn oren gloeiden. Cordy kon zich amper bewegen.

'Mevrouw O!' zei Dan, alsof de intimiteit van hun gesprek nooit had bestaan. Maar dat had ze wel, Cordy voelde het aan de lucht, het omgaf hen als een spinnenweb, glanzend, maar tastbaar.

'Goeiemorgen Daniel. Hallo, Cordelia. Oooo, zijn dat macadamia's?' Ze wees naar het brood.

'Die heeft Cordy gebakken. Proef maar een stukje,' zei Daniel met een blik over zijn schouder terwijl hij de hendel van het koffiezetapparaat omlaag drukte en een kartonnen beker voor haar volschonk.

'Dat zou ik echt niet moeten doen,' zei mevrouw O, maar Cordy had al een plastic bakje tevoorschijn gehaald waarin ze een paar plakjes deed die ze kon meenemen. 'Dus nu word je bakker?' vroeg ze.

'Nee,' zei Cordy. 'Nou ja, misschien. Vertelt u me anders wat u ervan vindt, dan nemen we de beslissing.'

Mevrouw O'Connell knikte alsof ze al wist dat haar mening de sleutel was, rekende af en liep naar buiten. Ze was altijd vroeg, maar haar komst betekende dat er al snel meer klanten zouden komen. Zelfs 's zomers was er in de ochtend een trage stroom, van mensen die naar kantoor gingen, of een paar gepensioneerde boeren die binnenkwamen om koffie te drinken en elkaar de krant voor te lezen, verloren zonder het ritme van hun werk.

'Dat heb ik nooit geweten,' zei Cordy, die zich naar Dan omdraaide alsof er geen onderbreking was geweest. Ze stak haar armen naar hem uit, hun vingers verstrengelden en hij trok haar tegen zich aan, kuste haar, het zachte schuren van zijn stoppels op haar kin, een hand in haar haar en de andere om haar middel, en haar gezwollen buik tussen hen in, zacht en meegevend aan alles van hem. En als haar rug tegen een van de koffiepotten drukte en het hete metaal een klein randje in haar huid brandde, nou vooruit. Daar had ze helemaal geen erg in.

Toen Jonathan thuiskwam van het lab trof hij Rose opgewekt aan het kleine fornuis in zijn appartement en er hing een zware geur van kruiden. 'Wist je dat ze *zucchini* hier anders noemen? Courgettes.' Ze hief haar hoofd voor zijn kus en glimlachte om de opwinding die zijn mond nog steeds naar de hare bracht. Hoeveel keer hadden ze elkaar nu al gekust? Honderden keren? Duizenden? Rose wist dat geen enkele relatie de hartstocht van het nieuwe kan bewaren, de energie die door een miljoen cellen tegelijk raast wanneer een nieuwe minnaar je aanraakt, maar het vervulde haar met grote tevredenheid dat ze zich nog steeds op zijn aanrakingen verheugde en die ondanks het verminderde comfort niet als vanzelfsprekend beschouwde.

'Die maffe Engelsen ook,' zei hij. Hij wond een losse haarlok die door de ontsnappende stoom uit de pan was gaan krullen om zijn vinger en liet hem terugspringen. 'Waarom kunnen ze geen Amerikaans leren?'

Rose hief de pollepel dreigend naar hem op. 'Hoe was je dag? Nog een doorbraak richting Nobelprijs?'

'Helaas nog niet. In plaats daarvan moeten we maar blijven hopen dat we de loterij winnen. Jij bent vrolijk. Hoe was jouw dag?' Hij ging zitten op de armleuning van een verschoten leunstoel, trok zijn schoenen uit en bewoog zijn tenen in zijn donkere sokken.

'Geweldig,' zei Rose. 'Ik heb de Carfax Tower beklommen.'

'Wat een uitzicht, hè? Ik heb je toch gezegd dat dit een mooie stad is.'

'Het was absoluut de moeite waard. Ik had het bijna niet gedaan. Ik dacht dat die trap mijn einde zou zijn, maar het ging prima.'

'Je hebt niet genoeg zelfvertrouwen,' zei Jonathan. Hij kwam achter haar staan, sloeg zijn armen om haar middel en drukte een kus in haar nek. 'Wat heb je nog meer gedaan?'

'Ik heb spontaan aan een tai chi-les meegedaan in het Magdalen College. En ik heb een glaasje gepikt uit de pub. En ik voel me niet schuldig.'

Jonathan drukte haar lachend tegen zich aan. 'Maak je niet druk. Dat doen mensen constant. Ik heb altijd geweten dat er een rebel in je school.'

'Ik wil hier blijven, Jonathan,' zei ze. Ze draaide een pit van het fornuis laag en maakte zich los zodat ze zich naar hem kon omdraaien. 'Ik kan me goed voorstellen dat ik het hier heerlijk zal vinden.'

Hij nam weer plaats op de stoelleuning met zijn armen over elkaar. Zijn gezicht stond ernstig en nadenkend. Net als vader had hij een neiging tot zwijgende contemplatie en liet hij Rose uitspreken.

'Ik voel me hier... anders. Alsof ik niet meer mij ben, maar vrijer.'

Jonathan knikte. 'Misschien blijft dat niet altijd zo. Het nieuwe wordt gewoon.'

Rose fronste haar wenkbrauwen en stak even haar onderlip naar voren. 'Volgens mij is dat het eigenlijk niet. Ik bedoel, misschien tot op zekere hoogte. Maar vandaag dacht ik: wellicht gebeurt het allemaal met een reden. Misschien was de thuiskomst van Bean en Cordy een boodschap voor mij.'

'Hoe denk je dat de boodschap luidt?'

'Dat het goed was om weg te gaan. Het is alsof ik jarenlang een mentale cirkel om me heen heb getrokken met Barnwell als middelpunt. Ik had nooit het gevoel dat ik over de grens kon gaan, dat iemand daar moest zijn... Ach, het is belachelijk.'

'Nee, ga door.'

'Alsof ik de spil van onze familie was en dat als ik wegging de boel in het honderd zou lopen. En toen Bean en Cordy weg waren, was het ook alsof mijn ouders weer van mij waren, alsof mijn zussen niet bestonden en ik hun enig kind was, zodat ze mij nodig hadden. Maar nu ze weer terug zijn en deze crisis met mama hebben bedwongen... is het alsof ze mij helemaal niet nodig hebben en...'

'Je vrij was om te gaan,' maakte Jonathan de zin voor haar af.

'En misschien moest ik dat maar doen. Misschien waren alle dingen die me daar hielden niet de moeilijkheid. Misschien waren het symptomen van te lang gebleven zijn. Een teken dat ik me al jaren geleden los had moeten maken.'

Ze draaide zich weer om naar het fornuis, tilde het deksel van een pan, verwijderde die vervolgens tevreden van de brander en viste er een groentestomer uit waarin kleine schijfjes courgette transparant werden van de hitte. Toen ze zich weer omdraaide, zat Jonathan in de stoel met zijn voeten op de salontafel.

'Waarschijnlijk is de enige prangende vraag wat je moet doen wanneer je hier woont. Ik denk niet dat je geknipt bent voor nietsdoen.'

Rose ging tegenover hem zitten in een even haveloze leunstoel. 'Nee, dat denk ik ook niet. Maar ik heb mezelf ook nog nooit niets láten doen. Toen ik naar mijn moeder keek en me afvroeg hoe zij in hemelsnaam haar dagen zoetbracht, ben ik misschien te snel met mijn oordeel geweest. Want als zij...' Rose hield zich in voordat ze de woorden uitsprak die we, hoe onwaarschijnlijk ook, nooit uitspraken uit angst het noodlot te tarten. 'Want als zij het niet haalt, denk ik niet dat ze zou wensen dat ze meer tijd in een baan gestoken had. Ik denk dat ze zou wensen dat ze meer tijd in de tuin had doorgebracht, of lezend, of wandelend met papa.'

Jonathan knikte. 'Maak je je nog druk over de bruiloft?'

'Niet druk, nee. Geen van tweeën willen we er toch iets groots van maken?' Ze keek hem vragend aan.

'Ik kan me weinig voorstellen dat me minder aantrekt,' zei Jonathan glimlachend. Grappig, dacht ze, dat deze man, die zulke voortreffelijke voordrachten hield op conferenties, die met zo'n gemak een collegezaal toesprak, zo weinig zin had het middelpunt van de aandacht te zijn.

'Dan zou ik ook niet zo'n afgrijselijke jurk aanhoeven,' lachte ze met een spottend theatraal gebaar met de rug van haar hand tegen haar voorhoofd. 'We hoeven er niets groots van te maken in Barnwell. Uiteindelijk zullen we hoe dan ook getrouwd zijn en dat is toch het enige wat ertoe doet?'

'Zie je wel? Het regent zegeningen,' zei hij. 'Kom nu eens bij me, lekker ding van me, en geef me een zoen.'

Rose stond op uit haar stoel en liet zich voorzichtig op Jonathans schoot zakken, maar toen sloeg hij zijn armen om haar heen en drukte hij haar dicht tegen zich aan en maakte de spanning plaats voor hilariteit. We vroegen ons af wat het in hem was waarvan ze zo veel hield en andersom. Misschien het volgende: hij had het uitzonderlijke vermogen haar zorgvuldig gemetselde afweer te slopen, wat een compliment was voor beiden en het geheim van hun liefde.

Toen ze die nacht naast elkaar in bed lagen, keek ze naar het licht van de maan dat langzaam over het dekbed streek. Het was, zoals de dichters zeggen, dezelfde maan als die over ons thuis scheen.

Nou, hier lag ze dan. En ze kon blijven huizen in de duisternis van haar angst, of ze kon het zaad van de hoop vanbinnen verzorgen en voedsel geven. En Rose met al haar verbeten vasthoudendheid waarmee ze veldslagen in de academische wereld had gewonnen, wat ons zo van trots had vervuld, verkoos de hoop. Ze had haar weidse uitspansel van het Middenwesten verruild voor het blauwgrijs van Engeland, maar de plek was irrelevant. Het enige wat telde was dat ze uit haar veilige wereldje was gestapt met alle vertrouwen dat ze kon vliegen.

De brief in Beans handen woog zwaar. Ze draaide hem om, bekeek de postzegel en draaide hem weer om. Ze had er een cheque en een briefje bijgevoegd; wat een kwelling was de formulering van de korte tekst geweest.

Te weinig geld voor zo'n grote schuld, zowel letterlijk als figuurlijk. Er was een cheque gekomen van de consignatiewinkel, meer dan ze had verwacht, maar minder dan ze nodig had. En een opgewekt briefje van de eigenares die haar liet weten dat als ze nog meer in de aanbieding had, ze zich vrij moest voelen het langs te brengen! Als. Ze had bijna alles gepakt wat ze bezat, het pond vlees voor haar zonden. Wanneer ze nu in de kledingkast keek, zonk de moed haar in de schoenen omdat de kleerhangers nu zo makkelijk heen en weer schoven in haar sterk uitgedunde collectie. Ze was gestopt met roken, niet omdat haar sterfelijkheid haar angst inboezemde, maar om het geld voor haar volgende cheque bijeen te sparen. Maar ze klaagde niet.

Bean bekeek zichzelf in de spiegel boven het tafeltje in de gang en wierp haar haar over haar schouders. We wisten niet welk recept ze gebruikte om het zo fraai steil te houden in die krullende vochtigheid. Dierenoffers misschien. Ze taxeerde haar verschijning met een kritische blik en hing haar tas over haar schouder. Door die cheque was haar bankrekening zo goed als leeg. Niet dat ze het geld nodig had; het was een eeuwigheid geleden dat ze iets had uitgegeven. Het geheim van een welvarend bestaan: op je dertigste bij je ouders intrekken. De gedachte gaf haar een wrange, metaalachtige smaak.

'*Ga dan aan 't werk?*' vroeg papa, die de keuken uit kwam. Hij was in uniform: overhemd met korte mouwen, vormloze grijze broek. Dat droeg hij al sinds onheuglijke tijden, of hij naar zijn werk ging of niet, en dit zou hij tot het eind der dagen blijven dragen.

'Ik ga eerst langs het postkantoor,' zei Bean.

'Ik loop met je mee,' zei papa. 'Wacht even.'

Bean zuchtte en de brief woog nog zwaarder in haar tasje. Gewoon een brief aan een paar vrienden in de stad. Alleen een briefje ter begroeting, span geen zaak tegen me aan, hier is wat geld; ik stuur je de rest zodra ik het heb. De gewone dingen, weet je wel.

Ze hoorde zijn voetstappen op de trap en samen liepen ze naar buiten; het piepen van de veer van de hordeur kondigde hun vertrek aan. Buiten sisten de sproeiers op het gazon van de buren. Ze hoorde een paar kinderen honkballen, de knal tegen de bat en het geschreeuw onder het hollen. Door dat alles weefde zich het gonzen van insecten en het vredige ochtendwelkom van de vogels. De geluiden van thuis.

'Ik hoor dat je overweegt de baan van mevrouw Landrige over te nemen,' viel papa met de deur in huis. Hij stak zijn handen in zijn zakken en liep met trage, afgemeten tred naast haar. Had hij altijd zo langzaam gelopen, of was het de evolutie van de jaren? *De zesde leeftijd vervormt tot schrale oude paai op muiltjes; bebrilde neus en buidel aan de zijde.*

'Ik denk erover,' zei Bean. 'Ik zou weer moeten gaan studeren.'

Hij knikte. 'Dat is niet zo moeilijk.' Hoewel de straten verlaten waren, keek Bean naar links en naar rechts en controleerde ze het verkeer voordat ze overstak. Ze voelde de beginnende warmte van het wegdek door de dunne zolen van haar schoenen.

'Vind jij dat ik het moet doen?'

Papa keek verrast op van de grond en wierp van opzij een blik op haar. 'Je was altijd zo vastbesloten om weg te gaan,' zei hij. 'Ik moet bekennen dat ik me afvraag waarom je bent teruggekomen.' Hij hief een hand naar mevrouw Wallace, die in haar voortuin bezig was. Ze knikte terug, stak haar schepje in de grond en wrikte een kluit wijdbloemige petunia's los.

'Daar wil ik het liever niet over hebben,' zei ze. 'Het was... Het was gewoon niet goed meer voor me.'

'*Het kansspel van mijn lot ontneemt mij zelfs het recht om vrij te kiezen,*' zei hij. 'Portia.'

Af en toe hadden we de overweldigende neiging om papa bij de schouders te pakken en hem door elkaar te rammelen tot de betekenis van zijn duistere citaten als losse tanden uit zijn mond zou vallen.

'Hm,' zei ze slechts.

'Het zou prettig zijn om je thuis te hebben,' zei hij. 'Niet dat je permanent bij ons hoeft te blijven, al is het geweldig handig geweest dat jullie er waren. En bibliothecaresse worden! Misschien niet wat we verwacht hadden, maar dat kan soms beter zijn. Een goede, stabiele baan. *Wetend hoe 'k van mijn boeken houd, gaf hij mij werken uit mijn eigen boekerij...*'

'... *die 'k hoger schatte dan mijn hertogdom,*' maakte Bean het citaat af.

Hij glimlachte. '*De storm* is altijd een van mijn favorieten geweest.'

'Het verloren eiland. Zoals de Zwitserse familie Robinson.'

'Je bent altijd heel goed met mensen geweest, Bianca. Misschien is dit je kans. Al vrees ik dat je het nachtleven van Barney... nou ja, ontoereikend zult vinden.'

'Ik denk dat ik te oud ben om met aantrekkelijke studenten op stap te gaan,' zei ze peinzend. Ze sloegen af naar Main Street en slenterden langs de Beanery. Binnen zag Bean Cordy's vlecht dansen bij het werk achter de toonbank. Iets in haar zakte in. Is dit wat er van ons geworden is? Hadden we papa's genie geërfd om het te verspillen aan een horecabaantje, academische zwerflust en het vak van bibliothecaresse? Zo hoorde het leven niet te zijn. Het leven hoorde te bestaan uit martini's en gladde reclamecampagnes in gladde kantoren met gladde heren aan haar zijde. Niet dit stomme, tuttige Barnwell met zijn smalle steegje van mogelijkheden.

'Heb je al met dominee Aidan gesproken?' vroeg hij. Ze klemde de tanden op elkaar. Had hij iets gehoord? Aidan had toch niets gezegd?

'Ja,' zei ze kalmpjes. 'We hebben elkaar een paar keer gezien.'

'Nee, ik bedoel als priester.'

Bean bleef staan om in de etalage van een ijzerwinkel te kijken. Lang geleden, voor onze tijd in feite, was het een damesmodezaak geweest met etalages die ingericht waren met het fraaiste wat Barnwell aan couture te bieden had. Maar het leuke was dat het echtpaar dat de zaak had gekocht de etalages inrichtte alsof het de mooiste Parijse mode betrof. De mensen hier hadden er een tuintje gemaakt met gereedschap en voorraden die klaarstonden voor het groen: een boeket hamers in een vaas, werkhandschoenen die in nette rijen bloeiden met zakjes zaad als etiket.

'Ik heb hem gevraagd je een beetje in het oog te houden,' zei hij.

Bean draaide zich om, de postmoderne tuin was op slag vergeten. 'Wat?' Haar stem kaatste over de verlaten straat en fladderde tegen de etalageruiten. 'Hoe oud ben ik, vijf?' Ze voelde hoe haar mondhoeken omlaag trokken terwijl haar gedachten over elkaar tuimelden en ze elk moment met Aidan beschouwde in het licht van deze nieuwe informatie. Dus was hij niet… Hij was nooit…

'Godskolére,' zei ze. Nog nooit had ze iets zoiets kolossaal verkeerd uitgelegd als zijn belangstelling voor haar. Er was helemaal geen belangstelling geweest. Geen enkele. Alleen psychologische overdracht uit de lesboekjes en het mededogen van een man die in feite niets om haar gaf, die gewoon zijn werk deed. Haar wangen gloeiden bij de gedachte wat hij wel van haar moest denken. 'Wat heb je tegen hem gezegd?' vroeg ze met brekende stem.

'Zo is het niet, Bianca. Alleen dat je opeens was teruggekomen en op de een of andere manier gekwetst leek, en dat je misschien iemand kon gebruiken om mee te praten. Iemand anders dan wij.' Dat laatste stukje klonk melancholisch, met een treurig glimlachje dat naar de grond was gericht. Bean draaide zich om en liep weg, voor hem uit, en de schaamte lag als zo'n loden last op haar schouders dat ze er pijn van deden.

Voor het postkantoor haalde ze de envelop uit haar tas, opende de gleuf en liet hem in de bus vallen, luisterend naar het fluisteren van het papier op zijn weg naar beneden. De verzamelde inkomsten van de bibliotheek, de verkoop van die vreselijke auto en al die blikkerende kunstmatigheid van haar leven in de stad. Het was waanzin om te denken dat ze nog terug kon. Ze had er de garderobe niet meer voor.

Papa kwam naast haar staan en ze keken even in de lege muil van de brievenbus. 'Barnwell is zo'n slecht bestaan nog niet. Ik weet dat je altijd meer hebt geambieerd, maar ik vraag me af of je hier niet kunt vinden wat je zo hard nodig hebt.' Ze liet de klep van de brievenbus dichtvallen en ze liepen door. 'Jij liep van alle drie het eerst, weet je dat? Rose kroop zo goed dat het een eeuwigheid duurde voordat ze besloot te gaan lopen en Cordy was al tevreden wanneer we haar droegen. Maar jij, jij ging van platliggen meteen over op de volle galop. Daar denk ik altijd aan wanneer ik *Een Midzomernachtdroom* lees. *Mijn ledematen spotten met mijn wil.*'

Ze naderden de bibliotheek. Papa, die aan de stoeprand liep, dook onder een tak van een iep door alsof hij een buiging maakte voor de bladerrijke arm die over de stoep stak. 'Als je je eenzaam voelde te midden van de menigte, Bianca, verlies je niets als je de menigte de rug toekeert. De vraag is wat jou tevreden zal stellen. Wat brengt jou rust? En misschien krijg je het antwoord als je je afvraagt wanneer je voor het laatst gelukkig was.

De stad, dat brandende verlangen naar vrijheid, wat hebben ze je gebracht? *Vol dolheid en rumoer, dat niets beduidt.* Misschien vind je mij een malle oude man die al behoorlijk is afgetakeld, maar je moeder en ik hebben dit leven verkozen en er nooit spijt van gehad. *Ik ben een eerlijke werkman, ik kom aan de kost en aan mijn kleren, draag niemand haat toe, ben op geen mens afgunstig, verheug me over het geluk van anderen.* We zullen je niets in de weg leggen, Bianca, maar we willen wel dat je geluk vindt.'

Zijn St. Crispijns-toespraak was afgelopen en ze bleven staan voor de brede trap van de bibliotheek. Bean wendde zich tot haar vader, legde een hand op zijn arm en gaf hem een kus op de wang, het kriebelen van zijn baard voelde heel vertrouwd tegen haar lippen. 'Dank je wel, pap,' zei ze. Hij knikte, bleef met zijn handen in zijn zakken en gebogen schouders staan en keek haar na tot ze binnen was. Daarna wandelde hij weg met zijn blik omhooggericht en keek Bean hem na. Ze wilde een hekel aan hem hebben omdat hij Aidan had gevraagd een oogje in het zeil te houden, omdat hij haar tot een object van tegenslag had gemaakt in plaats van schoonheid. Maar hoe lastig het ook was om te bekennen, ze wist dat hij het uit liefde had gedaan.

Het besef drong met een klap tot haar door: ooit zou hij er niet meer zijn. Zijn duistere citaten, zijn missives per post, zijn ouderwetse kledingsmaak, de beschermende cocon die hij en mama om hen heen hadden gesponnen, dat alles zou verdampen en ons alleen achterlaten met de herinnering aan zijn attente glimlach, zijn afstandelijkheid en een leven van werk dat het belangrijkst was voor een man die al vier eeuwen dood was. Ze liet de deur dichtvallen, legde haar hoofd tegen het koele glas en bad.

22

Er kwam geen reactie uit New York, maar de cheque was geïnd. Bean wist niet wat ze anders had verwacht. Een bedankbriefje voor het teruggeven van wat om te beginnen van hen was? Een verwijt over het geld dat ze nog schuldig was?

Ze had gedacht dat in termijnen betalen eenvoudiger zou zijn, maar het maakte alleen maar dat ze een nog grotere hekel aan zichzelf kreeg. 's Avonds ging ze joggen. Ze wachtte tot de hitte van overdag was bekoeld, tot het donker was zodat ze om de straatlantaarns kon slalommen en hele blokken verduisterde huizen voorbij holde. Af en toe kwam ze langs kinderen die in de tuin speelden en op vuurvliegjes joegen en verstoppertje speelden, geholpen door de schaduw van de bomen, en ze stak over. Mensen die hun hond uitlieten kwamen voorbij en Bean knikte ze toe, hijgend als een natuurkracht, constant voortgejaagd, niet bij machte om te blijven staan voor een praatje. Ze holde tot ze overdekt was met zweet, tot er uit haar vlecht koude druppels op haar rug vielen als ze erin kneep, en pas dan maakte ze rechtsomkeert en ging ze weer naar huis.

Joggen was het enige wat vergetelheid bracht. In New York was er altijd afleiding geweest. Andere mensen, nieuwe kansen. Het was de beste plek ter wereld om alles te verbergen wat duister was in haar. Ze holde maar door in een wanhopige poging om afstand te scheppen tussen haar hart en hoofd. Maar er was geen ontkomen aan de herinneringen aan Edward, aan Lila, aan de duizend-en-een manieren waarop ze zich had aangesteld bij Aidan terwijl die niets voor haar voelde en die ze helemaal niet kende.

De tranen vermengden zich met het zweet op haar gezicht. Elke bonkende hartslag was een verwijt, een tamtam die haar herinnerde aan wat ze kwijt was: haar leven in New York, haar zelfrespect, haar baan en haar vermogen om in de toekomst te kijken. Nu zag ze niets. Vroeger had het geleken of er ontelbare mogelijkheden voor haar openlagen, ontelbare paden die ze niet had ingeslagen strekten zich jaren in de toekomst uit en nu was er maar één pad dat rechtdoor liep en ze was er als de dood voor, omdat ze zich nu niet meer kon verschuilen voor het feit dat ze angstaanjagend, compleet normaal was.

Toen ze op een avond naar huis jogde en haar voeten om rust schreeuwden, liep ze pardoes tegen Aidan op. Van alle mensen ter wereld zou hij haar laatste keus zijn geweest.

Ze waren maar een paar straten van de kerk vandaan en hij ging rustig wandelend door de donkere straten met de handen in de zakken die kant op. Met haar hoofd botste ze tegen zijn borst, haar enkel zwikte en hij greep haar bij de schouders, evenzeer om zijn eigen evenwicht te bewaren als het hare.

'Bianca?' vroeg hij. 'Is alles goed met je?'

Ze keek hem aan. Ze stonden, zoals de grote regisseur van onze tijd het wilde, in de plas licht van een straatlantaarn en ze wist dat haar gezicht gezwollen was van het huilen en overdekt met zweet. Ze was doorweekt; haar shirt plakte op haar rug en haar short aan haar dijen. Haar ademhaling was snel en schor.

'Bianca?' vroeg hij weer, en het viel haar op dat hij haar altijd met haar volle naam aansprak. Het klonk zo vreemd uit zijn mond en in deze plaats waar iedereen haar kende, waar iedereen wist dat ze gewoon Bean Andreas was, een lastpak met een grote L. 'Wat scheelt eraan?'

Ze keek naar hem op, naar het goud in zijn haar en het licht in zijn ogen en ze zei: 'Ik wil biechten.' Daarna barstte ze in huilen uit en hij trok haar dicht tegen zich aan terwijl haar tranen en zweet zijn overhemd doorweekten en het drong niet eens tot haar door dat ze eindelijk in zijn armen hing.

De biecht in ons geloof is niet zoals de filmische, katholieke versie met kleine hokjes en een venstertje. Hij is niet eens verplicht omdat de wekelijkse dienst de boetedoening al op een keurige, praktische en heel Engelse manier herbergt. Maar wij weten dat biechten, toen zij er klaar voor was, het enige juiste woord leek. Misschien was het een vertraagde reactie van haar verandering in de loop der tijd, misschien gewoon wanhoop, maar iets vanbinnen verschoof, en de talloze manieren waarop ze dingen waarom ze had gegeven geweld had aangedaan voelden niet alleen immoreel, maar als een wreed opgestoken middelvinger naar alle goeds wat haar in deze wereld was toegevallen.

Ze gingen naar de pastorie, die eruitzag als het huis van een oude man; blijkbaar had dominee Cooke weinig meegenomen toen hij naar Arizona verhuisde en Aidan had niet veel aan het interieur veranderd. Hij verdween naar de keuken en kwam terug met een glas ijswater en een zak bevroren erwten voor haar voet – ze vroeg zich af of hij nog van plan was ze op te eten, of dat die groenten alleen voor sportblessures bedoeld waren – en ze gingen in de huiskamer zitten.

'Wat is er aan de hand, Bean?' vroeg hij toen ze het glas water had geleegd en de zak onhandig tegen haar enkel drukte, die al fraai begon te zwellen.

Bean moest weer huilen. Hij stak zijn hand uit en pakte de hare en toen ze was bedaard, stond hij op. 'Ik ben zo terug,' zei hij, en hij pakte haar lege glas. Hij kwam terug met een vol glas in zijn ene en een doos Kleenex in de andere hand. Die zette hij allebei naast haar neer en ze plukte een zakdoekje uit de doos en snoot weinig elegant haar neus.

'Neem de tijd,' zei hij. 'Ik hoef nergens heen.' Hij schoof zijn stoel naar die van Bean zodat ze tegenover elkaar zaten en knikte haar toe.

Ze nam even de tijd om na al die tranen op adem te komen en probeerde te kalmeren. 'Ik ben een dief,' gooide Bean er uiteindelijk uit. 'Ik ben een dief en een leugenaar en een hoer en ik verdien niets goeds.'

'Bean,' zei hij. Ze huilde inmiddels zo hard dat ze hem niet kon aankijken. 'Bean,' herhaalde hij. 'Je bent een mens. Je bent feilbaar. Je maakt fouten. En als we fouten maken tonen we berouw. En als we berouw tonen, kan alles ons vergeven worden.'

'Alles,' fluisterde ze en het was een echo, geen vraag. Haar stem stokte, ze ademde alsof ze moest lachen, vier lange, sidderende adem tochten. 'Ik ben ontslagen,' zei ze. 'Ik ben ontslagen omdat ik geld van mijn werk heb verduisterd.'

Ze vertelde het hele verhaal. Ze huilde, keek weg en moest weer huilen. Ze hield het glas water op schoot en nam een slokje wanneer haar mond droog was van het praten. Hij zei niets, luisterde naar voren gebogen met de ellebogen op zijn dijen en keek geen ogenblik weg. Ze kon zijn blik niet langer dan een paar seconden verdragen. Ze vertelde hem meer dan ze ons had verteld, ze vertelde over de mannen die ze had verleid, de leugens die ze zichzelf en anderen had verteld en hoe ze de lichtjes van haar toekomst een voor een uit zag doven zoals kaarsen aan het einde van de dienst. Ze vertelde over doctor Manning, over de manier waarop ze hem in de armen was gevallen omdat het de pijn van de herinnering verdoofde en het feit dat ze gemakshalve maar niet aan zijn vrouw en kinderen had gedacht zonder acht te slaan op het feit dat ze, wat genot had moeten zijn, elke keer meer als pijn beleefde. Ze onthulde zelfs dat ze had gewild dat hij, Aidan, verliefd op haar zou worden, ervan overtuigd dat het goede in hem de duisternis uit haar zou verdrijven, en hij velde geen enkel oordeel. Ze hield zich er niet langer mee bezig of ze indruk op hem maakte; ze wilde alleen verlost zijn van het pijnlijke gewicht op haar borst.

'En wat nu?' vroeg hij. Ze was uitgesproken en leunde achterover. De zak erwten lag op tafel te zweten en haar stem was hees van het praten.

Bean staarde in de verte met een half oog op de tikkende klok op de schoorsteenmantel. 'Nu weet ik het niet. Nu probeer ik voornamelijk mezelf ervan te weerhouden in dit moeras te verdwijnen.'

'En je schulden?'

'Die betaal ik terug. Beetje bij beetje, dat wel, maar ik denk niet dat het geld ze veel kon schelen. Volgens mij wilden ze me gewoon weg hebben.' Ze pakte een zakdoekje en snoot hard haar neus.

'En de mannen?'

'Welke mannen? Ik heb er met één geslapen sinds ik terug ben, en dat is voorbij. Het was al over voordat het begonnen was. Ik kan het niet ongedaan maken, maar de enige persoon die ik daarmee onrecht heb gedaan zou zich nog meer gekwetst voelen als ze het wist. En het is hoe dan ook onwaarschijnlijk dat het nog eens zal gebeuren. Jij bent de enige beschikbare man die ik ken in Barnwell die niet al met mijn zusje slaapt en, nou ja...' Ze hoefde haar zin niet af te maken.

'Ik vraag niet naar het potentieel. Ik vraag wat je zult doen als je weer aan de verleiding wordt blootgesteld.'

Bean keek hem vrijpostig aan. 'Ik ben niet van plan een herboren maagd te worden.'

Aidan leunde lachend naar achteren om haar houding te imiteren. 'Dat bedoel ik niet. Ik word geacht je te vertellen dat voorhuwelijkse seks streng verboden is, maar ik kan zowel functioneren op het niveau van de voorschriften als op het niveau van het waarschijnlijke. Maar waar ik me zorgen om maak is wat al die dingen te betekenen hebben. Het stelen, de promiscuïteit, het liegen...' En o wat deed het zeer om hem dit te horen zeggen, om ze op haar van toepassing te laten zijn. '... zijn allemaal onderdeel van een groter patroon. Wat is het patroon, Bean?'

'Dat ik gek ben?'

Hij zei niets. Ze keek hem aan en wendde haar blik weer af. Haar ogen waren rood en ruw en ze voelde zich moe tot in haar botten. Haar enkel klopte, haar buik deed zeer. 'Mag ik nog een glas water?'

Hij knikte, pakte haar glas en liep door de poort naar de eetkamer. Bean leunde met haar hoofd tegen de rugleuning van haar stoel en ademde lang en langzaam uit. Toen hij terugkwam nam ze voorzichtig een slokje uit het glas dat hij voor haar neerzette. Hij zei nog altijd niets en wachtte.

'Rose is altijd de intelligentste geweest. Die kan alles. Ze kan een vreselijk loeder zijn en alles moet altijd volmaakt zijn, maar ze kan het maken, dus is het niet van belang. Zij heeft een doctorstitel. Ze heeft een volmaakte verloofde. Ze kan een publiek toespreken en over allerlei dingen praten die ik in geen miljoen jaar zou begrijpen en maakt dat ik me constant dom voel. En Cordy... Iedereen is dol op haar. Weet je, die fladdert wat rond en sjeest van de universiteit en leeft jaren uit een rugzak en iedereen vindt dat "wauw, wat avontuurlijk". Komt ze zwanger thuis, weet niet eens wie de vader is, Dan wordt verliefd op haar en iedereen staat al in de rij om haar te overladen met cadeaus voor de baby. Ze is de lieveling van iedereen.'

Aidan keek even verwonderd. 'Maar we hebben het over jou, Bean. We hebben het niet over Rose en Cordy.'

'Maar snap je het dan niet?' Bean wierp haar handen in de lucht en boog zich naar voren. 'Er is geen ik. Er is alleen Rose en Cordy. Ik ben net een verkeersdrempel in het midden van de weg waardoor iedereen langzamer gaat, omdat ik de boel maar dwars blijf zitten. En ik ben niet zo slim en leuk als Cordy, dus dat vrijkaartje heb ik niet. Niemand houdt voor mij een optocht.'

Aidan liet dat even op zich inwerken. 'Dus als Rose de slimmerik is en Cordy de leukerd, wat ben jij dan?'

'Ik ben niets.'

Aidan fronste. Bean keek hem strijdlustig aan. Hij leunde naar achteren in zijn stoel en keek naar buiten waar een klein strookje behalve hun weerspiegeling de duisternis liet zien. Toen hij weer iets zei, keek hij haar niet aan, maar bleef hij uit het raam staren alsof hij een kristallen bol las.

'We vertellen onszelf allemaal verhalen. We vertellen onszelf dat we te dik, of te lelijk, of te oud, of te dom zijn. We vertellen onszelf die verhalen omdat ze een excuus zijn voor onze daden, waardoor we de verantwoordelijkheid voor dingen die we hebben gedaan van ons afschuiven. Misschien op iets wat binnen onze macht ligt, maar op allesbehalve de beslissingen die we genomen hebben.'

Hij boog zich naar voren en Bean, die zich had afgewend, voelde haar blik weer naar zijn ogen getrokken worden. 'Jouw verhaal, Bean, is het verhaal van je zussen. En volgens mij wordt het tijd dat je jezelf dat specifieke verhaal niet meer wijsmaakt en je eigen verhaal vertelt. Hou op met jezelf rechtvaardigen in termen van hen. Je hoeft niet slechts te bestaan in de lege plekken die zij achterlaten. Er zijn momenten in ons leven dat we moeten beseffen dat het verleden precies is wat het is en dat we het niet kunnen veranderen. Maar we kunnen wel het verhaal dat we onszelf erover ophangen veranderen en zodoende ook de toekomst.'

Op de bank sloeg Bean haar handen in elkaar en ze moest weer huilen.

'Je zou vanavond niet met mij hebben willen praten als je jouw verhaal niet wilde veranderen, Bean. Dus wat gaat het worden?' Hij hield zijn handpalmen omhoog.

Er ging een hele poos voorbij voordat ze die pakte.

Toen mama uit het ziekenhuis kwam, brachten we haar direct naar bed. We verwisselden haar drukverband, masseerden haar armen en benen en deden de oefeningen die ze ons hadden opgegeven. De bestraling was achter de rug, de medicatie werd afgebouwd, maar we konden niet genoeg doen om goed te maken dat we zo in onze eigen sores verstrikt waren geweest dat we haar bijna waren kwijtgeraakt.

Na een week of twee intensieve verzorging had mama er genoeg van. Op een dag kwam ze haar bed uit, deed ze haar oefeningen zelf, vroeg Cordy haar te helpen met douchen en daarna ging ze naar de keuken, waar zij en Cordy brood bakten alsof het een olympisch evenement was.

Cordy en mama transformeerden de keuken tot hun werkterrein. Op elke beschikbare oppervlakte stonden schalen met rijzend deeg en afkoelende broden. De airconditioning kon niet tegen de hitte van de oven op en in de stille, roerloze lucht plakte het aroma van gist en pure chocola in een dikke zweetlaag op onze huid. Mama had eindelijk haar smaakpapillen en eetlust weer terug en Cordy had altijd honger. Ze kwam in hogere sferen terecht door het scheppen, testen en proeven, probeerden combinaties en recepten en putten genoegen uit de stroom van ontdekkingen.

Bean liep af en aan, klaagde dat ze haar met alle geweld wilden vetmesten, maar accepteerde gretig de machtige, dampende plakken die ze haar lieten proeven. De huiskamer was koeler, dus daar trok ze zich terug, maar de geuren lokten haar halverwege een hoofdstuk weer naar de keuken wanneer haar gedachten afdwaalden.

Cordy's handen waren kleverig van het deeg door het kneden van een zwaar gemberbrood, toen ze stopte en haar hand op haar buik legde waar die een meelafdruk op haar shirt achterliet. 'Mam,' zei ze.

Mama klopte deskundig met haar goede pols glazuur in de schaal waar de suiker in zoet schuim veranderde. 'Wat?' zei ze, maar ze keek niet op.

'Denk jij dat ik een goede moeder word?' vroeg Cordy. Ze drukte het gemberdeeg in de vorm en controleerde de oven. Haar handen vlogen weer naar haar buik.

'Volgens mij word jij een voortreffelijke moeder.' Ze schonk het glazuur over een tulband die op alufolie stond en keek hoe het artistiek omlaag droop.

'Vind je me niet onverantwoordelijk?' Haar mondhoeken wezen omlaag en haar ogen lagen in de schaduw.

Mama zette de schaal weer neer en zette haar handen op haar heupen. 'O, Cordy, het is heel moeilijk voor ons, weet je dat? Jij bent onze baby, van ons allemaal. Als je vader en ik naar jullie kijken zien we geen volwassenen, maar kinderen, we zien die nacht toen jij met een koliek wakker lag, de keer dat je je tanden kwijtraakte, je knie schaafde, al die zelfgemaakte ansichtkaarten. En met jou is het waarschijnlijk nog moeilijker, omdat jij ook Roses en Beans baby bent geweest.' Hoofdschuddend bracht ze de schaal naar de gootsteen waar hij in kletterde en de vuile vaat tot rust kwam als slib onder in een vijver.

'Maar ze hebben toch groot gelijk?' Ze keek om zich heen en hield haar armen hulpeloos wijd. 'Ik heb mijn hele leven verknald.'

'Nu hoor ik Rose praten.'

'Hoe kom je daarbij? Rose zou nooit verknald zeggen,' zei Bean, die binnenkwam en een vinger stak in het glazuur dat op het folie een plasje had gevormd. Mama sloeg haar hand achteloos weg.

'Waar denk je dat al die jaren anders voor waren?' vroeg mama. 'We komen niet zomaar met al die talenten de baarmoeder uit. Die groeien door alles wat we leren. En als je niet in restaurants had gewerkt, of had geleerd een maaltijd samen te stellen van wat maar voorhanden was, zou je nooit de kokkin zijn geworden die je nu bent.'

'*Sommigen worden groot geboren, sommigen verwerven grootheid, en sommigen krijgen de grootheid toegeworpen,*' zei Bean. 'En sommige mensen kunnen het met beide handen nog niet vinden. Maar we overleven.'

'Ik wil niet beroemd zijn,' zei Cordy. 'Jij hebt altijd beroemd willen worden. Ik wil gewoon gelukkig zijn.'

Mama had geen van ons tweeën gehoord; ze zat dwars op een van de stoelen aan de keukentafel, nadat ze een donker tarwebrood van de zitting had gepakt en het op de koelkast gezet om verder af te laten koelen. Haar wijsvinger lag op haar kin. Klassiek. Hoewel ze de uitputting voorbij was, was ze nog zwak en haar huid was hier bleek en daar fleurig, alsof ze constant koorts had. 'Ik heb jullie allebei altijd bewonderd om jullie vindingrijkheid,' zei ze. 'Jullie zijn niet bang. Beans verhuizing naar New York en het feit dat ze haar weg vond in wat ik altijd een totaal onherbergzame stad heb gevonden.'

'En jij dan,' zei Bean met een knikje naar Cordy, 'je hebt al die jaren overleefd op praktisch niets behalve je handen en je hersens. Dat had ik nooit gekund.'

'Ik ook niet,' zei mama hoofdschuddend.

Cordy had die jaren nooit als een prestatie beschouwd. In de tijd toen het voor haar nog een verstokt soort romantiek was, geloofde ze dat ze een soort antropologische pionier was, dat ze baanbrekend bezig was en met iedere nieuwe persoon die ze ontmoette, met elk verhaal dat ze hoorde haar horizon verbreedde, maar ze had die tijd nog nooit als een succes beschouwd. En om het uit Beans mond te horen was een nog grotere verrassing.

'Daarom zul jij een goede moeder zijn,' zei Bean, knikkend alsof ze wist waarover ze sprak. 'Jij bent namelijk een overlever, Cordy. Jij zult doen wat je moet doen om het voor elkaar te krijgen.'

'Papa denkt van niet,' zei Cordy verdrietig.

Mama veegde die gedachte van tafel terwijl ze tegelijkertijd een lok van haar voorhoofd wegduwde. 'Dat gaat niet echt over jou, Cordy. Niet over je vaardigheden. Je vader is gewoon bezorgd. Hij wil niet dat je het moeilijk krijgt.'

'Dat zei hij ook tegen mij,' zei Bean. 'Hij zei dat hij niet begreep waarom we het ons zo moeilijk maakten. Waarom we altijd de moeilijkste weg kozen.'

'En uiteindelijk niets doen,' zei Cordy. 'Behalve Rose.'

Mama schudde haar hoofd. 'Volgens wiens berekeningen? Jullie zijn alle drie hetzelfde. Ik weet niet wat wij hebben gedaan waardoor jullie het idee hebben dat je tegen je dertigste meester op een of ander gebied moest zijn.'

Ze wist het misschien niet, maar dat idee hadden we zeker. Dat idee was gekomen van een bestaan in de schaduw van papa in deze kleine gemeenschap waar niets ertoe deed behalve het leven van de geest, waar de grootste bekendheid niet op een filmscherm of het wereldpodium verscheen, maar achter een lessenaar, en in de voetnoten van vakbladen.

'Ik wil niet echt een meester op mijn gebied zijn,' zei Bean. 'Maar ik zou mijn leven graag niet compleet en totaal verkloot hebben.'

Nu verwachtten we dat mama Bean een standje zou geven voor haar taalgebruik, maar dat deed ze niet. Ze glimlachte alleen maar toegeeflijk en zei: 'O, lieverd, we hebben allemaal wel iets op onze eigen bijzondere manier verkloot,' waarop Cordy zo hard moest lachen dat ze op de grond ineenzeeg, waardoor Bean weer zo hard moest lachen dat ze in tranen uitbarstte en het enige wat we wensten, was dat Rose erbij was om de hele toestand mee te maken.

23

In de bibliotheek hees Bean een zware monitor op de klantenbalie. Ze had alle gereedschap van mevrouw Landrige terzijde gelegd: stempelkussens, een stempel met kleine, draaibare cijfers, potloodstompjes afgeslepen tot een paar centimeter van het eind van hun bestaan, en o, al dat papier, papier en nog eens papier.

Officieel tot Barnwell Public Librarian geridderd, gekroond en geïnstalleerd (Hoofd Aller Bibliothecaire Kwesties, noemde Cordy haar), was haar eerste zakelijke beslissing de bibliotheek digitaliseren. Verrassend genoeg waren de vroede vaderen van de stad niet alleen bereid, ze hadden er jaren geleden al geld voor opzijgezet, in de hoop dat mevrouw Landrige, geen voorstander van technologische vooruitgang, het licht zou zien, wat natuurlijk nooit was gebeurd. Dus de fondsen lagen klaar, Bean hoefde er alleen maar om te vragen en ziet, zij ontving.

Ze was net klaar met het leggen van de snoeren en kroop onder het bureau vandaan terwijl ze het stof van haar gloeiende knieën sloeg toen de deur openging en Aidan binnenkwam. 'Mevrouw de Bibliothecaresse,' begroette hij haar met een knikje.

'Dominee Aidan,' antwoordde ze met een pijnlijk armzalig Iers accent. Zijn gezicht vertrok en hij knipoogde. 'Wat kunnen we vandaag voor u doen?'

'Ik wil gewoon een rustig plekje om te werken,' zei hij.

'De zaterdagse uitstelleritis?'

'Nee, de normale uitstelleritis van de hele week, die uitmondt in een zaterdags werkethos. Nu we het er toch over hebben, ben je volgende week zaterdag beschikbaar voor vrijwilligerswerk?'

'Ja. Wat gaan we doen?'

'We rijden naar Columbus om bij de voedselbank te werken. Blikken opstapelen, rantsoenen uitdelen. Heel glamourvol en we zullen zeker worden vergezeld door de beste paparazzi.'

'Hoe kan ik daar dan nee tegen zeggen?' Bean wierp haar haar naar achteren en nam een stoere houding aan.

'Ik bel je nog wel om een en ander te regelen. Is Rose er dan weer? We kunnen altijd extra hulp gebruiken.'

'Misschien. Maar ik weet vrij zeker dat ze, als ze terugkomt, voornamelijk bezig zal zijn met inpakken.' Bean bukte zich, drukte op een knop en de computer startte zoemend op.

'Dus ze gaat?'

'Jawel. Merkwaardig, hè? Dat zij een jetsetbestaan gaat leiden en mij een bestaan van halve slavernij in Barnwell is toegevallen?'

'Engeland zal haar goed doen,' zei Aidan. Hij leunde tegen de toonbank, hield zijn boeken en paperassen tegen zijn heup met zijn lange vingers gekromd om de randen. 'Ze had hier allang weg moeten zijn. En Barney zal goed voor jou zijn, dat zul je zien.'

'Ja,' zei Bean met een kort knikje.

'Dus tot morgen bij de dienst?' vroeg Aidan. Hij duwde zich overeind en liep weg.

'Zou ik voor niets ter wereld willen missen,' zei Bean. Glimlachend kuierde hij naar de hokjes achterin, waar hij het zich gemakkelijk maakte om te werken. Ze keek hem na, zijn soepele manier van lopen, en het T-shirt dat van zijn magere schouders hing.

Ze wilde hem niet. Had ze hem ooit echt gewild? Het is zo makkelijk om naar een voorbije liefde te kijken en dan te zeggen dat hij nooit echt was geweest. Maar nu was er geen sprake van een treurig restje rampspoed om een eens zo grootse verhouding in een grauw en groezelig licht te zetten. Er was alleen de wereld waarheen Bean was teruggekeerd, de wereld van waarheden en feiten en consequenties, en als die minder opwinding herbergde, was er evenmin sprake van knagende bedreiging, geen angst voor ontdekking en ontmaskering. En met die rust kwam Beans plechtige grootboek van alles wat ze had gedroomd en alles wat de werkelijkheid was.

Aidan had niets magisch. Gebrandmerkt door haar eigen zonde en niet in staat elders verlossing te vinden, had ze zijn aandacht tot het enige gemaakt wat ze kon begrijpen. En nu wist ze dat Aidan haar, ondanks papa's verzoek, als een vriend beschouwde, dat hij blij was met haar in zijn kudde. Plus, wat misschien het ongelooflijkst was, hij behandelde haar niet als minder na wat ze hem had opgebiecht. Op een bepaald niveau had hij misschien geweten wat ze nodig had en daardoor hield ze meer van hem dan ze als zijn partner van hem had kunnen houden.

Bovendien zou ze dood zijn gegaan in een relatie zonder seks.

Ze schudde afwezig een pakketje uitleenkaarten en keek door de voordeur naar buiten, naar de brede boom boven de stoep, waar haar vader *Naar het u bevalt* had geciteerd. Eigenlijk Roses stuk, maar dat deed er niet toe. *Ik kom aan de kost en aan mijn kleren, draag niemand haat toe, ben op geen mens afgunstig, verheug me over het geluk van anderen.* De woorden van een arme schaapherder, bespot om zijn eenvoud. Dit was Barney voor haar, ze had de clown uitgehangen en de zonde gevonden waar die niet was. Hier wonen had zo'n stempel op ons allemaal gedrukt. Rose die er als een kind aan de borst eindeloos vertroosting vond. Cordy en Bean waren er in gevecht geweest met de landerigheid, ervan overtuigd dat het geheim van het leven vlak om de hoek lag, voorbij de volgende taxistandplaats waar de uitlaatgassen van draaiende motoren de lucht in dreef. Maar wat had die tatoeage van onze geboorteplek ons gebracht? We waren nog altijd dezelfde mensen en Cordy en Bean, die dat het minst gewild hadden, kwamen naar huis om zich te nestelen.

Bean ging aan haar bureau zitten en trok de lange kaartenbak naar zich toe. Ze wist dat zij Barney niet kon veranderen. Het omzetten van de bleke, houten kaartenbak in het binaire systeem van de computer was maar een cosmetische ingreep en zou niets aan het wezen van de stad veranderen die *kruipt met zijn trage pas van dag tot dag, tot aan het laatste woord in 't boek des tijds* en zou blijven sudderen, maar haar plaats hier kon ze wel veranderen. Ze kon haar stempel drukken, haar schulden aan mensen en God afbetalen, en ooit zou ze, verankerd in plaats van belast, dat deel van haar dat Barney vertegenwoordigde de wereld in slingeren, en deze keer zou het niet misgaan.

Zoals Bean al had voorzien, kwam Rose met maar één gedachte thuis, namelijk weer vertrekken. Nog maar luttele maanden geleden, toen ze haar eigendommen weer naar het ouderlijk huis had gebracht, had ze geknield op de grond al die eigendommen bij het uitpakken door haar vingers laten glijden. Nu leken ze wel anders, zwaarder en elk ding minder belangrijk. Ze had niet veel nodig: kleren en aantekeningen bij de artikelen voor haar research. Goede wandelschoenen (maar Rose had natuurlijk niets anders!). Raar hoe weinig het haar nu nog kon schelen. Rose was als het om spullen ging altijd de ergste geweest, al waren we haar dankbaar wanneer we naar de plakboeken mochten kijken die ze van onze gezinsuitstapjes had gemaakt, en de schoenendozen vol oude werkstukken en aantekeningen en kunstprojecten. Nu was ze net als Cordy, ze wilde eigenlijk niets meer dragen dan haar rugzak. Toen ze haar ontslagbrief had verstuurd, toen ze kundig en in de vriendelijkste bewoordingen had geschreven dat Columbus University met die baan haar rug op kon, was er opeens een last van haar schouders gevallen. Ze hoefde nooit meer terug naar dat armoedige kantoortje en de grauwe collegezalen met hun uitgeputte studenten. De lethargie die haar had achtervolgd sinds ze voor het eerst voet op de campus zette, zou nooit meer haar tentakels om haar heen slaan. Ze zou zelfs wel eens – durfde ze het te zeggen? – gelukkiger kunnen zijn zonder die baan.

Cordy zelf lag op Roses bed, half bedekt door de afgedankte kleren die Rose haar had toegeworpen toen ze weigerde opzij te gaan. Onze Cordy was altijd zo, ze wilde bij de actie zijn, ze wilde zien hoe we ons verkleedden voordat we uitgingen, of ging ons achterna wanneer we dat deden. Als tieners vonden we dat stierlijk vervelend, maar nu had het iets geruststellends, al klaagde Rose wel over Cordy's apathie en dat ze de kleren kreukte die op en om haar heen lagen.

'De kleren die opgeslagen worden, bedoel je?' vroeg Cordy en ze wentelde zich met opzet op een shirt dat van haar heup was gegleden en vermorzelde het onder haar almaar uitdijende achterwerk. O, de vreugde van onze stofwisseling en van de zwangerschap.

Rose griste het shirt onder Cordy weg en sloeg het uit. 'Ja, die. Behalve als je aanbiedt alles te strijken voordat ik terugkom.'

'Jij komt nooit meer terug,' zei Cordy. En daarna knipperde ze met de ogen alsof ze het niet had willen zeggen.

'Doe niet zo belachelijk. Ik ben met Kerstmis weer terug en daarna weer in augustus en telkens wanneer mama me nodig heeft.' Met een geoefende polsbeweging sloeg ze een broek uit en daarna rolde ze hem op tot een strakke cilinder, die ze tussen de kleren in haar koffer drukte. Ze pakte een winterjas, bezag peinzend de lengte en legde hem opzij voor een andere.

'Maar niet hier. Niet in Barney.'

Rose stopte en keek Cordy aan, die met zo'n koele zekerheid sprak dat ze er een beetje van moest huiveren. 'Hoe weet je dat?'

'Dat weet ik gewoon,' zei Cordy, en daarna giechelde ze. '*Hoed u voor de idusdag van maart.*'

'Dat is een mogelijkheid,' zei Rose, terwijl ze op de rand van het bed kwam zitten om een paar schoenen in te pakken. 'Maar ik denk dat ik na een poosje behoorlijk heimwee krijg.'

'Misschien,' zei Cordy. Ze pakte een flesje lotion van Roses nachtkastje, kneep wat in haar hand en wreef het in. 'Dat heb ik nooit gehad, niet echt.'

'Jij bent anders dan ik,' zei Rose.

Cordy bekeek haar als een nieuwsgierige eekhoorn. 'Doe niet zo belachelijk. Ik ben precies als jij. We zijn allemaal precies eender, weet je.'

'Vast. Net zoals we volslagen anders zijn. Opzij,' zei Rose met een por tegen Cordy's been. Meegaand als altijd wentelde ze zich van een rijtje keurig opgerold ondergoed. Rose pakte de bundeltjes en vulde er de gaten aan de rand van haar koffer mee.

'Nee, zoals we allemaal hetzelfde zijn. Wij willen allemaal wat papa en mama hebben. We willen allemaal de lieveling, de meest beminde zijn, de ster van onze eigen film. En we willen alle drie iets beters dan Barney, maar dat krijgen we niet.' Ze dacht even na en staarde peinzend naar het plafond. 'Niet dat het zo erg is, weet je. Barney is zo slecht nog niet.'

'Dat zeg ik al jaren,' zei Rose.

'Je hebt dat jaren gezegd omdat je bang was om te vertrekken, omdat je dacht dat we je zouden vergeten, of dat we het wel zouden overleven zonder jou, wat moest jij dan? Je zou de enige rol kwijtraken die je ooit hebt gespeeld.' Cordy zette het flesje lotion weer op de tafel en keek Rose aan.

Rose staarde naar onze jongste zus. '*Mijn orakel, mijn profeet,*' zei ze uiteindelijk. Wanneer was Cordy in godsnaam zo wijs geworden?

'Ik heb een hoop geleerd van mijn zwervende bestaan, sprinkhaan,' zei Cordy, alsof Rose hardop had gedacht.

Zo werkt de geest van zussen.

EPILOOG

Op kerstavond sneeuwde het. 's Ochtends was het zachtjes begonnen en de hele dag doorgegaan, het fluisteren van vlokken die magie beloofden en de bomen in een stille pracht hulden. We bleven zo lang mogelijk binnen, totdat een spoortje ijzel op het raam en de belofte van koude sneeuw op de huid ons naar buiten lokte. Er was zo veel sneeuw gevallen dat de kinderen naar Wilsons Hills konden, we hoorden het schreeuwen en gillen toen ze van de lichte helling gleden die jaren terug zo hoog had geleken.

'Laten we het bos ingaan,' zei Cordy en ze vertrok, dus moesten wij haar wel achterna. De baby was een vroegertje geweest, of de dokter had zich gewoon vergist (mama had ons verzekerd dat dit best mogelijk was, omdat Cordy zelf bijna een maand later was geboren dan verwacht) en ze genoot van het nieuwe genoegen van haar eigen mobiliteit. Ze liep licht en vlug langs de sneeuwhopen en wij zetten onze schoenen in haar voetsporen en maakten ze groter.

Over een week zouden Rose en Jonathan trouwen met een kleine plechtigheid en een kleine receptie, de dienst in St. Mark's en de receptie in een restaurant. De bruiloft op Barnwell College houden leek haar nu misplaatst, een onnodige terugkeer naar het verleden. Bean had haar jurk uitgekozen, een diep nachtblauw waardoor Roses ogen glansden, haar roomkleurige, tere huid contrasteerde subtiel met die weelde. Toen Rose hem voor het eerst had aangetrokken, bleef ze zich maar voor de spiegel omdraaien, deels verbaasd over haar eigen schoonheid, deels over dat heerlijke geritsel van de stof bij elke beweging. Alle andere mensen zouden het jaar uitluiden en de geboorte van een nieuw jaar vieren en wij gingen feestvieren voor onze zus en de man die haar hart in het woud van Arden had gestolen.

'Ben je zenuwachtig?' vroeg Bean. Ze stapte over een omgevallen boom; bruinverbrand mos was nog zichtbaar door de sneeuw.

'Helemaal niet,' zei Rose. Ze glimlachte, haar tanden tekenden zich wit af tegen de blos op haar wangen. 'Is dat niet raar? Ik zou het eigenlijk wel moeten zijn, hè?'

'Niet per se. Niet als je het zeker weet.'

'Ik weet het zeker,' zei Rose. En we hadden de indruk dat ze het over meer had dan alleen haar relatie met Jonathan. Ze was groter en trotser uit Engeland teruggekomen, geurend van kracht als geparfumeerde olie. Er was een artikel voor publicatie geaccepteerd. Na de bruiloft zouden ze naar het westen op huwelijksreis gaan, waar de bergen overgingen in de zee, en ze zouden bezoeken afleggen aan universiteiten die hen na hun terugkeer uit Engeland misschien allebei wilden aannemen. Maar ze hadden geen andere zekerheid dan elkaar en we zagen dat onze Rose ook niet meer wilde.

'Ach kijk, ze maken een kerststal,' zei Cordy, wijzend naar de kerk. Voor op het gazon waren balen stro en een schuurtje uit de sneeuw verrezen en dik aangeklede figuren liepen met kisten en planken af en aan. 'Weet je nog dat er een koe stierf in zo'n kerststal en niemand het in de gaten had?'

'Bah. Dat is zo deprimerend. Moet je het per se daarover hebben?' vroeg Rose.

'Ja,' zei Cordy en ze liep naar de kerk.

We passeerden dominee Aidan op het bordes die de sneeuw van zijn laarzen stampte voordat hij weer naar binnen ging en hij zwaaide. 'Zie ik jullie allemaal vanavond?' riep hij. We waren zo lang als zelfs Rose het zich herinnerde altijd naar de nachtdienst in St. Mark's gegaan. Als we ons de kerk voorstelden, riepen we dat beeld op, een en al hulst, de lichten gedempt, allemaal volle tinten rood en het wasachtige crème van het kaarslicht wanneer we – ja, zelfs wij – psalmen zongen voor de winter, voor het Christuskind, voor de duisternis en het licht.

'Dat weet je best!' zei Cordy. Ze wees naar hem en knipte met haar vingers. Pang.

'God, Cordy,' zei Bean. 'Je bent zo gênant.'

'Dat is mijn werk,' zei Cordy, zwaaiend met haar armen.

We liepen door de stad terug naar huis. De etalages met hun luiken staken donker af achter plakkaten sneeuw. De ouderwetse straatlantaarns waren aangegaan omdat het donker werd en ze schenen twee keer zo fel omdat er strengen kerstverlichting om de palen waren gewikkeld.

'Dit is de mooiste tijd in Barney,' zuchtte Rose.

'Is Oxford niet mooi met Kerstmis?' vroeg Bean. De straten waren verlaten, slechts aan een paar voetstappen die snel werden toegedekt met sneeuw was te zien dat er überhaupt iemand voorbij was gekomen. In de verte lag het centrale campusplein er zuiver en ongestoord bij.

'Niet zo,' zei Rose. 'Het is nat. En dan hebben ze van die afschuwelijke tl-verlichting die het beeld totaal bederft.'

'Daar zou het kindeke Jezus hartgrondig de pest aan hebben,' zei Cordy met een uitgestreken gezicht.

'Grof!' lachte Bean.

'Ik ben blij dat je hier bent,' zei Cordy tegen Bean. 'Ga je straks nog naar Matthew?' Bean ging sinds kort om met een alleenstaande vader die een paar plaatsen verderop woonde. Hij was ouder dan zij en zijn kinderen naderden de puberteit, maar voor Bean was dat waarschijnlijk het beste, want die vond make-up uitwisselen veel leuker dan luiers verschonen.

'Nee,' zei Bean. 'Hij komt vanavond naar de dienst wanneer hij de kinderen bij hun moeder heeft afgeleverd.'

'O, te gek!' zei Cordy en ze sloeg haar wanthanden tegen elkaar terwijl we onze straat in liepen. 'Dan zijn we met de hele familie bij elkaar. Dan komt na de lunch. Hij is een goddeloze heiden, maar ik denk dat hij wel trek heeft in warme cider en kerststol.'

We betraden de brede witte vlakte van onze oprit, ons gazon en ons voetpad. Het huis lag er schitterend bij, de lichten brandden sfeervol, de kerstboom met zijn blinkende lichtjes voor het raam, onze ouders en Jonathan waren bewegende silhouetten achter het glas.

Binnen wachtte Ariel op haar voeding. Ze was het evenbeeld van Cordy, van ons. Ze was helemaal van ons. We waren verrukt bij de aanblik van haar piepkleine handjes die in de lucht grepen wanneer Cordy haar de borst gaf en met elke kleine ademtocht van haar hadden we het gevoel dat de mirakels in de wereld zich duizendvoudig vermenigvuldigden. Misschien was papa de enige die nog verliefder was op haar dan wij, hij weigerde haar uit het oog te verliezen of zelfs uit zijn armen los te laten, behalve wanneer ze aan de borst moest. Mochten wij soms denken dat Cordy hem het dierbaarst was, die voorkleur verbleekte naast de liefde die hij voor Ariel koesterde en haar geboorte had elk conflict tussen hen uit de wereld geholpen.

Binnen was mama, hersteld en gelukkig, bezig de keuken in een warme haardstede te veranderen met het heerlijke aroma van het avondeten en de belofte van haar aanwezigheid, dit jaar en altijd.

Binnen herlas papa de kersttoespraak uit *Hamlet* ter voorbereiding op de toast bij het avondmaal.

Men zegt, dat telkens als het tijdstip nadert,
Waarop wij Christus' komst op aarde vieren
De daagraadsvogel hele nachten kraait.
Geen geest mag dan op aarde dwalen, zegt men;
De nachten zijn gezond; geen sterren botsen,
Geen elf sluipt rond, geen heks heeft tovermacht,
Zo heilig en gezegend is die tijd.

Binnen was de boom, omringd door cadeaus en de mensen van wie we houden. Binnen stonden onze bedden, waren onze herinneringen, onze geschiedenis, ons lot. Daarbinnen wij drieën. De Weird Sisters, de drie heksen. Hand in hand.

ALLEN AF

WOORD VAN DANK

Heel veel dankbaarheid...

Aan Amy Einhorn (de uitgeefster en mijn beste vriendin) voor het uitbrengen van *Op weg naar huis* en voor de verbijsterende inzichten en diepzinnige vragen die een manuscript tot een roman hebben gemaakt. Aan Halli Melnitsky, voor het beantwoorden van alle vragen die ik maar kon bedenken en me gaandeweg dikwijls aan het lachen maakte.

Aan Ivan Held, Leigh Butler, Lance Fitzgerald, Marilyn Ducksworth, Mih-Ho Cha, Michelle Malonzo, Kate Stark, Lydia Hirt, Chris Nelson en de rest van het geweldige team van Amy Einhorn Books/ Putnam. Jullie grenzeloze aanmoediging en deskundigheid zijn van onschatbare waarde geweest.

Aan Elizabeth Winick Rubinstein, een vasthoudende agente, een elegante, geestige en intelligente vrouw, het kalme en geduldige oog van de orkaan en een geweldige gids voor New York. Ik ben je eeuwig dankbaar omdat je ja hebt gezegd. Voor Rebecca Strauss, Alecia Douglas en de ploeg van McIntosh & Otis, voor jullie enthousiaste steun.

Aan mijn eerste lezers: Dyani Galligan, Rebecca Kuhn, Lauren Wilde, Lily McGinley, Jennifer Eckstein Coon, Denice Turner en Francesca H. Redshaw. Dank je wel voor jullie geloof in mij.

Aan de kankeroverlevers, oncologen en kraamspecialisten die de tijd hebben genomen mijn vragen te beantwoorden: Darlene McGinley, Susan Westgate, Linda Ross, Cara Leuchtenberger en Nana Tchabo. Jullie bijdragen waren zonder meer van onschatbare waarde. Alle nog resterende fouten zijn geheel voor mijn rekening.

Aan mijn ouders, Bill en Cathy Brown, omdat ze een lezer van me hebben gemaakt. Dat is een geschenk waarvoor ik nooit dankbaar genoeg kan zijn.

Aan de docenten die me hebben geleerd en aangemoedigd om te schrijven: Terri Rubin, Ann Scott, Cheryl Wanko en Steve Almond. En in dierbare nagedachtenis voor James Andreas, John Kelly en Don Belton, drie hoogleraren wier hartstocht en humor mij en talloze anderen hebben geïnspireerd. We missen jullie en zijn gezegend dat we jullie hebben mogen kennen.

Aan de vrienden die ik elders niet heb genoemd en mij en mijn schrijven honderd procent hebben gesteund: Michele Delaney, Amanda Holender, Amy en Rob Schoen, Lissette Diez, Tammy Doll, Alan Newton, Nicole Gellar, Jennifer Chaffin, Wayne Alan Brenner, Holly Fults, Jonathan Segura, Marcela Valdes en Hanne Blank. Ik bof dat jullie allemaal deel uitmaken van mijn leven.